よくわかる社労士 合格テキスト

3 労働者災害補償保険法

TAC社会保険労務士講座◉編著

TAC出版
TAC PUBLISHING Group

はじめに

ここ最近の社労士試験の出題傾向をみてみると、選択式については、年度により難易度に変動はあるものの、「覚えた事柄から単純・反射的に選ぶ性質の問題」から「知識をフル活用して推測しつつ、選択語群の語句を消去法で絞り込まないと正解を選べない高度な問題」まで出題内容が多岐にわたっています。単にテキスト中の語句や数字等を記憶しているだけでは、すべての科目において基準点（３点）をクリアするための得点ができるとは言えない試験になってきているといえます。

また、択一式については、「組合せ問題」と「正解の個数問題」という出題形式は定着しており、とくに「正解の個数問題」については、１問にかける時間が長くなるため、非常に負荷が高くなっています。事例形式の問題も増え、「実務と直結した内容の出題を。」という意図も感じられるようになっています。

これらの傾向に対応するためには、素早く確実に出題の意図を読み取り判断していく能力が求められるので、基本事項の反復を徹底し、早い時期にそのレベルでの対策を仕上げておき、時間的に余裕をもって応用問題等の細かい知識の対応に時間を割けるようにしておくことが必要でしょう。

本書は、社労士試験に確実に合格するための「本格学習テキスト」というコンセプトをもっており、条文や通達、判例など、多くの情報を、社労士本試験問題を解く際に使いやすいよう、コンパクトにまとめています。

今回の改訂では、直近の法改正事項に対応するために本文内容の加筆・修正を行い、直近の本試験の出題傾向にも対応できるよう内容の見直しも行いました。

本書を利用したみなさんが、社労士試験に合格されることを、ＴＡＣ社会保険労務士講座一同、願ってやみません。

令和６年10月吉日

TAC社会保険労務士講座

法改正ポイント講義

ここでは、2025（令和7）年度の社労士本試験に関連する、主要な法改正内容を紹介していきます。まずは、法改正内容の概要をつかんでおきましょう。詳細は、テキスト本文でじっくり学習していきましょう。

1 特定フリーランス事業を行う者に係る特別加入の新設

【令和６年11月1日施行】

令和６年11月から、⑴⑵の事業が特別加入の対象となります（他に特別加入可能な事業又は作業を除く）。

⑴　フリーランス（特定受託事業者）が企業等（業務委託事業者）から業務委託を受けて行う事業（特定受託事業）

⑵　フリーランスが消費者（業務委託事業者以外の者）から委託を受けて行う特定受託事業と同種の事業

（例）一人のカメラマンが様々な仕事を行う場合の対象となる業務

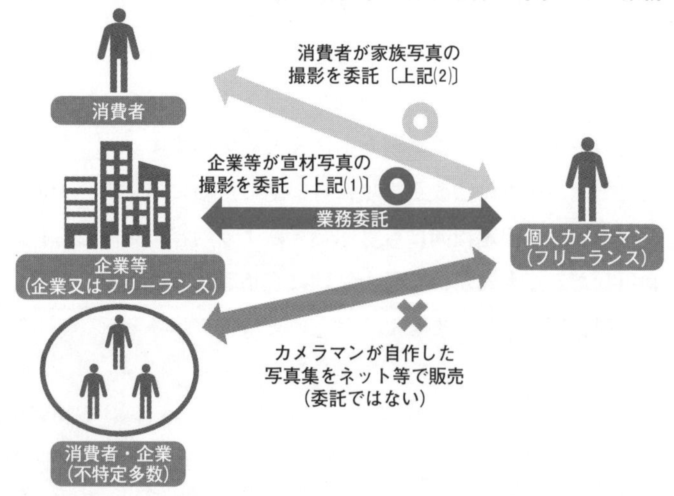

第７章で学習します。

本試験の傾向

過去10年間の出題項目は、次のようになっています。★が選択式試験、☆が択一式試験となっています。

	H27	H28	H29	H30	R元	R2	R3	R4	R5	R6
目的等					★		★			
適用	☆	☆	☆	☆	★					
業務災害	☆	★☆	☆	☆	☆		☆	☆	☆	☆
複数業務要因災害							★	☆		
通勤災害	☆	☆	☆		☆	★	☆	☆		☆
給付基礎日額	☆									☆
給付基礎日額のスライド										
年齢階層別の最低・最高限度額										
保険給付の種類等	☆				★☆					
療養（補償）等給付	☆	★☆	☆	☆	☆					
休業（補償）等給付				☆		☆			★	☆
傷病（補償）等年金	☆		☆	☆		☆				
障害（補償）等給付				☆		☆	☆	★	☆	★
障害（補償）等年金前払一時金										
障害（補償）等年金差額一時金										
介護（補償）等給付				☆		☆				
遺族（補償）等給付										
遺族（補償）等年金	☆	☆				☆	★		☆	☆
遺族（補償）等年金前払一時金										
遺族（補償）等一時金		☆					☆			☆
葬祭料等（葬祭給付）										
二次健康診断等給付				☆						
給付通則	☆		☆	☆	☆	☆	★			★☆
内払処理・充当処理										
社会保険との併給調整									☆	
支給制限・一時差止め		★	☆			☆				☆
費用徴収	☆				★	☆				☆
第三者行為災害による損害賠償との調整	★		☆		☆					
民事損害賠償との調整			☆							★
社会復帰促進等事業の概要			☆		☆			☆	★	
特別支給金		☆	☆		☆	☆				
特別加入の対象者	★		☆	★	☆	☆	☆	★		☆
特別加入の効果	★	☆		★			☆			☆
不服申立て			★						☆	
雑則等			★	☆	☆	☆				

本書の構成

本書は本試験で確実に合格できるだけの得点力を養うことに重点を置き、試験対策において必要とされる知識を整理、体系化して理解することができるよう構成しています。

囲み条文 選択式試験で狙われやすい条文等を囲んでいます。記載内容の重要度は★の数で表しており、★★★のものは、必ず確認しておきましょう。赤字は過去の本試験で論点となったキーワードや、これから出題が予想される重要語句です。それ以外の重要語句は黒太字にしています。

重要度
A、B、Cの３段階です。
A 試験頻出・改正点等の重要事項。必ずおさえる。
B 頻出箇所ではないが、おさえておきたい。合否の分かれ目。
C A、Bを優先とし、余裕があれば、見ておく。

2 複数業務要因災害

❶ 複数業務要因災害の定義 (法1条、法7条1項2号、則5条) 重要度 A

★★★

Ⅰ　複数業務要因災害とは、**複数事業労働者**（これに**類する者**として厚生労働省令で定めるものを含む。以下同じ。）の**2以上の事業の業務を要因**とする**負傷、疾病、障害又は死亡**をいう。

Ⅱ　**複数事業労働者**とは、**事業主が同一人でない２以上の事業に使用される労働者**をいう。

Ⅲ　Ⅰの「これに**類する者**として厚生労働省令で定めるもの」は、**負傷、疾病、障害又は死亡の原因又は要因となる事由が生じた時点**において**事業主が同一人でない２以上の事業**に**同時に使用**されていた労働者とする。R3-選A

趣旨

従来は、労働者を使用する事業ごとに業務上の負荷を評価しており、仮に単独の事業であれば業務災害と認定し得る業務上の負荷を複数の事業においには保険給付が行われず、労働者の稼得能力や遺族の被扶する填補が不十分であった。

して、業務災害には該当しないものの、各事業における業的に評価すれば労災認定される場合には、労働者の稼得能利益の損失を填補する観点から複数業務要因災害という新設された（令和２年９月１日施行）。

趣旨・沿革・概要
条文等の趣旨、沿革、概要をまとめています。難解な条文等も、ここを読み込めばスムーズに理解できます。

Check Point!

□ 複数業務要因災害に関する保険給付
荷のみでは業務と疾病等との間に因
ずれの就業先も労働基準法上の災害

Check Point!
本試験頻出事項などを箇条書きでまとめています。

問題チェック 過去の本試験問題から典型的な出題パターンを知るのに最適な問題をピックアップしています。確かな得点力を養うことができます。

- 下線：問題のポイントになる論点には、下線を引いています。下線の引かれている箇所に注意しながらテキストを読み込むことで、日頃から問題文を「正しく」読む習慣をつけることができます。
- Advice：講師の視点で解答テクニック等を記載しています。

問題チェック R元-5D

被災労働者が、災害現場から医師の治療を受けるために医療機関に搬送される途中で死亡したときは、搬送費用が療養補償給付の対象とはなり得ない。

解答 ×　昭和30.7.13基収841号

被災労働者が死亡に至るまでに要した搬送の費用は、療養のためのものと認められるので、療養補償給付の対象となる。

Advice 上記H28-4Aを踏まえると誤りであることが判断できる。

命令によるものであれば、一般に**業務遂行性**が認められるものである。

H26-5AB　R元-4AB（昭和61.6.30基発383号）

参考（業務起因性の判断基準）
労災保険法が労働者の業務上の負傷、傷病等（以下「傷病等」という。）に対して補償するとした趣旨は、労働災害発生の危険性を有する業務に従事する労働者が、その業務に通……険の発現により傷病等を負った場合に、これによって労働者が受けた損害を填補……もに、労働者又はその遺族等の生活を保障しようとするものである。したがっ……給付の要件として、使用者の過失は要しないとしても、業務と傷病等との間に合……性があるだけでは足りず、当該業務と傷病等との間に当該業務に通常伴う危険性……たという相当因果関係が認められることが必要である。H26-7D

（最二小昭和51.11.12熊本地裁八代支部公務災害事件）

参考

本文に関連する通達、判例等をまとめています。補足的な内容でもあるため、まずは本文を優先して読んでいきましょう。

各種アイコン

●過去問番号 R6-1D

過去10年分の本試験出題実績です。

●改正 改正

直近の改正点で重要なところに付しています。

巻末資料編について

過去の本試験での出題実績こそ少ないものの、今後も出題可能性があるものを巻末資料編としてまとめています。まずは本文の学習を優先したうえで、余裕がある方は読み込んでおいてください。

本書の効果的な活用法

「よくわかる社労士」シリーズは、社労士試験の完全合格を実現するための、実践的シリーズです。条文ベースの学習を通して、本試験問題への対応力をスムーズにつけていくことができます。

◉よくわかる社労士シリーズ

『合格テキスト』全10冊＋別冊

『合格するための過去10年本試験問題集』全4冊

『合格テキスト』をご利用いただく際は、常に姉妹書『合格するための過去10年本試験問題集』の内容を引き合わせながら使用すると、学習効果が倍増します。

- **この問題文の論点は何か？**
- **この問題文の正誤を判断するために必要な要素は何か？**
- **この問題文の空欄には選択語群のうち、どうしてその語句等が適当とされるのか？**

を考えながら、本書を精読することで皆さんの受験勉強が「単に記憶する作業」から「問題文を比較考量して正解を選んでいく行動」へ変化していきます。

本書を最大限に活用して、「確実に合格ラインをこえる解答能力をつけて合格する」という能動的な学習スタイルを身につけていきましょう。

◉よくわかる社労士シリーズを活用した学習法

①まず、『合格するための過去10年本試験問題集』で、試験問題に目を通す。

Check Point!

- どんな問題文かをざっくりつかむことを意識する。
- 解けなくても気にしない！

②『合格テキスト』を科目ごとに読み込む。

Check Point!

- 「過去問番号」が登場する都度、『合格するための過去10年本試験問題集』で該当問題を確認！
  本文の記載内容が、本試験でどのように出題されているかを同時並行で確認することができます。

- 論点を過去問番号の横に、一言で簡潔にメモ！
  テキストの記載内容を自分の知識に落とし込むには、この方法がとても効果的です。この書き込みを見れば問題文がなんとなく思い浮かぶようになると、解答力が格段にアップします。

によって決定すべきもので、
となく一個の事業とし、場所
業とすること。H26-10
は、原則としてそれぞれ別個の
「場所的観点で決定しない」×
にする部門が存する場合に、
働者、労務管理等が明確に区
定めることによって労働基準

こうして全科目、ていねいに学習をしていけば、問題がスラスラ解けるようになる知識が身につきます。本シリーズをフル活用して、合格の栄冠を勝ち取っていきましょう。

目　次

凡例

本書において、法令名等は以下のように表記しています。

法	→ 労働者災害補償保険法
法附則	→ 労働者災害補償保険法附則
令	→ 労働者災害補償保険法施行令
則	→ 労働者災害補償保険法施行規則
則附則	→ 労働者災害補償保険法施行規則附則
支給金則	→ 労働者災害補償保険特別支給金支給規則
徴収法	→ 労働保険の保険料の徴収等に関する法律
労審法	→ 労働保険審査官及び労働保険審査会法
行審法	→ 行政不服審査法
整備法	→ 失業保険法及び労働者災害補償保険法の一部を改正する法律及び労働保険の保険料の徴収等に関する法律の施行に伴う関係法律の整備等に関する法律
整備政令	→ 失業保険法及び労働者災害補償保険法の一部を改正する法律及び労働保険の保険料の徴収等に関する法律の施行に伴う関係政令の整備等に関する政令
厚労告	→ 厚生労働省告示
労告	→ (旧)労働省告示
発労徴	→ 次官又は官房長が発する労働保険徴収課関係の通達
発基	→ 厚生労働省労働基準局関係の労働事務次官名通達
基発	→ 厚生労働省労働基準局長名通達
基収	→ 厚生労働省労働基準局長が疑義に応えて発する通達
基労管発	→ 厚生労働省労働基準局労災補償部労災管理課長名通達
基労補発	→ 厚生労働省労働基準局労災補償部補償課長名通達
基災発	→ (旧)労働省労働基準局労災補償部長名で発する通達
基災収	→ (旧)労働省労働基準局労災補償部長が疑義に答えて発する通達

第1章

総　則

1 目的等

❶ 目的

❷ 管掌、事務の所轄及び事務の委嘱

❸ 命令の制定

2 適　用

❶ 適用事業

❷ 暫定任意適用事業

目的等

❶ 目的（法1条、法2条の2）　重要度 A　★★★

Ⅰ　労働者災害補償保険は、**業務上の事由**、事業主が**同一人でない２以上の事業**に使用される労働者（以下「**複数事業労働者**」という。）の**２以上の事業の業務を要因とする事由**又は**通勤**による**労働者**の**負傷、疾病、障害、死亡等**に対して**迅速かつ公正な保護**をするため、**必要な保険給付**を行い、あわせて、**業務上の事由、複数事業労働者**の**２以上の事業の業務を要因とする事由**又は**通勤**により**負傷**し、又は**疾病**にかかった**労働者**の**社会復帰の促進**、当該**労働者**及びその**遺族の援護、労働者**の**安全及び衛生の確保等**を図り、もって**労働者**の**福祉の増進に寄与**することを**目的**とする。

Ⅱ　労働者災害補償保険は、Ⅰの**目的**を達成するため、**業務上の事由、複数事業労働者**の**２以上の事業の業務を要因とする事由**又は**通勤**による**労働者**の**負傷、疾病、障害、死亡等**に関して**保険給付**を行うほか、**社会復帰促進等事業**を行うことができる。

沿革

労働者災害補償保険法（労災保険法）は、業務上の災害発生に際し、事業主の一時的補償負担の緩和を図り、労働者に対する迅速かつ公正な保護を確保するため（**労働基準法**に基づく**事業主の補償義務を肩代わりする制度**として）、**労働基準法**と同じ**昭和22年４月**に**公布**され、**同年９月１日**に**施行**された。その後、昭和40年改正では、給付の本格的年金化、特別加入制度の導入が行われ、**昭和48年**改正では**通勤災害保護制度**が発足した。さらに**昭和51年**改正で**傷病補償年金**、**平成７年**改正で**介護補償給付**、**平成12年改正**で**二次健康診断等給付**がそれぞれ創設され、労働基準法の災害補償の水準を超えるに至っている。

令和２年９月からは、複数事業労働者に対する労災保険の保険給付に関して、災害発生事業場と非災害発生事業場の賃金額を合算して給付基礎日額を算定するほか、業務上の疾病の認定において、複数の就業先での業務上の負荷を総合して評価する等の改正が行われた。

Check Point!

□ 労災保険の保険料は全額事業主負担である（労働者は保険料を負担しないため、被保険者ではなく適用労働者という。）。

・労災保険の体系

労災保険の体系をまとめると次の通りとなる。R元-選B

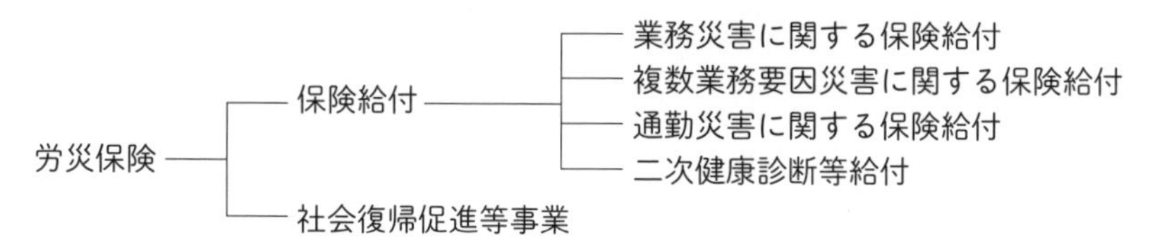

② 管掌、事務の所轄及び事務の委嘱（法2条、則1条、則2条の2）

重要度 A

★★★

Ⅰ　**労働者災害補償保険**は、**政府**が、これを**管掌**する。

Ⅱ　労働者災害補償保険法第34条第１項第３号［第１種特別加入者の給付基礎日額の決定］（第３種特別加入者の規定において準用する場合を含む。）、第35条第１項第６号［第２種特別加入者の給付基礎日額の決定］及び第49条の３第１項［資料提供等の求め］に規定する**厚生労働大臣の権限**は、**都道府県労働局長**に**委任**する。ただし、法第49条の３第１項の規定による**権限**は、**厚生労働大臣**が**自ら行うことを妨げない**。

Ⅲ　労働者災害補償保険（以下「労災保険」という。）に関する事務〔労働保険の保険料の徴収等に関する法律（以下「徴収法」という。）、失業保険法及び労働者災害補償保険法の一部を改正する法律及び労働保険の保険料の徴収等に関する法律の施行に伴う関係法律の整備等に関する法律（以下「整備法」という。）及び賃金の支払の確保等に関する法律に基づく事務並びに厚生労働大臣が定める事務を**除く**。以下「**労働者災害補償保険等関係事務**」という。〕は、**厚生労働省労働基準局長**の**指揮監督**を受けて、**事業場の所在地を管轄する都道府県労働局長**（以下「**所轄都道府県労働局長**」という。）が行う。ただし、次のⅰⅱに掲げる場合は、当該ⅰⅱに定める者を**所轄都道府県労働局長**とする。

ⅰ 事業場が**2以上の都道府県労働局の管轄区域にまたがる**場合	その事業の**主たる事務所の所在地を管轄する都道府県労働局長**
ⅱ 当該労働者災害補償保険等関係事務が**複数業務要因災害に関するもの**である場合	**複数事業労働者**の2以上の事業のうち、その**収入**が当該**複数事業労働者の生計を維持する程度が最も高い**もの（Ⅳⅱ及びⅤにおいて「**生計維持事業**」という。）の**主たる事務所の所在地を管轄する都道府県労働局長** R3-選B

Ⅳ 労働者災害補償保険等関係事務のうち、**保険給付**（**二次健康診断等給付**を**除く**。）並びに**社会復帰促進等事業**のうち**労災就学等援護費**及び**特別支給金**の支給並びに**厚生労働省労働基準局長**が定める給付に関する**事務**は、**都道府県労働局長**の**指揮監督**を受けて、**事業場の所在地を管轄する労働基準監督署長**（以下「**所轄労働基準監督署長**」という。）が行う。ただし、次のⅰⅱに掲げる場合は、当該ⅰⅱに定める者を**所轄労働基準監督署長**とする。

ⅰ 事業場が**2以上の労働基準監督署の管轄区域にまたがる**場合	その事業の**主たる事務所**の所在地を管轄する**労働基準監督署長**
ⅱ 当該労働者災害補償保険等関係事務が**複数業務要因災害に関するもの**である場合	**生計維持事業**の**主たる事務所**の所在地を管轄する**労働基準監督署長**

Ⅴ Ⅲⅱの**都道府県労働局長**及びⅣⅱの**労働基準監督署長**は、次に定めるところにより、Ⅲⅱ及びⅣⅱの労働者災害補償保険等関係事務の**全部又は一部**を**他の都道府県労働局長**及び**労働基準監督署長**に**委嘱**することができる。

i　**生計維持事業**の主たる事務所の**所轄都道府県労働局長**と**他の事業**の主たる事務所の**所轄都道府県労働局長**が**異なる**場合	**生計維持事業**の主たる事務所の**所轄都道府県労働局長**は、事務の全部又は一部を**他の事業**の主たる事務所の**所轄都道府県労働局長**に**委嘱**することができる。
ii　iの規定による**委嘱**を受けた**所轄都道府県労働局長**の事務のうち、Ⅳの事務	当該**所轄都道府県労働局長**の**指揮監督**を受けて、**所轄労働基準監督署長**が行う。
iii　**生計維持事業**の主たる事務所の**所轄都道府県労働局長**と**他の事業**の主たる事務所の**所轄都道府県労働局長**が**同一**である場合	**生計維持事業**の主たる事務所の**所轄労働基準監督署長**は、事務の全部又は一部を**他の事業**の主たる事務所の**所轄労働基準監督署長**に**委嘱**することができる。

Check Point!

□ 二次健康診断等給付以外の保険給付に関する事務は、所轄労働基準監督署長が行う（二次健康診断等給付に関する事務は、所轄都道府県労働局長が行う。）。

1. 上記Ⅲⅱ及びⅣⅱについて

複数業務要因災害に係る事務の所轄は、**生計を維持する程度の最も高い事業**の主たる事務所を管轄する都道府県労働局又は労働基準監督署となる。この場合における、生計を維持する程度の最も高い事業の主たる事務所とは、原則として複数就業先のうち**給付基礎日額の算定期間における賃金総額が最も高い事業場**を指すものである。

（令和2.8.21基発0821第1号）

2. 上記Ⅴについて

業務災害に係る事務を所轄する都道府県労働局又は労働基準監督署と複数業務要因災害に係る事務を所轄する都道府県労働局又は労働基準監督署が異なる場合、業務災害に係る事務を所轄する都道府県労働局又は労働基準監督署において保険給付に係る調査を優先して行うこととなるため、複数業務要因災害に係る事務を所轄する都道府県労働局又は労働基準監督署の事務の全部又は一部を、業務災害に係る事務を所轄する都道府県労働局又は労働基準監督署に委嘱することができることとされている。

（同上）

（複数業務要因災害に関する保険給付の請求）

1．複数業務要因災害に関する保険給付は、都道府県労働局又は労働基準監督署において各事業場の業務上の負荷を調査しなければ分からないことがあること、また、業務災害又は複数業務要因災害のどちらに該当するかを請求人の請求の際に求めることは請求人の過度の負担となることから、複数業務要因災害に関する保険給付の請求と業務災害に関する保険給付の請求は、同一の請求様式に必要事項を記載させることとする。このため、一の事業のみに使用される労働者が保険給付を請求する場合は、業務災害に関する保険給付のみを請求したものとし、複数事業労働者が保険給付を請求する場合は、請求人が複数業務要因災害に係る請求のみを行う意思を示す等の請求人の特段の意思表示のない限り業務災害及び複数業務要因災害に関する両保険給付を請求したものとする。この場合において、複数事業労働者の業務災害として認定する場合は、業務災害の認定があったことをもって複数業務要因災害に関する保険給付の請求が、請求時点に遡及して消滅したものとし、複数業務要因災害に関する保険給付の不支給決定及び請求人に対する不支給決定通知は行わないものとする。これに対し、業務災害の不支給を決定する場合は複数業務要因災害として認定できるか否かにかかわらず、その決定を行うとともに、請求人に対して不支給決定通知を行う。

2．複数事業労働者が保険給付の請求を行う際には、給付基礎日額の算定等に影響があることから、複数事業労働者であるか否かを記載させるとともに、休業（補償）等給付、障害（補償）等給付、遺族（補償）等給付、葬祭料等（葬祭給付）の請求については非災害発生事業場であっても賃金等について事業主の証明を受けることとする。

（令和2.8.21基発0821第１号）

③ 命令の制定（法5条） 重要度B

★★

労働者災害補償保険法に基づく政令及び厚生労働省令並びに**徴収法**に基づく政令及び厚生労働省令（**労働者災害補償保険事業**に係るものに限る。）は、その**草案**について、**労働政策審議会の意見**を聞いて、これを**制定**する。

趣旨

労災保険法等に基づく命令の制定については、その立案の公正・的確性の確保と施行の円滑を期する必要があるため、**労働政策審議会の意見**を聞くべきことを規定している。

適　用

① 適用事業 重要度A

1 適用事業及び適用除外（法3条）

★★★

Ⅰ　**労働者災害補償保険法**においては、**労働者を使用する事業**を**適用事業**とする。

Ⅱ　Ⅰの規定にかかわらず、**国の直営事業及び官公署の事業**（労働基準法別表第1に掲げる事業を除く。）［**非現業の官公署**］については、**労働者災害補償保険法**は、**適用しない**。

Check Point!

□ 労災保険法は、労働者を使用する事業に適用される。したがって、労働者を1人でも使用する事業は、原則として、労災保険の適用事業とされる。

1．官公署に対する適用

次の(1)(2)については、他の法律（国家公務員災害補償法、地方公務員災害補償法等）に基づく災害補償制度により保護が与えられるため、労災保険は適用されない。

(1)　**国の直営事業** H29-4D

(2)　**非現業の官公署**

国家公務員又は地方公務員の事務部門（一般職）の役所を指す。H29-4CE

現業部門・非現業部門に対する労災保険の適用をまとめると次の通りとなる。

	現業部門	非現業部門
国	適用除外	適用除外
地方公共団体	一定の非常勤職員のみ適用 H29-4A	適用除外

2.　独立行政法人に対する適用

国立印刷局、造幣局等の**行政執行法人**には国家公務員災害補償法が適用されるため、**労災保険法は適用されない**が、**行政執行法人以外の独立行政法人には労災保険法が適用**される。H29-4B

なお、独立行政法人に対する適用の取扱いは、次の通り労働基準法と異なる。

	労働基準法	労災保険法
行政執行法人	適用	適用除外
行政執行法人以外の独立行政法人	適用	適用

（独立行政法人通則法59条１項１号、平成13.2.22基発93号）

参考（共同企業体によって行われる建設事業）
共同企業体によって行われる建設事業において、その全構成員が各々資金、人員、機械等を拠出して、共同計算により工事を施工する共同施工方式がとられている場合、保険関係は、共同企業体が行う事業の全体を一の事業とし、その代表者を事業主として成立する。
（昭和41.2.15基災発８号）

問題チェック H17-1D

労働者を使用する事業であれば、事業主がその旨を所轄行政庁に届け出ない場合でも、一部の事業を除き、適用事業である。

解答 ○　法３条、徴収法３条、(44)法附則12条、整備政令17条、平成12年労告120号

労働者を使用する事業であれば、暫定任意適用事業等の一部の事業を除き、**届出の有無にかかわらず、その事業の開始された日に法律上当然に労災保険に係る保険関係が成立する。**

問題チェック H17-1E

労働者を必ずしも常時使用していない事業であっても、労働者を使用する場合には、一部の事業を除き、適用事業に該当する。

解答 ○　法３条、(44)法附則12条、整備政令17条、昭和50年労告35号、平成12年労告120号

労働者を使用する事業であれば、**必ずしも労働者を常時使用していなくても**、暫定任意適用事業等の一部を除き、**適用事業に該当する。**

2 適用労働者

労災保険法の**適用**を受ける**労働者**のことを「**適用労働者**」という。

Check Point!

- □ 労災保険法の適用を受ける労働者とは、労働基準法第９条に規定する労働者と同義である。R元-選A
- □ 個人事業主、法人の代表取締役は適用労働者とはならず、また、同居の親族も原則として適用労働者とならない。
- □ 労働者であれば、常用雇用労働者に限らず、臨時雇、日雇、アルバイト、パートタイマー、試用期間中の者など雇用形態に関係なく適用の対象となる。H30-4オ

1. 複数就業者

２以上の事業に使用される者は、**それぞれの事業において適用労働者**となる。

2. 派遣労働者

労働者派遣事業に対する労災保険法の適用については、**派遣元事業主**の事業が適用事業とされる（**派遣元事業主**の事業に係る保険関係により適用労働者となる。）。

（昭和61.6.30基発383号）

3. 出向労働者

在籍型出向労働者（出向元事業との雇用関係を存続したまま出向する労働者）の労災保険法の適用については、出向の目的及び出向元事業主と出向先事業主とが当該出向労働者の出向につき行った契約並びに出向先事業における出向労働者の労働の実態等に基づき、当該労働者の労働関係の所在を判断して、その者に係る保険関係（労災保険に関する法律関係）が**出向元事業と出向先事業のいずれにあるかを決定**する。

その場合において、出向労働者が、出向先事業の組織に組み入れられ、出向先事業場の他の労働者と同様の立場（ただし、身分関係及び賃金関係を除く。）で、出向先事業主の指揮監督を受けて労働に従事している場合には、たとえ、当該出向労働者が、出向元事業主と出向先事業主とが行った契約等により、出向元事業主から賃金名目の金銭給付を受けている場合であっても、出向先事業主が、当該金銭給付を出向先事業の支払う賃金として、徴収法に規定する事業の賃金総額に

含め、保険料を納付する旨を申し出た場合には当該金銭給付を出向先事業から受ける賃金とみなし、当該出向労働者を出向先事業に係る保険関係によるものとして取り扱うこととされている。H27-5C

移籍型出向労働者（出向元事業との雇用関係を終了させて出向する労働者）の場合は、出向先とのみ労働契約関係があるので、労災保険法の適用については、**出向先事業主の事業に係る保険関係**により取り扱われる。

（昭和35.11.2基発932号、昭和61.6.6基発333号、昭和61.6.30基発383号）

4.　外国人労働者

外国人労働者であっても、適用事業に使用され、賃金を支払われる者は、出入国管理及び難民認定法による在留資格ないし就労資格を有しない**不法就労者であっても、適用労働者となる**。

5.　国外就労者

労災保険法は国外の事業には適用されないので、国外の事業に使用される者である海外派遣者は、労災保険法の適用を受けない（ただし、特別加入者になることができる場合はある。）。

一方、**海外出張者**については、国内の事業に使用される者が国外において業務を遂行しているにすぎないので、原則として、**労災保険法の適用を受ける**。

また、日本企業の海外支店等で、**現地採用**された日本人職員は、**適用労働者とならない**。

（昭和52.3.30基発192号）

6.　テレワークの対象者

テレワーク（労働者が情報通信技術を利用して行う事業場外勤務）の形態は、業務を行う場所に応じて、労働者の自宅で行う**在宅勤務**、労働者の属するメインのオフィス以外に設けられたオフィスを利用する**サテライトオフィス勤務**、ノートパソコンや携帯電話等を活用して臨機応変に選択した場所で行う**モバイル勤務**に分類される。

労働基準法上の労働者については、テレワークを行う場合においても、労働基準法、最低賃金法、労働安全衛生法、労働者災害補償保険法等の労働基準関係法令が適用される。

（令和3.3.25基発0325第２号、雇均発0325第３号）

問題チェック H12-1D

労災保険は、試の使用期間中の労働者であっても、雇入れ後14日を経過すれば、直ちに適用される。

解答 ×　　法3条1項

労災保険は、適用事業所に使用され賃金を受けている者に適用されるので、設問の者についても雇入れの日から適用労働者となる。

問題チェック H28-1A～E

労災保険法の適用に関する次の記述のうち、誤っているものはどれか。

A　障害者総合支援法に基づく就労継続支援を行う事業場と雇用契約を締結せずに就労の機会の提供を受ける障害者には、基本的には労災保険法が適用されない。

B　法人のいわゆる重役で業務執行権又は代表権を持たない者が、工場長、部長の職にあって賃金を受ける場合は、その限りにおいて労災保険法が適用される。

C　個人開業の医院が、2、3名の者を雇用して看護師見習の業務に従事させ、かたわら家事その他の業務に従事させる場合は、労災保険法が適用されない。

D　インターンシップにおいて直接生産活動に従事しその作業の利益が当該事業場に帰属し、かつ事業場と当該学生との間に使用従属関係が認められる場合には、当該学生に労災保険法が適用される。

E　都道府県労働委員会の委員には、労災保険法が適用されない。

解答 C

A　法3条1項、平成19.5.17基発0517002号。設問の通り正しい。設問の障害者については、事業場への出欠、作業時間、作業量等の自由があり指揮監督を受けることなく就労するものとされていることから、基本的には労働基準法9条の労働者には該当しないこととされている。

B　法3条1項、昭和23.3.17基発461号。設問の通り正しい。設問の者は、その限りにおいて労働基準法9条の労働者であり、労災保険法が適用される。

C　法3条1項、昭和24.4.13基収886号。設問の場合、看護師見習が本来の業務であり、通常これに従事する場合は労災保険法が適用される。なお、個人開業の医院で、家事使用人として雇用し看護師の業務を手伝わせる場合には労災保険法は適用されない。

D　法3条1項、平成9.9.18基発636号。設問の通り正しい。インターンシップにおいての実習が、見学や体験的なものであり使用者から業務に係る指揮命令を受けていると解されないなど使用従属関係が認められない場合には、労働基準法9条に規定される労働者に該当しないが、設問の場合には、当該学生は労働者に該当するものと考えられる。

E　法3条1項、昭和25.8.28基収2414号。設問の通り正しい。労働委員会の委員は労働基準法9条の労働者とは認められない。

---

❷ 暫定任意適用事業〔(44)法附則12条、整備政令17条、昭和50年労告35号〕 重要度A ★★★

農林の事業、**畜産**、**養蚕又は水産の事業**（**都道府県**、**市町村**その他これらに準ずるものの事業、**法人**である**事業主の事業**及び船員法第1条に規定する**船員**を**使用**して行う**船舶所有者**の**事業**を**除く**。）であって、**常時5人未満**の**労働者**を**使用**する**事業**は、以下に掲げる**事業**を除き、当分の間、**任意適用事業**（**暫定任意適用事業**）とする。

i　**立木の伐採**、**造林**、**木炭**又は**薪を生産**する事業その他の**林業**の事業であって、**常時労働者を使用**するもの又は**1年以内**の期間において**使用労働者延人員300人以上**のもの

ii　**危険又は有害な作業**を主として行う事業であって、**常時労働者を使用**するもの（i iiiに掲げる事業を除く。）

iii　**総トン数5トン以上**の**漁船**による**水産動植物**の**採捕**の事業（**河川**、**湖沼**又は**特定水面**において主として操業する事業を**除く**。）

iv　**農業**（**畜産**及び**養蚕**の**事業を含む**。）であって、**事業主**が**特別加入**した事業

Check Point!

□ 暫定任意適用事業の範囲は以下の通りである。

<table>
<tr><th>事業の種類</th><th colspan="4">暫定任意適用事業の要件</th></tr>
<tr><td>農業
（畜産・養蚕業を含む）</td><td rowspan="3">個人経営</td><td>事業主が特別加入していない</td><td rowspan="2">常時使用労働者数5人未満</td><td rowspan="2">特定危険有害作業を行う事業ではない</td></tr>
<tr><td>水産業</td><td>船員を使用して行う船舶所有者の事業でない
かつ
・総トン数5トン未満の漁船
又は
・河川、湖沼、特定水面で操業する漁船</td></tr>
<tr><td>林　業</td><td colspan="3">常時労働者を使用せず、かつ、年間使用労働者数延300人未満</td></tr>
</table>

参考 労災保険の暫定任意適用事業の事業主が、労災保険の加入の申請をし、厚生労働大臣の認可があった場合には、**厚生労働大臣の認可があった日**に、労災保険に係る保険関係が成立する。

また、労災保険の暫定任意適用事業の事業主は、その事業に使用される**労働者の過半数が希望**するときは、労災保険の加入の申請をしなければならない。　（整備法5条1項、2項）

第2章

業務災害、複数業務要因災害及び通勤災害

業務災害

① 業務遂行性と業務起因性 重要度A ★

業務災害に該当するかどうかは、**業務起因性**が認められなければならず、**業務起因性**が認められ業務上の傷病等であるとされるためには、その前提条件として、**業務遂行性**が認められなければならないとされている。

Check Point!

- □ 業務起因性とは、「業務に内在している危険有害性が現実化したと経験則上認められること」をいう。
- □ 業務遂行性とは、「労働者が労働契約に基づいて事業主の支配下にある状態で、命じられた業務に従事しようとする意思行動性」をいう。

・派遣労働者に係る業務災害の認定

派遣労働者に係る業務災害の認定に当たっては、派遣労働者が**派遣元事業主**との間の労働契約に基づき**派遣元事業主**の支配下にある場合及び派遣元事業と派遣先事業との間の労働者派遣契約に基づき**派遣先事業主**の支配下にある場合には、一般に業務遂行性があるものとして取り扱う。なお、派遣元事業場と派遣先事業場との間の往復の行為については、それが**派遣元事業主**又は**派遣先事業主**の**業務命令によるもの**であれば、一般に**業務遂行性**が認められるものである。R元-4AB

（昭和61.6.30基発383号）

参考（業務起因性の判断基準）

労災保険法が労働者の業務上の負傷、疾病等（以下「傷病等」という。）に対して補償するとした趣旨は、労働災害発生の危険性を有する業務に従事する労働者が、その業務に通常伴う危険の発現により傷病等を負った場合に、これによって労働者が受けた損害を填補するとともに、労働者又はその遺族等の生活を保障しようとするものである。したがって、保険給付の要件として、使用者の過失は要しないとしても、業務と傷病等との間に合理的関連性があるだけでは足りず、当該業務と傷病等との間に当該業務に通常伴う危険性が発現したという相当因果関係が認められることが必要である。

（最二小昭和51.11.12熊本地裁八代支部公務災害事件）

❷ 業務上負傷の認定 重要度A

負傷に対する業務上外の認定についての具体例は次の通りである。

1. 作業中

作業中の災害の場合は、一般に業務災害とされる。また、使用者の私用を手伝っていたような場合でも業務災害と認められることが多い。H28-2E H29-1E

参考 事業主の私用である台風被害対策のための枝下ろし作業に従事した雑役夫の感電死、上司の雑用をしていた小使の死亡、作業中ハブに咬まれた配管工の負傷などが業務災害と認められている。H27-3C
一方、人員整理に関し会社と労働組合との抗争中に被解雇者が強行就労し、作業中負傷した場合は、業務外とされている。H29-1D （昭和28.12.18基収4466号）

2. 作業中断中

作業中断中の事故であっても、用便・飲水などの生理的行為に伴う災害の場合には業務災害とされる。

3. 作業に伴う必要行為又は合理的行為中

作業に伴う必要行為又は合理的行為中と認められる場合には、業務災害とされる。反対に、作業に伴う必要又は合理的行為というより、私的又は恣意的行為とみなされる場合は業務外とされる。

4. 作業に伴う準備行為又は後始末行為中

作業前あるいは作業後の事故であっても、業務に通常付随する準備行為又は後始末行為と認められる場合には業務災害とされる。

5. 緊急行為

⑴ 業務に従事している場合に緊急行為を行ったとき

① 事業主の命令がある場合

緊急行為は、同僚労働者等の救護、事業場施設の防護等当該業務に従事している労働者として行うべきものか否かにかかわらず、私的行為ではなく、業務として取り扱う。H28-5イ

② 事業主の命令がない場合

同僚労働者の救護、事業場施設の防護等当該業務に従事している労働者として行うべきものについては、私的行為ではなく、業務として取り扱う。

③ 次のⓐからⓒをすべて満たす場合

労働者として行うべきものか否かにかかわらず、私的行為ではなく、業

務として取り扱う。

ⓐ　労働者が緊急行為を行った（行おうとした）際に発生した災害が、労働者が使用されている事業の業務に従事している際に被災する蓋然性が高い災害（例：運送事業の場合の交通事故等）に当たること。

ⓑ　当該災害に係る救出行為等の緊急行為を行うことが、業界団体等の行う講習の内容等から、職務上要請されていることが明らかであること。

ⓒ　緊急行為を行う者が付近に存在していないこと、災害が重篤であり、人の命に関わりかねない一刻を争うものであったこと、被災者から救助を求められたこと等緊急行為が必要とされると認められる状況であったこと。

(2)　業務に従事していない場合に緊急行為を行ったとき

①　事業主の命令がある場合

緊急行為は、同僚労働者等の救護、事業場施設の防護等当該業務に従事している労働者として行うべきものか否かにかかわらず、私的行為ではなく、業務として取り扱う。

②　事業主の命令がない場合

業務に従事していない労働者が、使用されている事業の事業場又は作業場等において災害が生じている際に、業務に従事している同僚労働者等とともに、労働契約の本旨に当たる作業を開始した場合には、特段の命令がないときであっても、当該作業は業務に当たると推定することとする。

H28-5ウ（平成21.7.23基発0723第14号）

6.　休憩時間中

休憩時間中であっても**事業主の支配・管理下にある**と認められる場合には業務災害とされるが、このような場合でも積極的な私的行為が認められる場合には業務外とされる。

7.　事業場施設の利用中

事業場施設を利用中の災害も業務災害とされる場合が多い。H28-2C

参考　寄宿舎浴場の電気風呂で入浴中の感電死、船中の給食による漁船乗組員の食中毒、事業場の火災による住込み労働者の焼死、事業場附属寄宿舎の火災による焼死などが業務災害と認められている。H29-1C
施設内事故については、設備の欠陥や施設の管理状況が原因で発生している場合にはおおむね業務災害と認定されており、通路の不完全による労働者の墜落死を業務災害と認定する通達がある。

8. 出張中

出張中は、**事業主の管理下**にはないものの、**事業主の支配下にあり**業務に従事しているので**業務災害の対象となる**。

参考 ①自宅と出張地の途上での災害も業務災害（通勤災害ではない）であり、自宅から直接用務地に向かう途中の事故、出張地から直接自宅に帰る途中の事故、発電所員が豪雨のため社宅で待機すべく出張先から戻る途中の転落事故などを業務災害としている。R4-6A
②積極的な私的行動や恣意的行動による事故の場合は、業務外とされる場合があり、出張地で催し物を見物しその帰途において生じた自動車事故を業務外としている。
③急性伝染病流行地に出張して感染した場合、出張途上でトラックに便乗した労働者の転落事故、出張地で風土病にかかった場合などが業務災害と認められている。

9. 通勤途上

通勤途上の災害については、通常は通勤災害の対象となるが、**事業主の支配下にあると認められる場合には業務災害の対象**となる。R4-6B

参考 「業務の性質を有するもの」の具体例としては、**事業主の提供する専用交通機関を利用**しての通勤、突発的事故等による**緊急用務**のため、**休日**又は**休暇中**に**呼出し**を受け予定外に**緊急出勤**する場合がこれにあたる。（平成28.12.28基発1228第１号）
建設労働者が宿舎から工事現場に行く途中の渡舟転覆事故、通常の出勤時刻に突発事故のため未出勤者が出勤督励を受け現場へ行く途中の事故などが業務災害とされている。

10. レクリエーション行事出席中

運動競技会、宴会、慰安旅行、懇親会などの行事に出席中の事故であっても、実質的に職務として参加しているような場合など業務遂行性が認められる場合には業務災害の対象となり得る。

11. 療養中

療養中の事故については、一般的には業務災害の対象とはならないが、事故と業務上の負傷に相当因果関係が認められる場合には業務災害と認定される。

12. 天災地変による災害

天災地変による災害について通達は、「天災地変に際して発生した災害も同時に災害を被りやすい業務上の事情があり、それが天災地変を契機として現実化したものと認められる場合に限り、かかる災害について業務起因性を認めることができる」としている。H28-2D

13. 他人の故意に基づく暴行による負傷

業務に従事している場合において被った負傷であって、他人の故意に基づく暴行によるものについては、当該故意が私的怨恨に基づくもの、自招行為によるものその他明らかに業務に起因しないものを除き、業務に起因するものと推定することとされる。なお、通勤途上で他人の故意に基づく暴行により被った負傷についても同様であり、通勤によるものと推定することとされる。H27-5A

③ 業務上疾病の認定（労基法75条2項、労基則35条） 重要度 A

1 業務上疾病の範囲 ★★★

Ⅰ　**業務上の疾病及び療養の範囲**は、**厚生労働省令**で定める。

Ⅱ　Ⅰの規定による**業務上の疾病**は、**労働基準法施行規則別表第１の２に掲げる疾病**とする。H28-5ア

概要

疾病については、業務との間に**相当因果関係**が認められる場合（業務上疾病）に労災保険の保険給付の対象となる。

業務上疾病には、災害性疾病（突発的な事故による負傷や有害作業によって疾病にかかるもの）と職業性疾病（長期間にわたり業務に伴う有害作用を受けることによって疾病にかかるもの）とがあるが、いずれもその発生上の特色から業務起因性のみを認定基準とする場合が多く、しかも業務起因性を立証するのは困難な場合が多いのが実情である。そこで、医学的に因果関係が明確になっている特定の疾病については、厚生労働省令（労働基準法施行規則別表第１の２）及びそれに基づく告示（平成８年労働省告示第33号等）に列挙し、これらについては、一定要件を満たし、かつ、特段の反証のない限り、業務上認定する（因果関係を立証しなくても業務起因性を推定する）ことになっている。

■労働基準法施行規則別表第1の2に掲げられた業務上疾病

号	業務上疾病	例示疾病
第1号	業務上の負傷に起因する疾病	
第2号	物理的因子による疾病	騒音性難聴、前眼部疾患
第3号	身体に過度の負担のかかる作業態様に起因する疾病	振動障害、腱鞘炎
第4号	化学物質等による疾病	酸素欠乏症
第5号	粉じんを飛散する場所における業務によるじん肺症とじん肺合併症	じん肺症
第6号	細菌、ウイルス等の病原体による疾病	患者の診療若しくは看護の業務、介護の業務又は研究その他の目的で病原体を取り扱う業務による伝染性疾患 H27-5B
第7号	がん原性物質若しくはがん原性因子又はがん原性工程における業務による疾病（いわゆる「職業がん」）	石綿にさらされる業務による肺がん又は中皮腫、電離放射線にさらされる業務による白血病、甲状腺がん
第8号	長期間にわたる長時間の業務その他血管病変等を著しく増悪させる業務による疾病又はこれに付随する疾病	くも膜下出血、脳梗塞、心筋梗塞等（**過重負荷による脳・心臓疾患**）
第9号	人の生命にかかわる事故への遭遇その他心理的に過度の負担を与える事象を伴う業務による精神及び行動の障害又はこれに付随する疾病	**心理的負荷による精神障害**
第10号	前各号に掲げるもののほか、厚生労働大臣の指定する疾病	気管支肺疾患
第11号	**その他業務に起因することの明らかな疾病**	疾病について、告示等で具体的に列挙はされていない

・再発の取扱い

業務上の疾病の再発については、原因である業務上の疾病の連続であって、独立した別個の疾病ではないから、業務上の疾病として引き続き保険給付が行われるべきである。 H28-5エ （昭和23.1.9基災発13号）

なお、再発による労災保険の給付を受けるためには、次の要件をすべて満たし

ている必要がある。R4-7アイウエ

⑴　当初の傷病と「再発」とする症状の発現との間に医学的にみて相当因果関係が認められること。

⑵　治ゆ時の症状に比べ「再発」時の症状が増悪していること。

⑶　療養を行えば、「再発」とする症状の改善が期待できると医学的に認められること。

（労働保険審査会採決事案他）

問題チェック H19-1D改

業務との関連性がある疾病であっても、労働基準法施行規則別表第1の2第1号から第10号までに掲げる疾病その他「業務に起因することの明らかな疾病」に該当しなければ、業務上の疾病とは認められない。

解答　○　　法7条1項1号、労基法75条2項、労基則35条、同則別表第1の2

業務上の疾病の範囲は、労働基準法施行規則別表第1の2第1号から第10号までに掲げる疾病及びその他「業務に起因することの明らかな疾病」である。

2 血管病変等を著しく増悪させる業務による脳血管疾患及び虚血性心疾患等の認定基準（脳・心臓疾患認定基準）

★★★

脳血管疾患及び虚血性心疾患等（**負傷に起因するものを除く**。以下「**脳・心臓疾患**」という。）は、その発症の基礎となる動脈硬化等による血管病変又は動脈瘤、心筋変性等の基礎的病態（以下「**血管病変等**」という。）が、長い年月の生活の営みの中で徐々に形成、進行及び増悪するといった自然経過をたどり発症するものである。

しかしながら、業務による明らかな過重負荷が加わることによって、血管病変等がその自然経過を超えて著しく増悪し、脳・心臓疾患が発症する場合があり、そのような経過をたどり発症した脳・心臓疾患は、その発症に当たって業務が相対的に有力な原因であると判断し、業務に起因する（**労働基準法施行規則別表第1の2第8号等**に該当する）疾病として取り扱う。

このような脳・心臓疾患の発症に影響を及ぼす業務による明らかな過重負荷として、**発症に近接した時期における負荷**及び**長期間にわた**

る疲労の蓄積を考慮する。
　これらの業務による過重負荷の判断に当たっては、**労働時間の長さ**等で表される**業務量**や、**業務内容**、**作業環境**等を具体的かつ客観的に把握し、総合的に判断する必要がある。

1．対象疾病 R5-3ア～オ

本認定基準は、次に掲げる脳・心臓疾患を対象疾病として取り扱う。

⑴　脳血管疾患

①脳内出血（脳出血）②くも膜下出血 ③脳梗塞 ④高血圧性脳症

⑵　虚血性心疾患等

①心筋梗塞 ②狭心症 ③心停止（心臓性突然死を含む）④**重篤な心不全**
⑤大動脈解離

2．認定要件

次の⑴**長期間の過重業務**、⑵**短期間の過重業務**又は⑶**異常な出来事**の業務による明らかな過重負荷を受けたことにより発症した脳・心臓疾患は、業務に起因する疾病として取り扱う。

⑴　長期間の過重業務（発症前の長期間にわたって、著しい疲労の蓄積をもたらす特に過重な業務に就労したこと）

　発症前の長期間とは、**発症前おおむね6か月間**をいう。なお、発症前おおむね6か月より前の業務については、疲労の蓄積に係る業務の過重性を評価するに当たり、**付加的要因**として考慮すること。H28-選C

参考（特に過重な業務）R元-3A
特に過重な業務とは、日常業務に比較して特に過重な身体的、精神的負荷を生じさせたと客観的に認められる業務をいうものであり、日常業務に就労する上で受ける負荷の影響は、血管病変等の自然経過の範囲にとどまるものである。ここでいう日常業務とは、通常の所定労働時間内の所定業務内容をいう。

（過重負荷の有無の判断）
1．著しい疲労の蓄積をもたらす特に過重な業務に就労したと認められるか否かについては、業務量、業務内容、作業環境等を考慮し、同種労働者にとっても、特に過重な身体的、精神的負荷と認められる業務であるか否かという観点から、客観的かつ総合的に判断すること。ここでいう同種労働者とは、当該労働者と職種、職場における立場や職責、年齢、経験等が類似する者をいい、基礎疾患を有していたとしても日常業務を支障なく遂行できるものを含む。R元-3C
2．長期間の過重業務と発症との関係について、疲労の蓄積に加え、発症に近接した時期の業務による急性の負荷とあいまって発症する場合があることから、発症に近接した時期に一定の負荷要因（心理的負荷となる出来事等）が認められる場合には、それらの負荷要因についても十分に検討する必要があること。すなわち、長期間の過重業務の判断に当たって、短期間の過重業務（発症に近接した時期の負荷）についても総合的に評価すべき事案があることに留意すること。

3．業務の過重性の具体的な評価に当たっては、疲労の蓄積の観点から、「労働時間」及び「労働時間以外の負荷要因」について十分検討すること。

(1)労働時間の評価

疲労の蓄積をもたらす最も重要な要因と考えられる労働時間に着目すると、その時間が長いほど、業務の過重性が増すところであり、具体的には、発症日を起点とした1か月単位の連続した期間をみて、次表の通りとなる。

	労働時間の目安（時間外労働時間数※）	業務と発症との関連性
①	発症前1～6か月平均で月45時間以内	弱い
②	発症前1～6か月平均で月45時間超	月45時間を超えて時間外労働時間が長くなるほど業務と発症との関連性が強まる
③	・発症前**1か月**に月100時間超 H28-選D 又は ・発症前**2～6か月**平均で月80時間超 H28-選E	強い

※　時間外労働時間数とは、「1週間当たり40時間を超えて労働した時間数」である。

(2)労働時間と労働時間以外の負荷要因の総合的な評価

(1)③の水準には至らないがこれに近い時間外労働が認められる場合には、特に他の負荷要因の状況を十分に考慮し、そのような時間外労働に加えて一定の労働時間以外の負荷が認められるときには、業務と発症との関連性が強いと評価できる。R4-1A

（労働時間以外の負荷要因）

1．勤務時間の不規則性

a　拘束時間の長い勤務	拘束時間とは、労働時間、休憩時間その他の使用者に拘束されている時間（始業から終業までの時間）をいう。拘束時間の長い勤務については、拘束時間数、実労働時間数、労働密度（実作業時間と手待時間との割合等）、休憩・仮眠時間数及び回数、休憩・仮眠施設の状況（広さ、空調、騒音等）、業務内容等の観点から検討し、評価すること。 なお、1日の休憩時間がおおむね1時間以内の場合には、労働時間の項目における評価との重複を避けるため、この項目では評価しない。R元-3D
b　休日のない連続勤務	休日のない（少ない）連続勤務については、連続労働日数、連続労働日と発症との近接性、休日の数、実労働時間数、労働密度（実作業時間と手待時間との割合等）、業務内容等の観点から検討し、評価すること。 その際、休日のない連続勤務が長く続くほど業務と発症との関連性をより強めるものであり、逆に、休日が十分確保されている場合は、疲労は回復ないし回復傾向を示すものであることを踏まえて適切に評価すること。
c　勤務間インターバルが短い勤務	勤務間インターバルとは、終業から始業までの時間をいう。 勤務間インターバルが短い勤務については、その程度（時間数、頻度、連続性等）や業務内容等の観点から検討し、評価すること。なお、長期間の過重業務の判断に当たっては、睡眠時間の確保の観点から、勤務間インターバルがおおむね11時間未満の勤務の有無、時間数、頻度、連続性等について検討し、評価すること。
d　不規則な勤務・交替制勤務・深夜勤務	「不規則な勤務・交替制勤務・深夜勤務」とは、予定された始業・終業時刻が変更される勤務、予定された始業・終業時刻が日や週等によって異なる交替制勤務（月ごとに各日の始業時刻が設定される勤務や、週ごとに規則的な日勤・夜勤の交替がある勤務等）、予定された始業又は終業時刻が相当程度深夜時間帯に及び夜間に十分な睡眠を取ることが困難な深夜勤務をいう。不規則な勤務・交替制勤務・深夜勤務については、予定された業務スケジュールの変更の頻度・程度・事前の通知状況、予定された業務スケジュールの変更の予測の度合、交替制勤務における予定された始業・終業時刻のばらつきの程度、勤務のため夜間に十分な睡眠が取れない程度（勤務の時間帯や深夜時間帯の勤務の頻度・連続性）、一勤務の長さ（引き続いて実施される連続勤務の長さ）、一勤務中の休憩の時間数及び回数、休憩や仮眠施設の状況（広さ、空調、騒音等）、業務内容及びその変更の程度等の観点から検討し、評価すること。

2．事業場外における移動を伴う業務

a　出張の多い業務	出張とは、一般的に事業主の指揮命令により、特定の用務を果たすために通常の勤務地を離れて用務地へ赴き、用務を果たして戻るまでの一連の過程をいう。出張の多い業務については、出張（特に時差のある海外出張）の頻度、出張が連続する程度、出張期間、交通手段、移動時間及び移動時間中の状況、移動距離、出張先の多様性、宿泊の有無、宿泊施設の状況、出張中における睡眠を含む休憩・休息の状況、出張中の業務内容等の観点から検討し、併せて出張による疲労の回復状況等も踏まえて評価すること。ここで、飛行による時差については、時差の程度（特に4時間以上の時差の程度）、時差を伴う移動の頻度、移動の方向等の観点から検討し、評価すること。 また、出張に伴う勤務時間の不規則性についても、前記1.により適切に評価すること。
b　その他事業場外における移動を伴う業務	その他事業場外における移動を伴う業務については、移動（特に時差のある海外への移動）の頻度、交通手段、移動時間及び移動時間中の状況、移動距離、移動先の多様性、宿泊の有無、宿泊施設の状況、宿泊を伴う場合の睡眠を含む休憩・休息の状況、業務内容等の観点から検討し、併せて移動による疲労の回復状況等も踏まえて評価すること。なお、時差及び移動に伴う勤務時間の不規則性の評価については前記aと同様であること。

3．心理的負荷を伴う業務
心理的負荷を伴う業務については、別表1及び別表2に掲げられている日常的に心理的負荷を伴う業務又は心理的負荷を伴う具体的出来事等について、負荷の程度を評価する視点により検討し、評価すること。 R4-1B

4．身体的負荷を伴う業務
身体的負荷を伴う業務については、業務内容のうち重量物の運搬作業、人力での掘削作業などの身体的負荷が大きい作業の種類、作業強度、作業量、作業時間、歩行や立位を伴う状況等のほか、当該業務が日常業務と質的に著しく異なる場合にはその程度（事務職の労働者が激しい肉体労働を行うなど）の観点から検討し、評価すること。

5．作業環境
長期間の過重業務の判断に当たっては、付加的に評価すること。

a　温度環境	温度環境については、寒冷・暑熱の程度、防寒・防暑衣類の着用の状況、一連続作業時間中の採暖・冷却の状況、寒冷と暑熱との交互のばく露の状況、激しい温度差がある場所への出入りの頻度、水分補給の状況等の観点から検討し、評価すること。
b　騒音	騒音については、おおむね80dBを超える騒音の程度、そのばく露時間・期間、防音保護具の着用の状況等の観点から検討し、評価すること。

(2)　短期間の過重業務（発症に近接した時期において、特に過重な業務に就労したこと）

発症に近接した時期とは、**発症前おおむね1週間**をいう。 R元-3B

ここで、発症前おおむね1週間より前の業務については、原則として長期間の負荷として評価するが、発症前1か月間より短い期間のみに過重な業務が集中し、それより前の業務の過重性が低いために、長期間の過重業務とは認められないような場合には、発症前1週間を含めた当該期間に就労した業務の過重性を評価し、それが特に過重な業務と認められるときは、短期間の過重業務に就労したものと判断する。

参考（過重負荷の有無の判断）

1．特に過重な業務に就労したと認められるか否かについては、業務量、業務内容、作業環境等を考慮し、同種労働者にとっても、特に過重な身体的、精神的負荷と認められる業務であるか否かという観点から、客観的かつ総合的に判断すること。

2．短期間の過重業務と発症との関連性を時間的にみた場合、業務による過重な負荷は、発症に近ければ近いほど影響が強いと考えられることから、次に示す業務と発症との時間的関連を考慮して、特に過重な業務と認められるか否かを判断すること。

①発症に最も密接な関連性を有する業務は、発症直前から前日までの間の業務であるので、まず、この間の業務が特に過重であるか否かを判断すること。

②発症直前から前日までの間の業務が特に過重であると認められない場合であっても、発症前おおむね1週間以内に過重な業務が継続している場合には、業務と発症との関連性があると考えられるので、この間の業務が特に過重であるか否かを判断すること。
なお、発症前おおむね1週間以内に過重な業務が継続している場合の継続とは、この期間中に過重な業務に就労した日が連続しているという趣旨であり、必ずしもこの期間を通じて過重な業務に就労した日が間断なく続いている場合のみをいうものではない。したがって、発症前おおむね1週間以内に就労しなかった日があったとしても、このことをもって、直ちに業務起因性を否定するものではない。

3．業務の過重性の具体的な評価に当たっては、「労働時間」及び「労働時間以外の負荷要因」について十分検討すること。

⑴労働時間

①発症直前から前日までの間に特に過度の長時間労働が認められる場合、②発症前おおむね1週間継続して深夜時間帯に及ぶ時間外労働を行うなど過度の長時間労働が認められる場合等（手待時間が長いなど特に労働密度が低い場合を除く。）には、業務と発症との関係性が強いと評価できる。 R4-1C
なお、労働時間の長さのみで過重負荷の有無を判断できない場合には、労働時間と労働時間以外の負荷要因を総合的に考慮して判断する必要がある。

⑵労働時間以外の負荷要因

労働時間以外の負荷要因についても、⑴長期間の過重業務 参考（労働時間以外の負荷要因）において各負荷要因ごとに示した観点から検討し、評価すること。ただし、長期間の過重業務における検討に当たっての観点として明示されている部分を除く。なお、短期間の過重業務の判断においては、⑴長期間の過重業務 参考（労働時間以外の負荷要因）5.の作業環境について、付加的に考慮するのではなく、他の負荷要因と同様に十分検討すること。

⑶　異常な出来事（発症直前から前日までの間において、発生状態を時間的及び場所的に明確にし得る異常な出来事に遭遇したこと）

異常な出来事と発症との関連性については、通常、負荷を受けてから24時間以内に症状が出現するとされているので、**発症直前から前日までの間**を評価期間とする。 R4-1D

参考（異常な出来事）
異常な出来事とは、当該出来事によって急激な血圧変動や血管収縮等を引き起こすことが医学的にみて妥当と認められる出来事であり、具体的には次に掲げる出来事である。
①極度の緊張、興奮、恐怖、驚がく等の強度の精神的負荷を引き起こす事態
②急激で著しい身体的負荷を強いられる事態
③急激で著しい作業環境の変化

(過重負荷の有無の判断)
①業務に関連した重大な人身事故や重大事故に直接関与した場合、②事故の発生に伴って著しい身体的、精神的負荷のかかる救助活動や事故処理に携わった場合、③生命の危険を感じさせるような事故や対人トラブルを体験した場合、④著しい身体的負荷を伴う消火作業、人力での除雪作業、身体訓練、走行等を行った場合、⑤著しく暑熱な作業環境下で水分補給が阻害される状態や著しく寒冷な作業環境下での作業、温度差のある場所への頻回な出入りを行った場合等には、業務と発症との関連性が強いと評価できる。

（令和3.9.14基発0914第1号、令和5.1.18基補発0118第2号）

■血管病変等を著しく増悪させる業務による脳血管疾患及び虚血性心疾患等の判断の流れ

業務による明らかな過重負荷

長期間の過重業務

発症前の長期間（**発症前おおむね6か月間**）にわたって、著しい疲労の蓄積をもたらす特に過重な業務に就労したこと

（労働時間）
①発症前1～6か月間平均で月45時間以内の時間外労働は、発症との関連性は弱いが、おおむね月45時間を超えて長くなるほど、関連性は強まる
②**発症前1か月間におおむね100時間**又は**2か月ないし6か月間平均で月80時間を超える**時間外労働は、発症との関連性は強い

上記②の水準に至らなかった場合も、これに近い時間外労働を行った場合には、「労働時間以外の負荷要因」の状況も十分に考慮し、業務と発症との関連性が強いと評価できる

＋

短期間の過重業務

発症に近接した時期（**発症前おおおむね１週間**）において、特に過重な業務に就労したこと

（労働時間）
①**発症直前から前日までの間**に特に過度の長時間労働が認められる場合
②発症前**おおむね１週間継続**して、深夜時間帯に及ぶ時間外労働を行うなど過度の長時間労働が認められる場合

には発症との関係性が強い

＋

異常な出来事

発症直前から前日までの間において、発生状態を時間的及び場所的に明確にし得る異常な出来事に遭遇したこと

・極度の緊張、興奮、恐怖、驚がく等の強度の精神的負荷を引き起こす事態
・急激で著しい身体的負荷を強いられる事態
・急激で著しい作業環境の変化

労働時間以外の負荷要因	
勤務時間の不規則性	拘束時間の長い勤務
	休日のない連続勤務
	勤務間インターバル（終業から次の勤務の始業までの時間をいう）が短い勤務
	不規則な勤務・交替制勤務・深夜勤務
事業場外における移動を伴う業務	出張の多い業務
	その他事業場外における移動を伴う業務
心理的負荷を伴う業務	
身体的負荷を伴う業務	
作業環境（長期間の過重業務では付加的に評価）	温度環境
	騒音

総　合　判　断

3 心理的負荷による精神障害の認定基準

★★

労働基準法施行規則別表第1の2第9号の「心理的負荷による精神障害」に該当する疾病であるか否かの判断は、「心理的負荷による精神障害の認定基準」によるものとされ、同基準においては、次のⅰⅱ及びⅲのいずれの要件も満たす対象疾病は、労働基準法施行規則別表第1の2第9号に該当する業務上の疾病として取り扱うこととされている。H30-1A

ⅰ　**対象疾病を発病していること。**

ⅱ　**対象疾病の発病前おおむね6か月の間に、業務による強い心理的負荷が認められること。**

ⅲ　**業務以外の心理的負荷及び個体側要因**（精神障害の既往歴等）**により対象疾病を発病したとは認められないこと。**

また、要件を満たす対象疾病に併発した疾病については、対象疾病に付随する疾病として認められるか否かを個別に判断し、これが認められる場合には当該対象疾病と一体のものとして、労働基準法施行規則別表第1の2第9号に該当する業務上の疾病として取り扱うこととされている。

Check Point!

□ 頭部外傷等の器質性脳疾患に付随する精神障害、アルコールや薬物等による精神障害は対象疾病には含まれない。R6-3ア

1．認定要件に関する基本的な考え方

対象疾病の発病に至る原因の考え方は、環境由来の心理的負荷（ストレス）と、個体側の反応性、脆弱性との関係で精神的破綻が生じるかどうかが決まり、心理的負荷が非常に強ければ、個体側の脆弱性が小さくても精神的破綻が起こり、脆弱性が大きければ、心理的負荷が小さくても破綻が生ずるとする「ストレス－脆弱性理論」に依拠している。

このため、心理的負荷による精神障害の業務起因性を判断する要件としては、**対象疾病が発病しており**、当該対象疾病の**発病の前おおむね6か月の間に業務による強い心理的負荷が認められる**ことを掲げている。

さらに、これらの要件が認められた場合であっても、明らかに業務以外の心理

的負荷や個体側要因によって発病したと認められる場合には、業務起因性が否定されるため、認定要件を上記のとおり定めた。

2. 業務による心理的負荷の強度の判断

(1) 業務による強い心理的負荷の有無の判断

上記の認定要件のうち、ⅱの「対象疾病の発病前おおむね6か月の間に、業務による強い心理的負荷が認められること」とは、対象疾病の発病前おおむね6か月の間に業務による出来事があり、当該出来事及びその後の状況による心理的負荷が、客観的に対象疾病を発病させるおそれのある強い心理的負荷であると認められることをいう。

心理的負荷の評価に当たっては、**発病前おおむね6か月の間**に、対象疾病の発病に関与したと考えられる**どのような出来事があり、また、その後の状況がどのようなものであったのか**を具体的に把握し、その心理的負荷の強度を判断する。H30-1C

その際、精神障害を発病した労働者が、その出来事及び出来事後の状況を主観的にどう受け止めたかによって評価するのではなく、同じ事態に遭遇した場合、**同種の労働者**が一般的にその出来事及び出来事後の状況をどう受け止めるかという観点から評価する。H27-1E H30-1B

その上で、心理的負荷の全体を総合的に評価して「強」と判断される場合には、認定要件ⅱを満たすものとする。

なお、業務による心理的負荷の強度の判断に当たっては、参考(業務による心理的負荷評価表)を指標として、(1)により把握した出来事による心理的負荷の強度を、「強」、「中」、「弱」の3段階に区分する。H30-1C

参考「同種の労働者」とは職種、職場における立場や職責、年齢、経験等が類似する者をいう。

(2) 複数の出来事の評価

対象疾病の発病に関与する業務による出来事が複数ある場合には、次のように業務による心理的負荷の全体を総合的に評価する。

① それぞれの具体的出来事について総合評価を行い、いずれかの具体的出来事によって「強」の判断が可能な場合は、業務による心理的負荷を「強」と判断する。R5-1A

② いずれの出来事でも単独では「強」と評価できない場合には、それらの複数の出来事について、関連して生じているのか、関連なく生じているのかを判断した上で、次により心理的負荷の全体を総合的に判断する。

ア　出来事が関連して生じている場合には、その全体を一つの出来事として評価することとし、原則として最初の出来事を具体的出来事として参考（業務による心理的負荷評価表）に当てはめ、関連して生じた各出来事は出来事後の状況とみなす方法により、その全体について総合的な評価を行う。

具体的には、「中」である出来事があり、それに関連する別の出来事（それ単独では「中」の評価）が生じた場合には、後発の出来事は先発の出来事の出来事後の状況とみなし、当該後発の出来事の内容、程度により「強」又は「中」として全体を総合的に評価する。R5-1B

なお、同一時点で生じた事象を異なる視点から検討している場合や、同一の原因により複数の事象が生じている場合、先発の出来事の結果次の出来事が生じている場合等については、複数の出来事が関連して生じた場合と考えられる。

イ　ある出来事に関連せずに他の出来事が生じている場合であって、単独の出来事の評価が「中」と評価する出来事が複数生じているときには、それらの出来事が生じた時期の近接の程度、各出来事と発病との時間的な近接の程度、各出来事の継続期間、各出来事の内容、出来事の数等によって、総合的な評価が「強」となる場合もあり得ることを踏まえつつ、事案に応じて心理的負荷の全体を評価する。この場合、全体の総合的な評価は、「強」又は「中」となる。R5-1C

当該評価に当たり、それぞれの出来事が時間的に近接・重複して生じている場合には、「強」の水準に至るか否かは事案によるとしても、全体の総合的な評価はそれぞれの出来事の評価よりも強くなると考えられる。

一方、それぞれの出来事が完結して落ち着いた状況となった後に次の出来事が生じているときには、原則として、全体の総合的な評価はそれぞれの出来事の評価と同一になると考えられる。

また、単独の出来事の心理的負荷が「中」である出来事が一つあるほかには「弱」の出来事しかない場合には原則として全体の総合的な評価も「中」であり、「弱」の出来事が複数生じている場合には原則として全体の総合的な評価も「弱」となる。R5-1DE

3. 精神障害の悪化と症状安定後の新たな発病

(1) 精神障害の悪化とその業務起因性

精神障害を発病して治療が必要な状態にある者は、一般に、病的状態に起因した思考から自責的・自罰的になり、ささいな心理的負荷に過大に反応するため、悪化の原因は必ずしも大きな心理的負荷によるものとは限らないこと、また、自然経過によって悪化する過程においてたまたま業務による心理的負荷が重なっていたにすぎない場合もあることから、業務起因性が認められない精神障害の悪化の前に強い心理的負荷となる業務による出来事が認められても、直ちにそれが当該悪化の原因であると判断することはできない。

ただし、参考(業務による心理的負荷評価表)の特別な出来事があり、その後おおむね6か月以内に対象疾病が自然経過を超えて著しく悪化したと医学的に認められる場合には、当該特別な出来事による心理的負荷が悪化の原因であると推認し、悪化した部分について業務起因性を認める。R6-3イ

また、特別な出来事がなくとも、悪化の前に業務による強い心理的負荷が認められる場合には、当該業務による強い心理的負荷、本人の個体側要因(悪化前の精神障害の状況)と業務以外の心理的負荷、悪化の態様やこれに至る経緯(悪化後の症状やその程度、出来事と悪化との近接性、発病から悪化までの期間など)等を十分に検討し、業務による強い心理的負荷によって精神障害が自然経過を超えて著しく悪化したものと精神医学的に判断されるときには、悪化した部分について業務起因性を認める。R6-3ウ

なお、既存の精神障害が悪化したといえるか否かについては、個別事案ごとに医学専門家による判断が必要である。

(2) 症状安定後の新たな発病

既存の精神障害について、一定期間、通院・服薬を継続しているものの、症状がなく、又は安定していた状態で、通常の勤務を行っている状況にあって、その後、症状の変化が生じたものについては、精神障害の発病後の悪化としてではなく、症状が改善し安定した状態が一定期間継続した後の新たな発病として、認定要件に照らして判断すべきものがあること。

（業務による心理的負荷評価表）

1．特別な出来事

特別な出来事の類型	心理的負荷の総合評価を「強」とするもの
心理的負荷が極度のもの	・生死にかかわる、極度の苦痛を伴う、又は永久労働不能となる後遺障害を残す業務上の病気やケガをした（業務上の傷病による療養中に症状が急変し極度の苦痛を伴った場合を含む） ・業務に関連し、他人を死亡させ、又は生死にかかわる重大なケガを負わせた（故意によるものを除く） ・強姦や、本人の意思を抑圧して行われたわいせつ行為などのセクシュアルハラスメントを受けた ・その他、上記に準ずる程度の心理的負荷が極度と認められるもの
極度の長時間労働	・**発病直前の１か月**に**おおむね160時間を超える**ような、又はこれに満たない期間にこれと同程度の（例えば**３週間におおむね120時間以上**の）**時間外労働**を行った H30-1D

2．特別な出来事以外（一部抜粋）

出来事の類型	具体的出来事	心理的負荷の強度を「弱」「中」「強」と判断する具体例	
仕事の量・質	１か月に80時間以上の時間外労働を行った	弱	１か月におおむね80時間未満の時間外労働を行った
		中	１か月におおむね80時間以上の時間外労働を行った
		強	・発病直前の連続した２か月間に、１月当たりおおむね120時間以上の時間外労働を行った H27-1A ・発病直前の連続した３か月間に、１月当たりおおむね100時間以上の時間外労働を行った
	感染症等の病気や事故の危険性が高い業務に従事した	弱	・重篤ではない感染症等の病気や事故の危険性がある業務に従事した ・感染症等の病気や事故の危険性がある業務ではあるが、防護等の対策の負担は大きいものではなかった
		中	・感染症等の病気や事故の危険性が高い業務に従事し、防護等対策も一定の負担を伴うものであったが、確立した対策を実施すること等により職員のリスクは低減されていた
		強	・新興感染症の感染の危険性が高い業務等に急遽従事することとなり、防護対策も試行錯誤しながら実施する中で、施設内における感染等の被害拡大も生じ、死の恐怖等を感じつつ業務を継続した
パワーハラスメント	上司等から、身体的攻撃、精神的攻撃等のパワーハラスメントを受けた	弱	上司等による「中」に至らない程度の**身体的攻撃、精神的攻撃**等が行われた
		中	上司等による次のような**身体的攻撃・精神的攻撃**等が行われ、行為が反復・継続していない ・治療を要さない程度の暴行による身体的攻撃 R3-4D ・人格や人間性を否定するような、業務上明らかに必要性がない又は業務の目的を逸脱した精神的攻撃 R3-4AB ・必要以上に長時間にわたる叱責、他の労働者の面前における威圧的な叱責など、態様や手段が社会通念に照らして許容される範囲を超える精神的攻撃 R3-4C ・無視等の**人間関係からの切り離し** ・業務上明らかに不要なことや遂行不可能なことを強制する等の**過大な要求** ・業務上の合理性なく仕事を与えない等の**過小な要求** ・私的なことに過度に立ち入る**個の侵害**

		強	・上司等から、治療を要する程度の暴行等の**身体的攻撃**を受けた ・上司等から、暴行等の**身体的攻撃**を反復・継続するなどして執拗に受けた ・上司等から、次のような**精神的攻撃**等を反復・継続するなどして執拗に受けた 「人格や人間性を否定するような、業務上明らかに必要性がない又は業務の目的を大きく逸脱した精神的攻撃」 「必要以上に長時間にわたる厳しい叱責、他の労働者の面前における大声での威圧的な叱責など、態様や手段が社会通念に照らして許容される範囲を超える精神的攻撃」 「無視等の**人間関係からの切り離し**」 「業務上明らかに不要なことや遂行不可能なことを強制する等の**過大な要求**」 「業務上の合理性なく仕事を与えない等の**過小な要求**」 「私的なことに過度に立ち入る**個の侵害**」 ・心理的負荷としては「中」程度の身体的攻撃、精神的攻撃等を受けた場合であって、会社に相談しても又は会社がパワーハラスメントがあると把握していても適切な対応がなく、改善されなかった ※ 性的指向・性自認に関する精神的攻撃等を含む。
対人関係	同僚等から、暴行又はひどいいじめ・嫌がらせを受けた	弱	同僚等から、「中」に至らない程度の言動を受けた
		中	・同僚等から、治療を要さない程度の暴行を受け、行為が反復・継続していない ・同僚等から、人格や人間性を否定するような言動を受け、行為が反復・継続していない
		強	・同僚等から、治療を要する程度の暴行等を受けた H27-1B ・同僚等から、暴行等を反復・継続するなどして執拗に受けた ・同僚等から、人格や人間性を否定するような言動を反復・継続するなどして執拗に受けた ・心理的負荷としては「中」程度の暴行又はいじめ・嫌がらせを受けた場合であって、会社に相談しても又は会社が暴行若しくはいじめ・嫌がらせがあると把握していても適切な対応がなく、改善されなかった ※ 性的指向・性自認に関するいじめ等を含む。
	顧客や取引先、施設利用者等から著しい迷惑行為を受けた（カスタマーハラスメント）	弱	顧客等から、「中」に至らない程度の言動を受けた
		中	・顧客等から治療を要さない程度の暴行を受け、行為が反復・継続していない ・顧客等から、人格や人間性を否定するような言動を受け、行為が反復・継続していない ・顧客等から、威圧的な言動などその態様や手段が社会通念に照らして許容される範囲を超える著しい迷惑行為を受け、行為が反復・継続していない
		強	・顧客等から、治療を要する程度の暴行等を受けた ・顧客等から、暴行等を反復・継続するなどして執拗に受けた ・顧客等から、人格や人間性を否定するような言動を反復・継続するなどして執拗に受けた ・顧客等から、威圧的な言動などその態様や手段が社会通念に照らして許容される範囲を超える著しい迷惑行為を、反復・継続するなどして執拗に受けた ・心理的負荷としては「中」程度の迷惑行為を受けた場合であって、会社に相談しても又は会社が迷惑行為を把握していても適切な対応がなく、改善がなされなかった

セクシュアルハラスメント	セクシュアルハラスメントを受けた	弱	・「○○ちゃん」等のセクシュアルハラスメントに当たる発言をされた ・職場内に水着姿の女性のポスター等を掲示された
		中	・胸や腰等への身体接触を含むセクシュアルハラスメントであっても、行為が継続しておらず、会社が適切かつ迅速に対応し発病前に解決した ・身体接触のない性的な発言のみのセクシュアルハラスメントであって、発言が継続していない ・身体接触のない性的な発言のみのセクシュアルハラスメントであって、複数回行われたものの、会社が適切かつ迅速に対応し発病前にそれが終了した
		強	・胸や腰等への身体接触を含むセクシュアルハラスメントであって、継続して行われた ・胸や腰等への身体接触を含むセクシュアルハラスメントであって、行為は継続していないが、会社に相談しても適切な対応がなく、改善がなされなかった又は会社への相談等の後に職場の人間関係が悪化した ・身体接触のない性的な発言のみのセクシュアルハラスメントであって、発言の中に人格を否定するようなものを含み、かつ継続してなされた H27-1C ・身体接触のない性的な発言のみのセクシュアルハラスメントであって、性的な発言が継続してなされ、会社に相談しても又は会社がセクシュアルハラスメントがあると把握していても適切な対応がなく、改善がなされなかった
恒常的長時間労働がある場合に「強」となる具体例			1か月おおむね100時間の時間外労働を「恒常的長時間労働」の状況とし、次の①～③の場合には当該具体的出来事の心理的負荷を「強」と判断する。 ①具体的出来事の心理的負荷の強度が労働時間を加味せずに「中」程度と評価され、かつ、出来事の後に恒常的長時間労働が認められる場合 ②具体的出来事の心理的負荷の強度が労働時間を加味せずに「中」程度と評価され、かつ、出来事の前に恒常的長時間労働が認められ、出来事後すぐに（出来事後おおむね10日以内に）発病に至っている場合、又は、出来事後すぐに発病には至っていないが事後対応に多大な労力を費やしその後発病した場合 ③具体的出来事の心理的負荷の強度が、労働時間を加味せずに「弱」程度と評価され、かつ、出来事の前及び後にそれぞれ恒常的長時間労働が認められる場合

・「パワーハラスメント」の記載中「上司等」には、職務上の地位が上位の者のほか、同僚又は部下であっても、業務上必要な知識や豊富な経験を有しており、その者の協力が得られなければ業務の円滑な遂行を行うことが困難な場合、同僚又は部下からの集団による行為でこれに抵抗又は拒絶することが困難である場合も含む。 R3-4E

・「パワーハラスメント」の記載中「**身体的攻撃、精神的攻撃、人間関係からの切り離し、過大な要求、過小な要求、個の侵害**」を**パワハラ6類型**という。

（評価期間の留意事項）

業務による心理的負荷の評価期間は発病前おおむね6か月であるが、当該期間における心理的負荷を的確に評価するため、次の事項に留意する。

①**ハラスメントやいじめのように出来事が繰り返されるものについては、繰り返される出来事を一体のものとして評価することとなるので、発病の6か月よりも前にそれが開始されている場合でも、発病前おおむね6か月の期間にも継続しているときは、開始時からのすべての行為を評価の対象とする。** H27-1D H30-1E

②出来事の起点が発病の6か月より前であっても、その出来事（出来事後の状況）が継続している場合にあっては、発病前おおむね6か月の間における状況や対応について評価の対象とする。例えば、業務上の傷病により長期療養中の場合、その傷病の発生は発病

の６か月より前であっても、当該傷病により発病前おおむね６か月の間に生じている強い苦痛や社会復帰が困難な状況等を出来事として評価する。

（治ゆ後の再治療）
対象疾病がいったん治ゆ（症状固定）した後において再びその治療が必要な状態が生じた場合は、新たな発病と取り扱い、改めて認定要件に基づき業務起因性が認められるかを判断する。R6-3エ

（自殺について）
業務により国際統計分類第10回改訂版第Ⅴ章「精神及び行動の障害」のF０からF４に分類される精神障害を発病したと認められる者が自殺を図った場合には、精神障害によって正常の認識、行為選択能力が著しく阻害され、あるいは自殺行為を思いとどまる精神的抑制力が著しく阻害されている状態に陥ったものと推定し、業務起因性を認める。R6-3オ

（セクシュアルハラスメント事案の留意事項）
セクシュアルハラスメントが原因で対象疾病を発病したとして労災請求がなされた事案の心理的負荷の評価に際しては、特に次の事項に留意する。
①セクシュアルハラスメントを受けた者（以下「被害者」という。）は、勤務を継続したいとか、セクシュアルハラスメントを行った者（以下「行為者」という。）からのセクシュアルハラスメントの被害をできるだけ軽くしたいとの心理などから、やむを得ず行為者に迎合するようなメール等を送ることや、行為者の誘いを受け入れることがあるが、これらの事実はセクシュアルハラスメントを受けたことを単純に否定する理由にはならない。
②被害者は、被害を受けてからすぐに相談行動をとらないことがあるが、この事実は心理的負荷が弱いと単純に判断する理由にならない。
③被害者は、医療機関でもセクシュアルハラスメントを受けたということをすぐに話せないこともあるが、初診時にセクシュアルハラスメントの事実を申し立てていないことは心理的負荷が弱いと単純に判断する理由にならない。
④行為者が上司であり被害者が部下である場合や行為者が正規雇用労働者であり被害者が非正規雇用労働者である場合等のように行為者が雇用関係上被害者に対して優越的な立場にある事実は心理的負荷を強める要素となり得る。

（令和5.9.1基発0901第２号「心理的負荷による精神障害の認定基準について」）

複数業務要因災害

① 複数業務要因災害の定義（法1条、法7条1項2号、則5条）

重要度 A ★★★

Ⅰ　**複数業務要因災害**とは、**複数事業労働者**（これに**類する者**として厚生労働省令で定めるものを含む。以下同じ。）の**2以上の事業の業務を要因**とする**負傷、疾病、障害又は死亡**をいう。

Ⅱ　**複数事業労働者**とは、**事業主が同一人でない2以上の事業に使用される労働者**をいう。

Ⅲ　Ⅰの「これに**類する者**として厚生労働省令で定めるもの」は、**負傷、疾病、障害又は死亡の原因又は要因となる事由が生じた時点**において**事業主が同一人でない2以上の事業**に**同時に使用**されていた労働者とする。R3-選A

趣旨

従来は、労働者を使用する事業ごとに業務上の負荷を評価しており、仮に単独の事業であれば業務災害と認定し得る業務上の負荷を複数の事業において受けている場合には保険給付が行われず、労働者の稼得能力や遺族の被扶養利益の損失に対する填補が不十分であった。

このことを考慮して、業務災害には該当しないものの、各事業における業務上の負荷を総合的に評価すれば労災認定される場合には、労働者の稼得能力や遺族の被扶養利益の損失を填補する観点から複数業務要因災害として新たな保険給付が支給されることとなった（令和2年9月1日施行）。

Check Point!

☐ 複数業務要因災害に関する保険給付は、それぞれの就業先の業務上の負荷のみでは業務と疾病等との間に因果関係が認められないことから、いずれの就業先も労働基準法上の災害補償責任は負わない。

（令和2.8.21基発0821第1号）

1. 複数業務要因災害の認定

上記Ⅰの「2以上の事業の業務を要因とする」とは、複数事業労働者の複数の事業での業務上の負荷を**総合的に評価**して、当該業務と負傷、疾病、障害又は死亡の間に**因果関係が認められる**ことをいい、当該因果関係が認められた場合に複数業務要因災害として認定される。（令和2.8.21基発0821第1号）

2. 上記Ⅲについて

傷病等の要因となる出来事と傷病等の発症の時期が必ずしも一致しないことがあるため、複数業務要因災害の対象である複数事業労働者について、傷病等が発症した時点において複数事業労働者に該当しない場合であっても、**当該傷病等の要因となる出来事と傷病等の因果関係が認められる期間の範囲内で複数事業労働者に当たるか否かを判断する**こととされている。（同上）

② 複数業務要因災害による疾病の範囲
（法20条の3,1項、則18条の3の6）重要度A

★★★

Ⅰ　複数事業労働者療養給付は、複数事業労働者がその従事する**2以上の事業の業務**を要因として**負傷し、又は疾病**（**厚生労働省令で定めるものに限る**。以下同じ。）にかかった場合に、当該複数事業労働者に対し、その請求に基づいて行う。

Ⅱ　Ⅰの厚生労働省令で定める疾病は、労働基準法施行規則別表第1の2第8号［**過重負荷による脳・心臓疾患**］及び第9号［**心理的負荷による精神障害**］に掲げる疾病その他**2以上の事業の業務を**要因**とすることの明らかな疾病**とする。

概要

複数業務要因災害による疾病の範囲は、「**過重負荷による脳・心臓疾患**」、「**心理的負荷による精神障害**」その他2以上の事業の業務を要因とすることの明らかな疾病とされている。

参考 1. 複数業務要因災害による脳・心臓疾患

・複数業務要因災害による脳・心臓疾患に関しては、脳・心臓疾患認定基準における過重性の評価に係る「業務」を「2以上の事業の業務」と、また、「業務起因性」を「2以上の事業の業務起因性」と解した上で、当該認定基準に基づき、認定要件を満たすか否かを判断する。

・２以上の事業の業務による「短期間の過重業務」及び「長期間の過重業務」に係る業務の過重性の検討に当たっては、異なる事業における労働時間を通算して評価する。また、労働時間以外の負荷要因については、異なる事業における負荷を合わせて評価する。R4-1E
・２以上の事業の業務による「異常な出来事」の判断については、「異常な出来事」に関し、これが認められる場合には、一の事業における業務災害に該当すると考えられることから、一般的には、異なる事業における負荷を合わせて評価することはないものと考えられる。（令和3.9.14基発0914第１号）

２．複数業務要因災害に係る心理的負荷による精神障害

・複数業務要因災害に係る心理的負荷による精神障害については、心理的負荷による精神障害の認定基準における心理的負荷の評価に係る「業務」を「２以上の事業の業務」と、また、「業務起因性」を「２以上の事業の業務起因性」と解し、当該認定基準に基づいて、複数業務要因災害と認められるか否かを判断する。
・２以上の事業の業務による心理的負荷の強度の判断に当たっては、心理的負荷を評価する際、異なる事業における労働時間、労働日数は、それぞれ通算する。
・２以上の事業の業務による心理的負荷の強度の判断に当たっては、それぞれの事業における職場の支援等の心理的負荷の緩和要因をはじめ、２以上の事業で労働することによる個別の状況を十分勘案して、心理的負荷の強度を全体的に評価する。（令和2.8.21基発0821第４号）

通勤災害

❶ 通勤災害の認定 重要度A

1 通勤災害の範囲（法7条2項）

★★★

通勤とは、**労働者**が、**就業に関し**、次に掲げる**移動**を、**合理的な経路及び方法**により行うことをいい、**業務の性質を有するものを除く**ものとする。 H29-5AC R2-選A

i　**住居**と**就業の場所**との間の**往復**

ii　**厚生労働省令で定める就業の場所**から**他の就業の場所**への**移動**

iii　iに掲げる**往復**に**先行**し、又は**後続**する**住居間の移動**（厚生労働省令で定める要件に該当するものに限る。）

概要

通勤災害保護制度の対象とされるためには、労災保険法上の「通勤」の要件〔次の(1)から(5)〕を満たしていることが必要となる。

(1)通勤によること	(2)就業関連性があること
(3)上記iからiiiのいずれかに該当する移動であること	(4)合理的な経路及び方法であること
(5)業務の性質を有するものでないこと	

Check Point!

□ 住居と就業の場所との間の往復であっても、業務の性質を有するものは通勤とはされない。

1．通勤による

「通勤による」とは、通勤と相当因果関係のあること、つまり、**通勤に通常伴う危険が具体化したこと**をいう。

（平成28.12.28基発1228第1号）

参考 ①**帰宅途中にひったくりや暴漢にあったことによる災害**、通勤の途中で他人の暴行によって被った災害、**通勤途中で野犬にかまれて負傷した災害**、自動車通勤をする労働者が前

の自動車の発進を促すためクラクションを鳴らしたことにより射殺された災害などを通勤災害としている。H28-3AC

②通勤の途中において、自動車にひかれた場合、電車が急停車したため転倒して受傷した場合、駅の階段から転落した場合、**歩行中にビルの建設現場から落下してきた物体により負傷した場合、転倒したタンクローリーから流れ出す有害物質により急性中毒にかかった場合**等、一般に通勤中に発生した災害は**通勤によるものと認められる。**

(平成28.12.28基発1228第1号)

③**自殺の場合**、その他被災労働者の故意によって生じた災害、**通勤の途中で怨恨をもってけんかをしかけて負傷した場合**などは、通勤をしていることが原因となって災害が発生したものではないので、**通勤災害とは認められない。** (同上)

2. 就業関連性

「**就業に関し**」**とは**、移動行為が業務に就くため又は業務を終えたことにより行われるものであることをいう。したがって、通勤と認められるためには、移動行為が業務と密接な関連をもって行われることが必要とされる。 (同上)

参考 ①所定の就業日に所定の就業開始時刻を目途に住居を出て就業の場所へ向かう場合は、**寝すごしによる遅刻**、あるいはラッシュを避けるための早出等、**時刻的に若干の前後があっても就業との関連性がある。**他方、**運動部の練習に参加**する等の目的で、例えば、午後の遅番の出勤者であるにもかかわらず、朝から住居を出る等、**所定の就業開始時刻とかけ離れた時刻に会社に行く場合**や第2の就業場所にその所定の就業開始時刻と著しくかけ離れた時刻に出勤する場合には、むしろ業務以外の目的のために行われるものと考えられるので、**就業との関連性はないと認められる。**

なお、日々雇用される労働者については、継続して同一の事業に就業しているような場合は、就業することが確実であり、その際のいわゆる出勤は、就業との関連性が認められるし、また公共職業安定所等でその日の紹介を受けた後に、紹介先へ向かう場合で、その事業で就業することが見込まれるときも、就業との関連性を認めることができる。しかし、**公共職業安定所等でその日の紹介を受けるために住居から公共職業安定所等まで行く行為は、未だ就職できるかどうか確実でない段階であり、職業紹介を受けるための行為であって、就業のための出勤行為であるとはいえない。** (同上)

②業務の終了後、事業場施設内で、囲碁、麻雀、**サークル活動**、労働組合の会合に出席をした後に帰宅するような場合には、社会通念上就業と帰宅との直接的関連を失わせると認められるほど長時間となるような場合を除き、**就業との関連性を認めても差し支えない。** (同上)

③その他の通達では、**マイカーのライト消し忘れに気づき駐車場へ引き返す途中の災害**を通勤災害としたもの、食事後昼休みに妻子を自宅まで送りに向かった途中の事故を個人的行為として通勤災害と認めなかったものがある。H28-3E R6-2A

④通勤は1日について1回のみしか認められないものではないので、昼休み等就業の時間の間に相当の間隔があって帰宅するような場合には、昼休みについていえば、午前中の業務を終了して帰り、午後の業務に就くために出勤するものと考えられるので、その往復行為は就業との関連性を認められる。 (同上)

⑤業務終了後に業務以外の活動をして帰宅する場合については、通達では業務終了後**おおむね2時間未満**の組合業務や慰安会や歓送迎会などを行ってからの帰宅途中での災害については就業関連性を認め、通勤災害としている。他方、業務終了後2時間茶道の稽古を行ってからの退社、労使協議会に出席したため業務終了後6時間後に退社した場合については通勤災害と認めていない。H27-3D

3. 住居と就業の場所との間の往復

住　居 ⟷ 就業の場所

(1) **「住居」とは**、労働者が居住して日常生活の用に供している家屋等の場所で、本人の就業のための拠点となっている所をいう。ただし、ストライキ、台風等のために臨時に使用するホテル等についても居住場所の一時的移動とみなされ、そこからの通勤も通勤災害の対象となる。（平成28.12.28基発1228第１号）

参考 ①就業の必要性があって、労働者が家族の住む場所とは別に就業の場所の近くに単身でアパートを借りたり、下宿をしてそこから通勤しているような場合は、そこが住居である。さらに、通常は家族のいる所から出勤するが、別のアパート等を借りていて、早出や長時間の残業の場合には当該アパート等に泊まり、そこから通勤するような場合には、当該家族の住居とアパート等の双方が住居と認められる。（同上）

②「住居の一時的移動」に関しては、夫の看護のため、姑と交替で１日おきに寝泊まりしている病院から出勤する途中の災害、長女の出産に際しその家族の世話をするために泊まり込んだ長女宅から勤務先に向かう途中の災害について通勤災害とする通達がある。 R4-5AE R6-2C

③転任等のやむを得ない事情のために同居していた配偶者と別居して単身で生活する者（単身赴任者）や家庭生活の維持という観点から自宅を本人の生活の本拠地とみなし得る合理的な理由のある独身者にとっての家族の住む家屋（自宅）については、当該家屋と就業の場所との間を往復する行為に**反復・継続性が認められるときは、住居と認めて差し支えない**。「反復・継続性」とは、おおむね毎月１回以上の往復行為又は移動がある場合に認められるものである。 H29-5E R3-2D

（平成28.12.28基発1228第1号、平成18.3.31基労管発0331001号、基労補発0331003号）

④**「不特定多数の者の通行を予定している場所」**は**通常往復途上**とされ、**アパートの自室に入るまでの階段における転倒災害を通勤災害とし、一戸建ての屋敷構えの住居の玄関先における転倒事故は通勤災害ではない**としている。 R4-5BC

⑤長時間の残業や、早出出勤及び新規赴任、転勤のため等の勤務上の事情や、交通ストライキ等交通事情、台風などの自然現象等の不可抗力的な事情により、一時的に通常の住居以外の場所に宿泊するような場合には、やむを得ない事情で就業のために一時的に居住の場所を移していると認められるので、当該場所を住居と認めて差し支えない。逆に、友人宅で麻雀をし、翌朝そこから直接出勤する場合等は、当該友人宅は就業の拠点となっているものではないので、住居とは認められない。（平成28.12.28基発1228第１号）

(2) **「就業の場所」とは**、業務を開始し、又は終了する場所をいうが、会議・研修などの会場や会社の行う行事の現場などもこれに含まれる。（同上）

参考 ①事業場施設内の階段における転倒事故、会社が入居している雑居ビルの玄関口での負傷事故を通勤災害ではない（不特定多数の者の通行を予定した場所での災害ではなく、事業主の支配管理下における災害である）としている。 R6-2D

②就業の場所には、本来の業務を行う場所のほか、物品を得意先に届けてその届け先から直接帰宅する場合のその物品の届け先、全員参加で出勤扱いとなる会社主催の運動会の会場等がこれにあたる。 R4-5D（同上）

③外勤業務に従事する労働者で、特定区域を担当し、区域内にある数カ所の用務先を受け持って自宅との間を往復している場合には、自宅を出てから最初の用務先が業務開始の場所であり、最後の用務先が、業務終了の場所と認められる。（同上）

④**派遣労働者に係る通勤災害の認定**に当たっては、派遣元事業主又は派遣先事業主の指揮命令により業務を開始し、又は終了する場所が「就業の場所」となる。したがって、**派遣労働者の住居と派遣元事業場又は派遣先事業場との間の往復の行為は、一般に「通勤」となる**。 R元-4C（昭和61.6.30基発383号）

4. 厚生労働省令で定める就業の場所から他の就業の場所への移動…複数就業者の場合

次図中⇨の部分については、従来から通勤災害保護の対象とされていたが、➡の部分（厚生労働省令で定める就業の場所から他の就業の場所への移動）については、平成17年の法改正により通勤災害保護の対象とすることとされた（平成18年４月１日施行）。

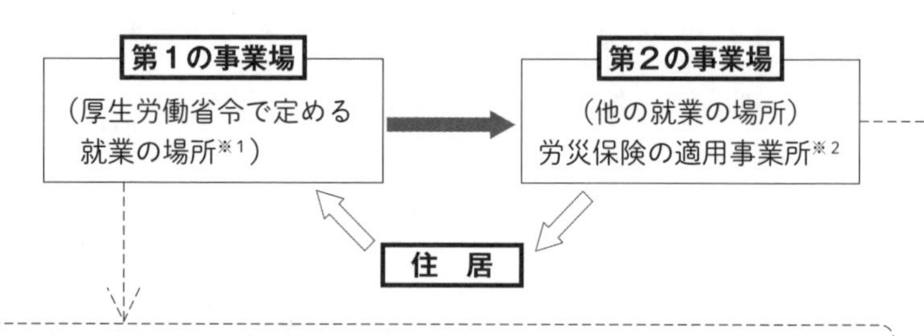

※１　「厚生労働省令で定める就業の場所」とは、以下の場所をいう。
①労災保険の適用事業及び労災保険に係る保険関係が成立している暫定任意適用事業に係る就業の場所
②特別加入者（通勤災害が適用されない者を除く）に係る就業の場所
③その他①②に類する就業の場所（具体的には、地方公務員災害補償法又は国家公務員災害補償法による通勤災害保護対象となる勤務場所又は就業の場所をいう）

※２　事業場間移動は当該移動の終点たる事業場において労務の提供を行うために行われる通勤であると考えられ、当該移動の間に起こった災害に関する保険関係の処理については、終点たる事業場の保険関係で取り扱う。

（則６条、平成28.12.28基発1228第１号）

5. 住居と就業の場所との間の往復に先行し、又は後続する住居間の移動（厚生労働省令で定める要件に該当するものに限る。）…単身赴任者の場合

次図中⇔の部分については、従来から通勤災害保護の対象とされていたが、↔の部分（住居と就業の場所との間の往復に先行し、又は後続する住居間の移動）については、平成17年の法改正により通勤災害保護の対象とすることとされた（平成18年４月１日施行）。

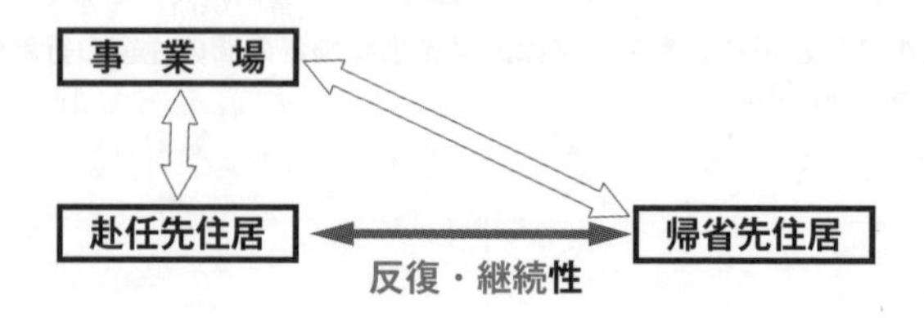

「住居と就業の場所との間の往復に先行し、又は後続する住居間の移動」における**赴任先住居**とは、労働者が日常生活の用に供している家屋等の場所で本人の就業のための拠点となるところを指すものである。また、通勤における**帰省先住居**についても、当該帰省先住居への移動に**反復・継続性**が認められることが必要である。（平成28.12.28基発1228第1号）

参考（単身赴任者に関する就業関連性の取扱い）

①帰省先住居から赴任先住居への移動の場合

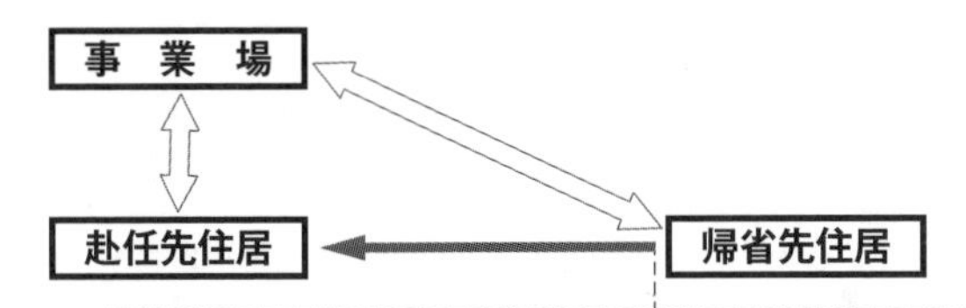

（帰省先を出発する時期について）
実態等を踏まえ、**業務に就く当日又は前日に行われた**場合は、就業との関連性を認めて差し支えない。ただし、**前々日以前**に行われた場合は、**交通機関の状況等の合理的理由があるときに限り**、就業との関連性が認められる。

（同上）

②赴任先住居から帰省先住居への移動の場合

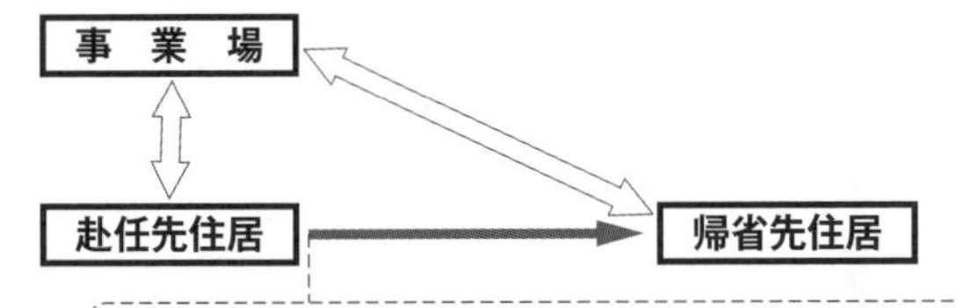

（赴任先を出発する時期について）
実態等を踏まえ、**業務に従事した当日又はその翌日**に行われた場合は、就業との関連性を認めて差し支えない。ただし、**翌々日以後**に行われた場合は、**交通機関の状況等の合理的理由があるときに限り**、就業との関連性が認められる。R3-2D

（同上）

6. 合理的な経路及び方法

「**合理的な経路及び方法**」とは、当該移動の場合に、一般に労働者が用いるものと認められる経路及び手段等をいう。（同上）

参考 ①乗車定期券に表示され、あるいは、会社に届け出ているような、鉄道、バス等の通常利用する経路及び通常これに代替することが考えられる経路等が合理的な経路となる。また、タクシー等を利用する場合に、通常利用することが考えられる経路が２、３あるような場合には、その経路は、いずれも合理的な経路となる。H29-5D（同上）

②経路の道路工事、デモ行進等当日の交通事情により迂回してとる経路、マイカー通勤者が貸切の車庫を経由して通る経路等通勤のためにやむを得ずとることとなる経路は合理的な経路となる。さらに、他に子供を監護する者がいない共稼労働者が託児所、親せき

等にあずけるためにとる経路などは、そのような立場にある労働者であれば、当然、就業のためにとらざるを得ない経路であるので、合理的な経路となるものと認められる。
R3-2A R4-6DE（平成28.12.28基発1228第1号）

③交通機関のストライキのために通勤経路の逆方向に歩行中の災害、マイカー通勤者が自己の勤務先と同一方向の450メートル先にある妻の勤務先を経由後自己の勤務先に向かう途中の災害、マイカー通勤者が同一方向にある妻の勤務先を経由した後忘れ物に気づき自宅に引き返す途中の災害などは「合理的な経路」にあたるとしている。R6-2B

④特段の合理的な理由もなく著しく遠まわりとなるような経路をとる場合には、これは合理的な経路とは認められないことはいうまでもない。また、経路は、手段とあわせて合理的なものであることを要し、鉄道線路、鉄橋、トンネル等を歩行して通る場合は、合理的な経路とはならない。（同上）

（「合理的な方法」の具体例）

①鉄道、バス等の公共交通機関を利用し、自動車、自転車等を本来の用法に従って使用する場合、徒歩の場合等、通常用いられる交通方法は、当該労働者が平常用いているか否かにかかわらず一般に合理的な方法と認められる。（同上）

②免許を一度も取得したことのないような者が自動車を運転する場合、自動車、自転車等を泥酔して運転するような場合には、合理的な方法と認められない。なお、飲酒運転の場合、単なる免許証不携帯、免許証更新忘れによる無免許運転の場合等は、必ずしも、合理性を欠くものとして取り扱う必要はないが、諸般の事情を勘案し、給付の支給制限が行われることがある。R3-2E（同上）

7.　業務の性質を有するものでないこと

「**業務の性質を有するもの**」とは、当該移動による災害が業務災害と解されるものをいう。具体例としては、事業主の提供する専用交通機関（マイクロバス等）を利用しての移動、突発的事故等による緊急用務のため、**休日又は休暇中に呼び出し**を受け、予定外に緊急出勤する場合等がある（**1** **2**「**業務上負傷の認定**」9.参照）。（同上）

問題チェック H18-1B

労働者が、就業に関し、厚生労働省令で定める就業の場所へ他の就業の場所から合理的な経路及び方法により移動すること（業務の性質を有するものを除く。）は、通勤に該当する。

解答 ×　法7条2項2号

「厚生労働省令で定める就業の場所へ」ではなく、「厚生労働省令で定める就業の場所から他の就業の場所へ」である。厚生労働省令で定めているのは第1の事業場であり、第2の事業場ではない。設問の記載では第2の事業場が厚生労働省令で定める就業の場所になるため誤り。

2 逸脱・中断（法7条3項、則7条1号ロ、則8条）

★★★

労働者が、**移動の経路を逸脱**し、又は**移動を中断**した場合においては、当該**逸脱又は中断の間**及び**その後の移動**は、**通勤**としない。ただし、当該**逸脱又は中断**が、**日常生活上必要な行為**であって以下に掲げるものを**やむを得ない事由**により行うための**最小限度のもの**である場合は、当該**逸脱又は中断の間を除き**、この限りでない。H28-5オ

i **日用品の購入**その他これに**準ずる行為**

ii **職業能力開発促進法**第15条の7第3項に規定する**公共職業能力開発施設**の行う**職業訓練**（職業能力開発総合大学校において行われるものを含む。）、学校教育法第1条に規定する学校において行われる教育その他これらに準ずる**教育訓練**であって**職業能力の開発向上**に資するものを受ける行為 R6-1D

iii **選挙権の行使**その他これに**準ずる行為**

iv **病院又は診療所**において**診察又は治療**を受けることその他これに**準ずる行為**

v **要介護状態**にある**配偶者、子、父母、孫、祖父母及び兄弟姉妹**並びに**配偶者の父母**の**介護**（**継続的に又は反復**して行われるものに限る。）

Check Point!

□ 日常生活上必要な行為をやむを得ない事由により行うための最小限度の逸脱や中断の場合であっても、その逸脱中断中は通勤災害保護の対象とはならない。

1. 逸脱・中断とは

「**逸脱**」とは、通勤の途中において就業又は通勤とは関係のない目的で合理的な経路をそれることをいい、「**中断**」とは、通勤の経路上において通勤とは関係のない行為を行うことをいう。

参考 通勤の途中で麻雀を行う場合、映画館に入る場合、バー、キャバレー等で飲酒する場合、デートのため長時間にわたってベンチで話し込んだり、経路からはずれる場合が「逸脱・中断」に該当する。
（平成28.12.28基発1228第1号）

2. 逸脱・中断の取扱い

(1) 原則

労働者が、移動の経路を逸脱し、又は移動を中断した場合においては、原則として、その逸脱又は中断の間及びその後の移動は、通勤とされない。

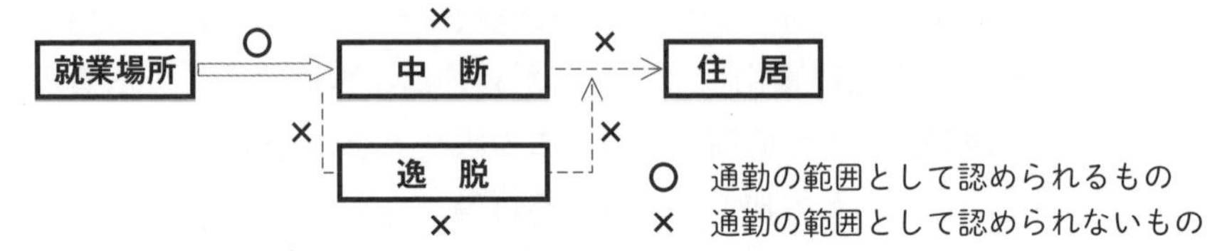

なお、次のような**ささいな行為を行うにすぎなければ、逸脱・中断には該当せず、通勤災害制度の適用には影響がない**。

【例】

① 経路の近くにある公衆便所を使用する場合 R6-1A

② 帰途に経路の近くにある公園で短時間休息する場合

③ 経路上の店でタバコ、雑誌等を購入する場合

④ 駅構内でジュースの立飲みをする場合

⑤ 経路上の店で渇きをいやすため極く短時間、お茶、ビール等を飲む場合

⑥ 経路上で商売をしている大道の手相見や人相見に立ち寄って極く短時間手相や人相を見てもらう場合　(平成28.12.28基発1228第1号)

(2) 例外

次図の場合には、逸脱又は中断の間は通勤とされないがその後の移動については通勤とされる。R3-2B

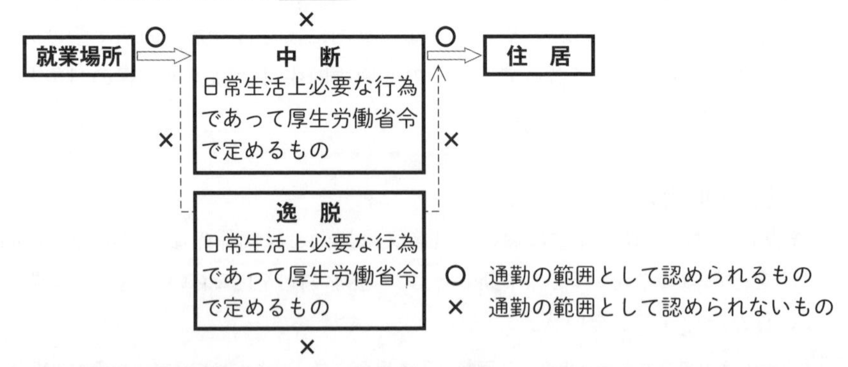

3. 日常生活上必要な行為をやむを得ない事由により行うための最小限度

日常生活の必要から通勤の途中で行う必要のあることをいい、「最小限度のもの」とは、逸脱又は中断の原因となった行為の目的達成のために必要とする最小

限度の時間、距離等をいう。

病院に立ち寄った場合でもそのまま入院になってしまったり、美容院に行った場合でも美容が終わってから長時間雑談等に興じていると「最小限度のもの」とは認められなくなり、その後は通勤災害の対象とならないことになる。 H27-3E

（平成28.12.28基発1228第1号）

4. 日用品の購入その他これに準ずる行為の具体例

⑴ 帰途で惣菜等を購入する場合、独身者が食堂に食事に立ち寄る場合、クリーニング店に立ち寄る場合等がこれに該当する。 R6-1B （同上）

⑵ 「就業の場所から他の就業の場所への移動（複数就業者の場合）」では、次の就業場所の始業時間との関係から食事に立ち寄る場合、図書館等における業務に必要な情報収集等を行う場合等も該当するとされ、「住居と就業の場所との間の往復に先行し、又は後続する住居間の移動（単身赴任者の場合）」では、長距離を移動するために食事に立ち寄る場合やマイカー通勤のための仮眠をとる場合等も該当するとされている。 （同上）

⑶ 書籍の購入のため書店に立ち寄る行為、理・美容のため理髪店又は美容院に立ち寄る行為は「日常生活上必要な行為」と認めているが、**同僚と40分程度喫茶店に立ち寄った行為**、写真展の展示会場に立ち寄る行為は認めていない。 H27-3E H28-3D

（昭和49.11.15基収1867号、昭和49.11.27基収3051号、昭和58.8.2基発420号）

⑷ 労働者が通勤の途中において、入院している子供の世話を行うために病院に立ち寄る場合については、当該行為が家族の衣、食、保健、衛生、教養のための行為であれば「日用品の購入その他これに準ずる行為」に該当する。

（昭和58.8.2基発420号）

5. これらに準ずる教育訓練であって職業能力の開発向上に資するものを受ける行為の具体例

職業能力開発総合大学校における職業訓練及び専修学校における教育がこれに該当する。各種学校における教育については、修業期間が1年以上であって、課程の内容が一般的に職業に必要な技術、例えば、工業、医療、栄養士、調理師、理容師、美容師、保育士、教員、商業経理、和洋裁等に必要な技術を教授するもの（茶道、華道等の課程又は**自動車教習所**若しくはいわゆる予備校の課程はこれに**該当しないもの**として取り扱う。）は、これに該当するものとして取り扱うこととする。 R3-2C （平成28.12.28基発1228第1号）

6. 選挙権の行使その他これに準ずる行為の具体例

具体的には、選挙権の行使、最高裁判所裁判官の国民審査権の行使、住民の直接請求権の行使等がこれに該当する。（平成28.12.28基発1228第１号）

7. 病院又は診療所において診察又は治療を受けることその他これに準ずる行為の具体例

病院又は診療所において通常の医療を受ける行為に限らず、**人工透析など比較的長時間を要する医療を受けることも含んでいる**。また、施術所において、柔道整復師、あん摩マッサージ指圧師、はり師、きゅう師等の施術を受ける行為もこれに該当する。 H28-3B R3-2B R6-1C （同上）

8. 要介護状態にある配偶者、子、父母、孫、祖父母及び兄弟姉妹並びに配偶者の父母の介護（継続的に又は反復して行われるものに限る）

例えば、定期的に、帰宅途中に一定時間父の介護を行うために父と同居している兄宅に立ち寄る場合等が該当する。「介護」とは、歩行、排泄、食事等の日常生活に必要な便宜を供与するという意である。「継続的に又は反復して」とは、例えば毎日あるいは１週間に数回など労働者が日常的に介護を行う場合をいい、初めて介護を行った場合は、客観的にみてその後も継続的に又は反復して介護を行うことが予定されていればこれに該当する。 R4-6C R6-1E

なお、要介護状態とは、負傷、疾病又は身体上若しくは精神上の障害により、**２週間以上**の期間にわたり常時介護を必要とする状態をいう。（同上）

② 通勤による疾病の範囲（法22条1項、則18条の4） 重要度 A ★★★

Ⅰ　**療養給付**は、**労働者**が**通勤**により**負傷**し、又は**疾病**（**厚生労働省令で定めるものに限る**。以下この節［通勤災害に関する保険給付］において同じ。）にかかった場合に、当該**労働者**に対し、**その請求に基づいて**行う。

Ⅱ　Ⅰの**厚生労働省令で定める疾病**は、**通勤による負傷に起因する疾病その他通勤に起因することの明らかな疾病**とする。 R6-2E

Check Point!

□ 通勤による疾病については、業務上の疾病の範囲のように厚生労働省令において具体的に疾病の種類は列挙されていない。

・疾病の範囲の定め

通勤による疾病は、法第22条第１項において「厚生労働省令で定めるものに限る」と規定されており、当該厚生労働省令（**労災保険法施行規則第18条の４**）において、R6-2E

① **通勤による負傷に起因する疾病**

② **その他通勤に起因することの明らかな疾病**

と規定されている。

参考「通勤による疾病」とは、通勤による負傷又は通勤に関連ある諸種の状態（突発的又は異常なできごと等）が原因となって発病したことが医学的に明らかに認められるものをいうが、特に発病の原因となるような通勤による負傷又は通勤に関連する突発的なできごと等が認められない場合における、労働者の通勤途中に発生した急性心不全による死亡については、「**通勤に通常伴う危険が具体化したもの**」とは認められない。R6-2E

（昭和50.6.9基収4039号）

問題チェック H19-1B

通勤による疾病とは、通勤途上で生じた疾病その他厚生労働省令で定める疾病をいう。

解答 ×　　法22条１項、則18条の４

通勤による疾病の範囲は「厚生労働省令で定めるものに限る」とされており、厚生労働省令においては、「通勤による負傷に起因する疾病その他通勤に起因することの明らかな疾病」と定められている。「通勤途上で生じた疾病」をいうのではない。

第3章

給付基礎日額

給付基礎日額

① 原則的な給付基礎日額
(法8条1項、法8条の5) 重要度A

★★★

Ⅰ　**給付基礎日額**は、**労働基準法第12条**の**平均賃金に相当する額**とする。この場合において、同条第1項の**平均賃金を算定すべき事由の発生した日**は、法第7条第1項第1号から第3号までに規定する**負傷若しくは死亡の原因である事故が発生した日**又は**診断によって**同項第1号から第3号までに規定する**疾病の発生が確定した日**（以下「**算定事由発生日**」という。）とする。

Ⅱ　**給付基礎日額**に**1円未満**の**端数**があるときは、これを**1円に切り上げる**ものとする。

Check Point!

□ 給付基礎日額の算式は次の通りである。

給付基礎日額 （平均賃金相当額）	＝	算定事由発生日以前3箇月間に支払われた賃金総額 / 算定事由発生日以前3箇月間の総日数（総暦日数）

・給付基礎日額は、原則的には労基法第12条の平均賃金と同様の方法で算出する。

・1円未満の端数が生じたときは1円に切り上げて算出する。H27-7イ

・「算定事由発生日」とは、①負傷若しくは死亡の原因である事故が発生した日又は②診断によって疾病の発生が確定した日である。

❷ 給付基礎日額の特例 (法8条2項、則9条1項4号)

重要度B ★★

Ⅰ　**労働基準法第12条**の**平均賃金に相当する額**を**給付基礎日額**とすることが適当でないと認められるときは、厚生労働省令で定めるところによって**政府が算定する額**を**給付基礎日額**とする。
Ⅱ　Ⅰの規定による**給付基礎日額**の算定は、**所轄労働基準監督署長**が、労働者災害補償保険法施行規則第9条第1項各号に定めるところによって行う。
Ⅲ　労働者災害補償保険法施行規則第9条第1項第1号から第3号に定めるもののほか、**平均賃金に相当する額**を**給付基礎日額**とすることが適当でないと認められる場合には、**厚生労働省労働基準局長が定める基準**に従って算定する額を給付基礎日額とする。

1. 私傷病休業者の特例

平均賃金の算定期間中に「**業務外の事由による負傷又は疾病の療養のために休業した期間**」がある労働者の場合、次の⑴の額が⑵の額より低いときには、⑵の額をその者の給付基礎日額とする（業務外傷病による休業期間がある場合には、当該傷病による休業前の賃金水準により給付基礎日額を算定する）。

⑴　労働基準法第12条の規定に基づいて算定した平均賃金相当額
⑵　**業務外の事由による負傷又は疾病の療養のために休業した期間の日数及びその期間中の賃金**を平均賃金の算定期間及び賃金の総額から**控除**した場合における平均賃金相当額　（則9条1項1号）

2. じん肺患者の特例

じん肺にかかったことにより保険給付を受けることになった労働者の場合、次の⑴の額が⑵の額より低いときには、⑵の額をその者の給付基礎日額とする（粉じん作業に常時従事していたときの賃金水準により給付基礎日額を算定する）。

⑴　労働基準法第12条の規定に基づいて算定した平均賃金相当額（**診断によって疾病の発生が確定した日**を**算定事由発生日**として算定した平均賃金相当額）
⑵　**粉じん作業以外の作業**に常時従事することとなった日を**算定事由発生日**とみなして算定した平均賃金相当額　（則9条1項2号）

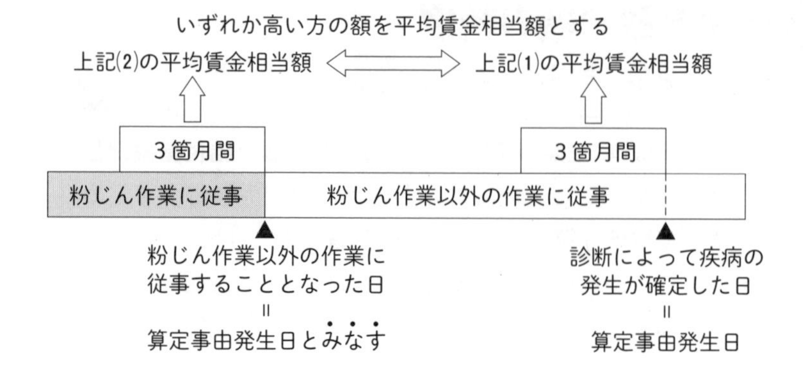

３．船員の特例

(1)　趣旨

平成22年１月１日に船員保険のうち職務上及び通勤に係る疾病・年金部分が労災保険に統合されたことに伴い、船員の賃金が乗船時と下船時で大きく変動する場合について、労災保険の給付基礎日額の算定方法に特例が設けられることとされた。

(2)　算定方法

１年を通じて船員法第１条に規定する**船員**として**船舶所有者に使用される者**について、次の①から③のいずれかに該当する場合には、労働基準法第12条第１項から第６項までの規定に定める方式により、**平均賃金を算定すべき事由が発生した日以前１年間**について算定することとした場合における平均賃金に相当する額を給付基礎日額とする。

①　基本となるべき固定給の額が乗船中において乗船本給として増加する等により変動がある賃金が定められる場合

②　基本となるべき固定給が下船することによりてい減する賃金を受ける場合

③　基本となるべき固定給が乗下船にかかわらず一定であり、乗船することにより変動する諸手当を受ける場合

（則９条１項３号、４号、平成21.12.28基発1228第２号）

参考　上記Ⅲに基づく特例は次の通りである。

(1)平均賃金の算定期間中に「親族の疾病又は負傷等の看護のために休業した期間」がある労働者の場合、1.「私傷病休業者の特例」と同様に取り扱う。

(2)「振動障害にかかった者」については、2.「じん肺患者の特例」と同様に取り扱う。

（昭和52.3.30基発192号、昭和57.4.1基発219号）

③ 自動変更対象額 重要度A

1 最低保障（則9条1項5号、令和6年厚労告246号） ★★★

平均賃金に相当する額又は労働者災害補償保険法施行規則第９条第１項第１号から第４号［私傷病休業者、じん肺患者の特例等］に定めるところによって算定された額（以下「**平均賃金相当額**」という。）が**自動変更対象額**（4,090円）**に満たない場合**には、**自動変更対象額**（4,090円）**とする**。

概要

平均賃金相当額が自動変更対象額（4,090円）に満たない場合には、原則として、自動変更対象額（4,090円）が最低保障される。

平均賃金相当額<自動変更対象額のとき ⇒ 自動変更対象額=給付基礎日額

1. スライドが適用される場合の特例①

平均賃金相当額が自動変更対象額未満であっても、平均賃金相当額にスライド率を乗じた額が自動変更対象額以上の場合は、その平均賃金相当額が給付基礎日額となる。

平均賃金相当額×スライド率≧自動変更対象額 ⇒ 平均賃金相当額=給付基礎日額

【例】 平均賃金相当額=3,800円　スライド率が110%の場合

スライド後の額が、3,800円×110%=4,180円と、自動変更対象額（4,090円）以上になるので、給付基礎日額は平均賃金相当額の3,800円となる。

2. スライドが適用される場合の特例②

平均賃金相当額が自動変更対象額未満であり、平均賃金相当額にスライド率を乗じた額も自動変更対象額未満の場合は、自動変更対象額をスライド率で除して得た額（１円未満切捨て）が給付基礎日額となる。

平均賃金相当額×スライド率<自動変更対象額 ⇒ 自動変更対象額÷スライド率 =給付基礎日額

【例】 平均賃金相当額=3,600円　スライド率が105%の場合

スライド後の額が、3,600円×105%=3,780円と、自動変更対象額（4,090円）に満

たないため、給付基礎日額は、4,090円÷105%=3,895円（1円未満の端数は切捨て）となる。

2 自動変更対象額の変更（則9条2項、3項、4項）

Ⅰ　**厚生労働大臣**は、**年度の平均給与額が直近の自動変更対象額が変更された年度の前年度の平均給与額を超え**、又は**下る**に至った場合においては、**その上昇し、又は低下した比率**に応じて、その**翌年度の8月1日以後**の**自動変更対象額**を**変更**しなければならない。

Ⅱ　**自動変更対象額**に**5円未満**の**端数**があるときは、これを**切り捨て**、**5円以上10円未満**の**端数**があるときは、これを**10円**に**切り上げる**ものとする。

Ⅲ　**厚生労働大臣**は、ⅠⅡの規定により**自動変更対象額**を**変更**するときは、当該**変更する年度の7月31日**までに当該**変更**された**自動変更対象額**を**告示**するものとする。

参考　1.「年度」とは、4月1日から翌年3月31日までをいう。
2.「平均給与額」とは、厚生労働省において作成する毎月勤労統計における労働者1人当たりの毎月きまって支給する給与の額の4月分から翌年3月分までの各月分の合計額を12で除して得た額をいう。

④ 複数事業労働者に係る給付基礎日額の算定（法8条3項、則9条の2、則9条の2の2）

重要度A　★★★

Ⅰ　**❶原則的な給付基礎日額**及び**❷給付基礎日額の特例**の規定にかかわらず、**複数事業労働者**の業務上の事由、**複数事業労働者**の**2以上の事業の業務を要因**とする事由又は**複数事業労働者**の**通勤**による負傷、疾病、障害又は死亡により、当該複数事業労働者、その遺族及び葬祭を行う者に対して保険給付を行う場合における給付基礎日額は、**❶原則的な給付基礎日額**及び**❷給付基礎日額の特例**に定めるところにより当該**複数事業労働者**を使用する**事業ごと**に算定した給付基礎日額に相当する額を**合算した額**を基礎として、厚生労働省令で定めるところによって**政府**が算定する額とする。R6-4E

Ⅱ　**複数事業労働者**の給付基礎日額の算定は、**所轄労働基準監督署長**が、次に定めるところによって行う。

ⅰ　当該**複数事業労働者**を使用する**事業ごと**に算定した給付基礎日額に相当する額を**合算した額**とする。ただし、第9条第1項第5号［❸自動変更対象額①最低保障］の規定は、適用しない。

ⅱ　ⅰにより算定して得た額が第9条第1項第5号［❸自動変更対象額①最低保障］に規定する自動変更対象額に満たない場合には、ⅰにより算定して得た額を第9条第1項第5号［❸自動変更対象額①最低保障］に規定する平均賃金相当額とみなして同号の規定を適用したときに得られる同号の額とする。

ⅲ　ⅰⅱに定めるもののほか、当該**複数事業労働者**を使用する**事業ごと**に算定した給付基礎日額に相当する額を**合算した額**を給付基礎日額とすることが適当でないと認められる場合には、**厚生労働省労働基準局長が定める基準**に従って算定する額とする。

概要

複数事業労働者の業務上の事由、2以上の事業の業務を要因とする事由又は通勤による負傷、疾病、障害又は死亡により保険給付を行う場合は、当該複数事業労働者を使用する事業ごとに算定した給付基礎日額に相当する額を合算した額を基礎として、厚生労働省令で定めるところによって政府が算定する額を給付基礎日額とすることとされた（令和2年9月1日施行）。

Check Point!

□ 複数事業労働者の給付基礎日額の算定においては、各事業の給付基礎日額相当額を合算して得た給付基礎日額に、自動変更対象額及び年齢階層別の最低・最高限度額の規定が適用される。

・上記Ⅱについて

複数事業労働者を使用する事業ごとに算定した給付基礎日額相当額を合算する場合は、自動変更対象額は適用せずに計算した上で合算する。ただし、当該合算額が自動変更対象額に満たない場合には、自動変更対象額が給付基礎日額となる。

（則9条の2の2,1号、2号）

なお、合算する各事業場の給付基礎日額相当額（平均賃金相当額）の算定においては、労働基準法第12条第１項ただし書［日給、時間給、出来高給等の最低保障］の規定は適用せずに合算し、当該合算額が各事業場における当該最低保障額に満たない場合には、各事業場の最低保障額のうち最も高い額が給付基礎日額となる。

（則９条の２の2,3号、令和2.8.21基発0821第２号）

参考（複数業務要因災害の場合）

複数業務要因災害として認定される場合については、どの事業場においても業務と疾病等との間に相当因果関係が認められないものであることから、遅発性疾病等の診断が確定した日においていずれかの事業場に使用されている場合は、当該事業場について当該診断確定日（賃金の締切日がある場合は直前の賃金締切日をいう。）以前３か月に支払われた賃金により平均賃金相当額を算定する。この場合、遅発性疾病等の診断が確定した日から３か月前の日を始期として、遅発性疾病等の診断が確定した日までの間に他の事業場から賃金を受けている場合は、当該事業場の平均賃金相当額について、直前の賃金締切日以前３か月間において支払われた賃金により算定することとし、遅発性疾病等の診断が確定した日から３か月前の日を始期として、遅発性疾病等の診断が確定した日までの間に他の事業場から賃金を受けていない場合は、複数事業労働者に類する者として傷病等の原因又は要因となる事由が生じた時点において事業主が同一人でない２以上の事業に同時に使用されていた者であっても、複数事業労働者に係る平均賃金相当額を算定する必要はない。

R5-7A～E（令和2.8.21基発0821第２号）

（複数事業労働者の場合）

１．原則

複数事業労働者に係る平均賃金相当額の原則的な算定期間は、傷病等の発生した日又は診断によって疾病の発生が確定した日（以下「算定事由発生日」という。）以前３か月間であり、平均賃金相当額を算定すべき各事業場において賃金締切日がある場合は事業場ごとに算定事由発生日から直近の賃金締切日より起算すること。

なお、算定事由発生日において、複数の事業に使用されていない者は、複数事業労働者に類する者に該当しない限り、平均賃金相当額の算定期間において複数の事業に使用されている期間がある場合であっても複数事業労働者に該当しないことから、複数事業労働者でない者に関する従来の方法により給付基礎日額を算定すること。R6-4E

２．算定事由発生日において平均賃金相当額を算定すべき事業場から離職している場合等

当該疾病が業務災害又は通勤災害によるものである場合で、遅発性疾病等の診断が確定した日において、業務災害又は通勤災害に係る事業場（以下「災害発生事業場等」という。）を離職している場合の当該事業場に係る平均賃金相当額の算定については、災害発生事業場等を離職した日を基準に、その日（賃金の締切日がある場合は直前の賃金締切日をいう。）以前３か月間に災害発生事業場等において支払われた賃金により算定し、当該金額を基礎として、診断によって疾病発生が確定した日までの賃金水準の上昇又は変動を考慮して算定し、また、当該労働者の離職時の賃金が不明であるときには、算定事由発生日における同種労働者の１日平均の賃金額等に基づいて算定すること。R6-4C

また、災害発生事業場等を離職している場合の、非災害発生事業場又は通勤災害に係る事業場以外の事業場（以下「非災害発生事業場等」という。）に係る平均賃金相当額については、算定事由発生日に当該事業場を離職しているか否かにかかわらず、遅発性疾病等の診断が確定した日ではなく災害発生事業場等を離職した日から３か月前の日を始期として、災害発生事業場等における離職日までの期間中に、非災害発生事業場等から賃金を受けている場合は、災害発生事業場等を離職した日の直前の賃金締切日以前３か月間に非災害発生事業場等において支払われた賃金により算定し当該金額を基礎として、診断によって疾病発生が確定した日までの賃金水準の上昇又は変動を考慮して算定し、また、当該労働者の離職時の賃金が不明であるときには、算定事由発生日における同種労働者の１日平均の賃金額等に基づいて算定すること。R6-4D

（令和2.8.21基発0821第２号）

給付基礎日額のスライド

① 概要 重要度A

★★★

現金給付による保険給付が長期にわたって行われる場合、その間の賃金（平均給与額）の変動に応じて給付基礎日額のスライド（改定）が行われる。

Check Point!

□ スライド改定をまとめると、次の通りとなる。

スライド	対象保険給付等	指標	変動要件
休業給付基礎日額のスライド	・休業（補償）等給付 ・休業特別支給金	「労働者が被災した日の属する四半期（スライド改定が既に行われている場合には、その改定の基礎となった四半期）の平均給与額」に対する「四半期ごとの平均給与額」の比率	**10％超**の変動
年金給付基礎日額のスライド	・**年金**たる保険給付 ・**一時金**たる保険給付 ・**特別給与**を算定基礎とする特別支給金	「労働者が被災した日の属する年度の平均給与額」に対する「年金たる保険給付を支給すべき月（一時金たる保険給付を支給すべき事由が生じた月）の前年度（4月から7月は前々年度）の平均給与額」の比率	**完全自動賃金スライド**制

❷ 休業給付基礎日額のスライド（法8条の2,1項） 重要度A ★★★

Ⅰ　**休業補償給付、複数事業労働者休業給付又は休業給付**（以下「**休業補償給付等**」という。）の額の算定の基礎として用いる**給付基礎日額**（以下「**休業給付基礎日額**」という。）については、次に定めるところによる。

ⅰ　ⅱに規定する**休業補償給付等以外の休業補償給付等**については、第8条の規定により**給付基礎日額**として算定した額を**休業給付基礎日額**とする。

ⅱ　**四半期ごとの平均給与額**が、**算定事由発生日の属する四半期の平均給与額**の**100分の110を超え、又は100分の90を下る**に至った場合において、**その上昇し、又は低下するに至った四半期の翌々四半期に属する最初の日以後**に支給すべき事由が生じた**休業補償給付等**については、**その上昇し、又は低下した比率を基準**として**厚生労働大臣が定める率**を第8条の規定により**給付基礎日額**として算定した額に乗じて得た額を**休業給付基礎日額**とする。

Ⅱ　**改定日額**（Ⅰⅱ及びⅡの規定により算定した額をいう。）を**休業給付基礎日額**とすることとされている場合にあっては、**四半期ごとの平均給与額**が、当該**改定日額**を休業補償給付等の額の算定の基礎として用いるべき**最初の四半期**の**前々四半期**の**平均給与額**の**100分の110を超え、又は100分の90を下る**に至った場合において、その**上昇し、又は低下するに至った四半期の翌々四半期に属する最初の日以後**に支給すべき事由が生じた**休業補償給付等**については、その**上昇し、又は低下した比率**を**基準**として**厚生労働大臣が定める率**を当該**改定日額**に乗じて得た額を**休業給付基礎日額**とする。

Check Point!

□ 再改定の場合は、直近のスライド改定の基礎となった四半期の平均給与額とその後の四半期ごとの平均給与額を比較する。

1. スライド改定

次図のケースでは、算定事由発生日の属する四半期と第２四半期の平均給与額を比較すると10%を超えて変動していない（５%増である）ため、スライド改定は行われない。

次に、算定事由発生日の属する四半期と第３四半期の平均給与額を比較すると10%を超えて変動している（15%増）ため、第３四半期の翌々四半期である翌年の第１四半期の初日からスライド改定された休業給付基礎日額が用いられる。

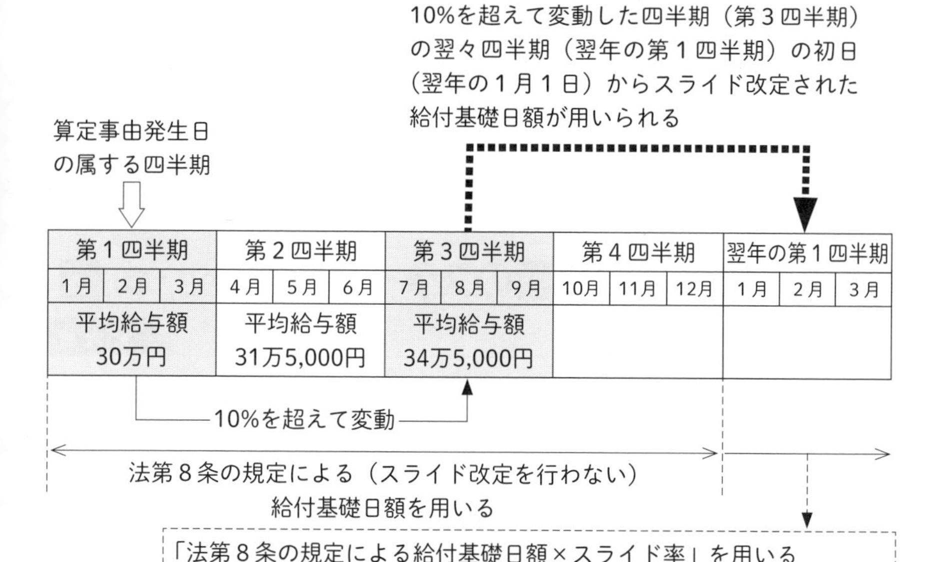

・「四半期」とは、１月から３月まで、４月から６月まで、７月から９月まで及び10月から12月までの各区分による期間をいう。（法８条の2,1項２号）

・休業給付基礎日額に係る「平均給与額」とは、厚生労働省において作成する毎月勤労統計における労働者１人当たりの毎月きまって支給する給与の四半期の１箇月平均額をいう。（法８条の2,1項２号、則９条の２の３）

2. 再改定

一度スライド改定が行われた後は、「その改定の基礎となった四半期（その改定日額を最初に適用した四半期の前々四半期）の平均給与額」とその後の「四半期ごとの平均給与額」を比較し、後者が前者の100分の110を超え、又は100分の90を下るに至った場合にスライド改定が同様の方式で行われる。

1.「**スライド改定**」と同様のケースで説明すると、第３四半期に平均給与額が10％を超えて変動したので、第４四半期の平均給与額の変動は、第３四半期の平均給与額と比較する〔算定事由発生日の属する四半期（第１四半期）と比較するのではない点に注意〕。

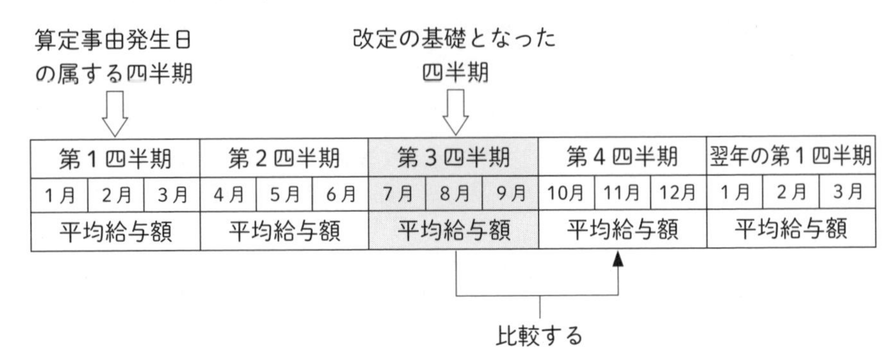

③ 年金給付基礎日額のスライド（法8条の3,1項）　重要度 A ★★★

年金たる保険給付の額の算定の基礎として用いる**給付基礎日額**（以下「**年金給付基礎日額**」という。）については、次に定めるところによる。

ⅰ　**算定事由発生日の属する年度の翌々年度の７月以前**の分として支給する**年金たる保険給付**については、第８条の規定により**給付基礎日額**として算定した額を**年金給付基礎日額**とする。

ⅱ　**算定事由発生日の属する年度の翌々年度の８月以後**の分として支給する**年金たる保険給付**については、第８条の規定により**給付基礎日額**として算定した額に**当該年金たる保険給付を支給すべき月の属する年度の前年度**（**当該月が４月から７月**までの月に該当する場合にあっては、**前々年度**）**の平均給与額**を**算定事由発生日の属する年度の平均給与額で除して得た率**を基準として**厚生労働大臣が定める率**を乗じて得た額を**年金給付基礎日額**とする。

Check Point!

- □ 年金給付基礎日額は、算定事由発生日の属する年度の翌々年度の８月以後の分として支給される年金たる保険給付の額の算定に用いるものから、スライド改定が行われる。
- □ 休業給付基礎日額のスライド改定と異なり、常に算定事由発生日の属する年度の平均給与額と比較する。

・スライド改定

算定事由発生日の属する年度をＡ年度、その翌年度をＢ年度、翌々年度をＣ年度、翌々翌年度をＤ年度…としていくと、Ｃ年度の８月以後に支給される年金たる保険給付からスライド改定が行われ、スライド改定された年金給付基礎日額は、Ｃ年度の８月からＤ年度の７月まで用いられる。

当該期間については、Ａ年度とＢ年度の平均給与額を算出し、Ｂ年度の平均給与額をＡ年度の平均給与額で除して得た率を基準として厚生労働大臣が定める率をスライド率とし、当初の給付基礎日額に当該スライド率を乗じて改定後の年金給付基礎日額とする。Ｄ年度の８月以後Ｅ年度の７月までの年金給付基礎日額は、その前年度であるＣ年度の平均給与額をＡ年度の平均給与額で除して得た率を基準として算定されたスライド率が乗じられたものとなる（次図参照）。

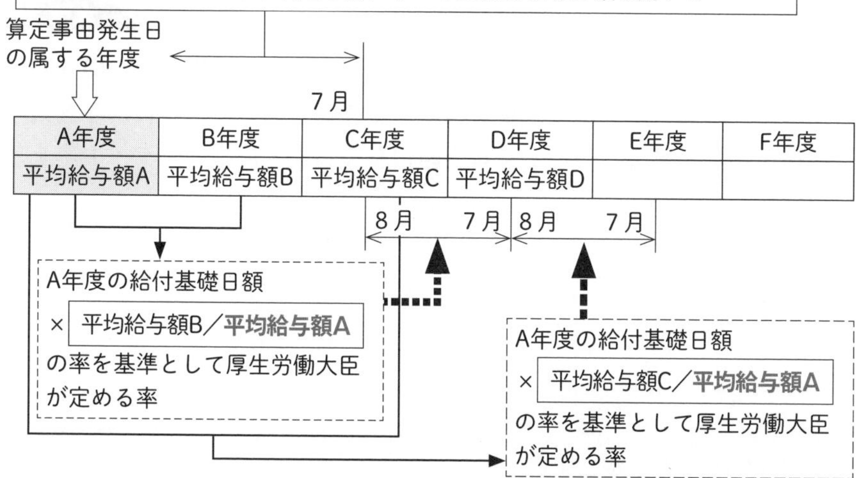

④ 一時金たる保険給付のスライド（法8条の4） 重要度A ★★★

> 第8条の3第1項［**年金給付基礎日額のスライド**］の規定は、**障害補償一時金若しくは遺族補償一時金、複数事業労働者障害一時金若しくは複数事業労働者遺族一時金又は障害一時金若しくは遺族一時金**の額の算定の基礎として用いる**給付基礎日額**について準用する。

・スライド改定方法

障害（補償）等一時金又は**遺族（補償）等一時金**の額の算定の基礎として用いる給付基礎日額についても、**年金給付基礎日額**と同様のスライド改定が行われる。

また、**障害（補償）等年金前払一時金**、**障害（補償）等年金差額一時金**、**遺族（補償）等年金前払一時金**又は**葬祭料等（葬祭給付）**についても同様のスライド改定が行われる。

（則17条、則18条の３の13、則18条の11、則附則19項、則附則24項カッコ書、則附則31項カッコ書、則附則36項、則附則37項、則附則40項、則附則45項、則附則46項、則附則49項）

⑤ 特別給与を算定基礎とする特別支給金のスライド（支給金則6条3項、同則附則6項） 重要度A ★★★

> **特別給与**を算定基礎とする特別支給金である**傷病特別年金**、**障害特別年金**、**障害特別一時金**、**障害特別年金差額一時金**、**遺族特別年金**又は**遺族特別一時金**についても**年金給付基礎日額**と同様のスライド率を用いて改定する。

3 年齢階層別の最低・最高限度額

① 趣旨等 重要度B

★★

給付基礎日額は、原則として、算定事由発生日以前3箇月間に支払われた賃金を基礎として算定されるため、賃金水準が一般的に低い若年時に被災した者の保険給付の額と賃金水準が一般的に高い壮年期（働き盛り）に被災した者の保険給付の額との間には大きな格差が生じ、特に長期間受給する年金給付などの場合、生涯にわたってその差が解消されない等の問題が起こりうる。

このような不均衡を是正すること等を目的として、一般労働者の年齢階層別の賃金構造実態等に基づき、給付基礎日額を年齢階層別の最低限度額と最高限度額の範囲内に収めることとされている。具体的には、算定した給付基礎日額が下記参考の年齢階層別の最低・最高限度額の範囲内にあるときは、その算定した給付基礎日額を用い、最低限度額を下回るときは最低限度額を、最高限度額を上回るときは最高限度額を、それぞれ給付基礎日額とする。

なお、年齢階層別の最低・最高限度額には、次の２種類がある。

i　**長期療養者の休業給付基礎日額に係る年齢階層別最低・最高限度額**

ii　**年金給付基礎日額に係る年齢階層別最低・最高限度額**

Check Point!

□ 年齢階層は、20歳未満と20歳以上70歳未満を５歳ごと及び70歳以上とに12の階層に区分され、それぞれの階層ごとに最低・最高限度額が設定されている。（則９条の３）

□ 年齢階層別の最低・最高限度額は、賃金構造基本統計をもとに設定され、その年の８月から翌年７月まで用いる限度額が毎年７月31日までに告示されることになっている。（則９条の4,7項）

（令和６年８月から令和７年７月までの最低・最高限度額）

年齢階層の区分	最低限度額	最高限度額
20歳未満	5,351円	13,600円
20歳以上25歳未満	5,978円	13,600円
25歳以上30歳未満	6,523円	14,828円
30歳以上35歳未満	6,834円	17,532円
35歳以上40歳未満	7,129円	20,304円
40歳以上45歳未満	7,373円	21,958円
45歳以上50歳未満	7,557円	23,030円
50歳以上55歳未満	7,504円	24,673円
55歳以上60歳未満	7,151円	25,484円
60歳以上65歳未満	6,026円	22,084円
65歳以上70歳未満	4,090円	17,014円
70歳以上	4,090円	13,600円

（令和６年厚労告245号）

❷ 長期療養者の休業給付基礎日額の最低・最高限度額（法８条の２,２項） 重要度A

★★★

休業補償給付等を支給すべき事由が生じた日が当該**休業補償給付**等に係る**療養を開始した日から起算して１年６箇月を経過した日以後**の日である場合において、次のⅰ又はⅱに該当するときは、当該ⅰ又はⅱに定める額を**休業給付基礎日額**とする。

ⅰ　第８条の２第１項の規定により**休業給付基礎日額**として算定した額が、厚生労働省令で定める**年齢階層**（以下単に「**年齢階層**」という。）ごとに**休業給付基礎日額**の**最低限度額**として**厚生労働大臣が定める額**のうち、当該休業補償給付等を受けるべき**労働者の当該休業補償給付等を支給すべき事由が生じた日の属する四半期の初日**（以下「**基準日**」という。）**における年齢**の属する年齢階層に係る額に満たない場合　当該**年齢階層**に係る額

ⅱ　第８条の２第１項の規定により**休業給付基礎日額**として算定した額が、**年齢階層**ごとに**休業給付基礎日額の最高限度額**として**厚生労働大臣が定める額**のうち、当該**休業補償給付**等を受けるべき**労働者の基準日における年齢**の属する**年齢階層**に係る額を超える場合　当該**年齢階層**に係る額

Check Point!

□ 休業給付基礎日額については、療養を開始した日から起算して１年６箇月を経過した日以後のものについて、年齢階層ごとに定められた最低・最高限度額が適用される。

1. 適用方法

休業補償給付等を受ける労働者の基準日（当該休業補償給付等を支給すべき事由が生じた日の属する四半期の初日）ごとの年齢を年齢階層にあてはめ、その労働者の休業給付基礎日額がその年齢階層の最低限度額を下回っていれば最低限度額を新しい休業給付基礎日額とし、逆に、その年齢階層の最高限度額を上回っている場合には最高限度額を新しい休業給付基礎日額とする。

【例】

２月１日に休業補償給付等に係る療養を開始した場合、１年６箇月経過日以後の８月１日から年齢階層別の最低・最高限度額が適用される。

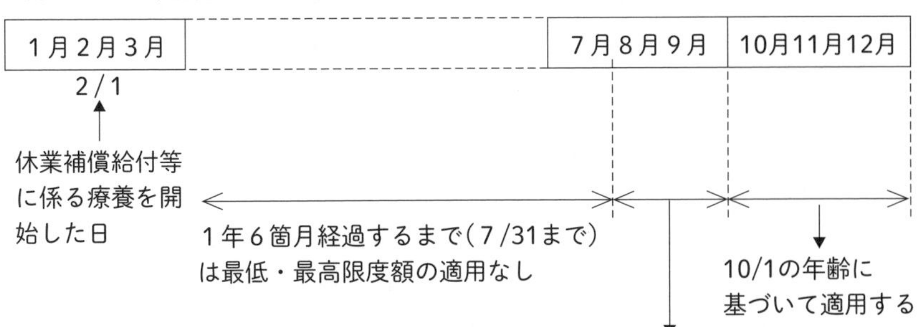

2. スライド改定が行われた場合の最低・最高限度額の適用

スライド改定が行われた場合は、スライド改定後の休業給付基礎日額について最低・最高限度額が適用される。

③ 年金給付基礎日額の最低・最高限度額（法8条の3,2項） 重要度A

★★★

年金たる保険給付を支給すべき事由がある場合において、次のⅰ又はⅱに該当するときは、当該ⅰ又はⅱに定める額を**年金給付基礎日額**とする。

ⅰ　第8条の3第1項の規定により**年金給付基礎日額**として算定した額が、厚生労働省令で定める**年齢階層**ごとに**年金給付基礎日額の最低限度額**として**厚生労働大臣が定める額**のうち、当該**年金たる保険給付を受けるべき労働者**の当該**年金たる保険給付**を**支給すべき月**の**属する年度**の**8月1日**（当該月が**4月から7月**までの月に該当する場合にあっては、**当該年度の前年度の8月1日**。以下「**基準日**」という。）における年齢（**遺族補償年金、複数事業労働者遺族年金又は遺族年金**を支給すべき場合にあっては、当該支給をすべき事由に係る**労働者の死亡がなかったもの**として計算した場合に得られる当該**労働者の基準日における年齢**。ⅱにおいて同じ。）の属する**年齢階層に係る額に満たない**場合　当該**年齢階層**に係る額

ⅱ　第8条の3第1項の規定により**年金給付基礎日額**として算定した額が、厚生労働省令で定める**年齢階層**ごとに**年金給付基礎日額**の**最高限度額**として**厚生労働大臣**が定める額のうち、当該**年金たる保険給付**を受けるべき**労働者**の**基準日**における**年齢**の属する**年齢階層**に**係る額を超える**場合　当該**年齢階層**に係る額

Check Point!

- □ 年金給付基礎日額については、休業給付基礎日額と異なり、その当初から年齢階層ごとに定められた最低・最高限度額が適用される。
- □ 一時金たる保険給付の算定基礎となる給付基礎日額には、年齢階層別の最低・最高限度額は適用されない。

1.　適用方法

年金たる保険給付を受ける労働者の**毎年8月1日**（**基準日**）ごとの**年齢**を、**同**

日から1年間の年齢として、これを**年齢階層**にあてはめ、その労働者の年金給付基礎日額がその年齢階層の最低限度額を下回っていれば最低限度額を新しい年金給付基礎日額とし、逆に、その年齢階層の最高限度額を上回っている場合には最高限度額を新しい年金給付基礎日額とする。

なお、**遺族補償年金、複数事業労働者遺族年金又は遺族年金を支給すべき場合にあっては、受給権者である遺族の年齢ではなく、当該支給をすべき事由に係る労働者の死亡がなかったものとして計算した死亡労働者の年齢を年齢階層にあてはめる**。

2. 基準日

8月から翌年3月までに支給される年金たる保険給付については、その年度の8月1日が基準日となるが、4月から7月までに支給される分については、その年度の前年度の8月1日が基準日となる。

3. スライド改定が行われた場合の最低・最高限度額の適用

スライド改定が行われた場合は、次の①から③のようにスライド改定後の年金給付基礎日額について最低・最高限度額が適用される。

①最低限度額 ≦ 給付基礎日額×スライド率 ≦ 最高限度額 の場合	「給付基礎日額×スライド率」を年金給付基礎日額とする
② 給付基礎日額×スライド率 < 最低限度額 の場合	「最低限度額」を年金給付基礎日額とする
③最高限度額 < 給付基礎日額×スライド率 の場合	「最高限度額」を年金給付基礎日額とする

(昭和62.1.31基発42号)

問題チェック H4-2B

労働基準法第12条の平均賃金相当額が年齢階層別の最高限度額を超えるため、当該最高限度額が年金に係る給付基礎日額とされた場合における給付基礎日額のスライドは、当該最高限度額にスライド率を乗じることにより行う。

解答 ×　昭和62.1.31基発42号

年齢階層別の最低・最高限度額については、労働者の賃金の実態に基づき毎年改定されるものとされていることから、その額自体に既にスライド率の要素が加味されていると考えられ、最低・最高限度額を年金給付基礎日額として算定されるものであるときには、これに重ねてスライド率を乗じない。

第4章

保険給付

第4章 第1節

保険給付の種類等

保険給付の種類等

① 種類（法7条1項、則5条） 重要度 A ★★★

労働者災害補償保険法による**保険給付**は、次に掲げる**保険給付**とする。

i　**労働者**の**業務上**の**負傷**、**疾病**、**障害**又は**死亡**（以下「**業務災害**」という。）に関する**保険給付**

ii　**複数事業労働者**（**負傷**、**疾病**、**障害**又は**死亡**の**原因又は要因**となる事由が**生じた時点**において**事業主が同一人でない２以上の事業**に**同時に使用**されていた労働者を含む。以下同じ。）の**２以上の事業の業務を要因**とする**負傷**、**疾病**、**障害**又は**死亡**（以下「**複数業務要因災害**」という。）に関する**保険給付**（ i に掲げるものを除く。以下同じ。）

iii　**労働者**の**通勤**による**負傷**、**疾病**、**障害**又は**死亡**（以下「**通勤災害**」という。）に関する**保険給付**

iv　**二次健康診断等給付**

概要

業務災害、複数業務要因災害及び通勤災害に関する保険給付は次の通りである。R元-選C

<table>
<tr><th>給付事由</th><th colspan="2">業務災害</th><th colspan="2">複数業務要因災害</th><th colspan="2">通勤災害</th></tr>
<tr><td rowspan="3">傷病
（負傷・疾病）</td><td colspan="2">療養補償給付</td><td colspan="2">複数事業労働者
療養給付</td><td colspan="2">療養給付</td></tr>
<tr><td colspan="2">休業補償給付</td><td colspan="2">複数事業労働者
休業給付</td><td colspan="2">休業給付</td></tr>
<tr><td colspan="2">傷病補償年金</td><td colspan="2">複数事業労働者
傷病年金</td><td colspan="2">傷病年金</td></tr>
<tr><td rowspan="4">障害</td><td rowspan="2">障害
補償
給付</td><td>障害補償
年金</td><td rowspan="2">複数事業
労働者
障害給付</td><td>複数事業労働者
障害年金</td><td rowspan="2">障害
給付</td><td>障害年金</td></tr>
<tr><td>障害補償
一時金</td><td>複数事業労働者
障害一時金</td><td>障害一時金</td></tr>
<tr><td colspan="2">障害補償年金
前払一時金</td><td colspan="2">複数事業労働者
障害年金前払一時金</td><td colspan="2">障害年金
前払一時金</td></tr>
<tr><td colspan="2">障害補償年金
差額一時金</td><td colspan="2">複数事業労働者
障害年金差額一時金</td><td colspan="2">障害年金
差額一時金</td></tr>
<tr><td>要介護状態</td><td colspan="2">介護補償給付</td><td colspan="2">複数事業労働者
介護給付</td><td colspan="2">介護給付</td></tr>
<tr><td rowspan="4">死亡</td><td rowspan="2">遺族
補償
給付</td><td>遺族補償
年金</td><td rowspan="2">複数事業
労働者
遺族給付</td><td>複数事業労働者
遺族年金</td><td rowspan="2">遺族
給付</td><td>遺族年金</td></tr>
<tr><td>遺族補償
一時金</td><td>複数事業労働者
遺族一時金</td><td>遺族一時金</td></tr>
<tr><td colspan="2">遺族補償年金
前払一時金</td><td colspan="2">複数事業労働者
遺族年金前払一時金</td><td colspan="2">遺族年金
前払一時金</td></tr>
<tr><td colspan="2">葬祭料</td><td colspan="2">複数事業労働者
葬祭給付</td><td colspan="2">葬祭給付</td></tr>
</table>

・複数業務要因災害及び通勤災害については、労働基準法に規定する災害補償の事由ではなく、使用者に補償責任はないことから、保険給付の名称に「補償」の文字は用いられていない。

業務災害、複数業務要因災害及び通勤災害に関する保険給付以外の保険給付は次の通りである。

脳・心臓疾患予防のための保険給付	二次健康診断等給付

・テキスト表記上の注意点

本書においては、主に業務災害に関する保険給付を中心に解説するので、複数業務要因災害に関する保険給付及び通勤災害に関する保険給付について併せて記載する場合には、例えば、「療養（補償）等給付」（「葬祭料・複数事業労働者葬祭給付・葬祭給付」の場合は、「葬祭料等（葬祭給付）」）のように記載している。

参考（事業主の助力等）

1．保険給付を受けるべき者が、事故のため、みずから保険給付の請求その他の手続を行うことが困難である場合には、事業主は、その手続を行うことができるように助力しなければならない。R元-2ウ

2．事業主は、保険給付を受けるべき者から保険給付を受けるために必要な証明を求められたときは、すみやかに証明をしなければならない。H27-2D R元-2エ　（則23条）

（事業主の意見申出）

事業主は、当該事業主の事業に係る業務災害、複数業務要因災害又は通勤災害に関する保険給付の請求について、所轄労働基準監督署長に意見を申し出ることができる。

R元-2オ（則23条の2,1項）

② 業務災害に関する保険給付の支給事由（法12条の8,2項）

重要度 A　★★★

第7条第1項第1号の**業務災害に関する保険給付**（**傷病補償年金及び介護補償給付を除く**。）は、**労働基準法**に規定する**災害補償の事由**又は**船員法**に規定する**災害補償の事由**（**労働基準法**に規定する**災害補償の事由**に相当する部分に限る。）が生じた場合に、**補償**を受けるべき**労働者**若しくは**遺族又は葬祭を行う者**に対し、その**請求**に基づいて行う。

・**災害補償との関係**

業務災害に関する保険給付のうち、**労働基準法**（船員法を含む。）に定める**災害補償の事由が生じた場合**に被災労働者等の請求に基づいてなされるものは次表のうち太字の保険給付である。

給付事由	業務災害
傷病（負傷・疾病）に関する保険給付	**療養補償給付**
	休業補償給付
	傷病補償年金
障害に関する保険給付	**障害補償給付**
要介護状態に関する保険給付	介護補償給付
死亡に関する保険給付	**遺族補償給付**
	葬祭料

問題チェック H19-選B改題

次の文中の［　　］の部分を選択肢の中の適当な語句で埋め、完全な文章とせよ。

業務災害に関する保険給付（［　　］を除く。）は、労働基準法に定める災害補償の事由又は船員法に定める災害補償の事由（一定のものについては、労働基準法の災害補償の事由に相当する部分に限る。）が生じた場合に、補償を受けるべき労働者若しくは遺族又は葬祭を行う者に対し、その請求に基づいて行われる。

選択肢

① 傷病補償年金　② 介護補償給付　③ 傷病補償年金及び介護補償給付

解答 ③ 傷病補償年金及び介護補償給付　法12条の8,2項

法第12条の8第2項中の「保険給付」から傷病補償年金及び介護補償給付が除かれているのは、労働基準法（船員法）には同様の規定が設けられていない〔労働基準法（船員法）の災害補償の規定に基づかない労災保険法の独自給付である〕ためである。

第4章 第2節

傷病に関する保険給付

療養（補償）等給付

❶給付の種類
(法13条1項、3項、則11条1項、則11条の2) 重要度A ★★★

Ⅰ　**療養補償給付**は、**療養の給付**とする。

Ⅱ　労働者災害補償保険法の規定による**療養の給付**は、法第29条第1項の**社会復帰促進等事業**として設置された**病院若しくは診療所**又は**都道府県労働局長**の指定する**病院若しくは診療所、薬局**若しくは**訪問看護事業者**〔**訪問看護**（**居宅を訪問することによる療養上の世話又は必要な診療の補助**）の事業を行う者をいう。〕において行う。

H27-2A　R元-5A

Ⅲ　**政府**は、**療養の給付をすることが困難な場合**又は**療養の給付を受けない**ことについて**労働者に相当の理由がある場合**には、**療養の給付**に代えて**療養の費用**を支給することができる。H28-選A

【複数事業労働者療養給付（法20条の3）】

Ⅰ　複数事業労働者療養給付は、**複数事業労働者がその従事する2以上の事業の業務を要因**として負傷し、又は疾病（厚生労働省令で定めるものに限る。以下この節［複数業務要因災害に関する保険給付］において同じ。）にかかった場合に、当該複数事業労働者に対し、その請求に基づいて行う。

Ⅱ　第13条［療養補償給付］の規定は、複数事業労働者療養給付について準用する。

【療養給付（法22条）】

Ⅰ　療養給付は、労働者が通勤により負傷し、又は疾病（厚生労働省令で定めるものに限る。以下この節［通勤災害に関する保険給付］において同じ。）にかかった場合に、当該労働者に対し、その請求に基づいて行う。

Ⅱ　第13条［療養補償給付］の規定は、療養給付について準用する。

概要

療養（補償）等給付は原則として現物給付であり、これを「療養の給付」という。また、例外として現金給付が認められているが、これを「療養の費用の支給」という。

療養（補償）等給付
- 原則…療養の給付（現物給付）
- 例外…療養の費用の支給（現金給付）

Check Point!

□ 原則として療養の給付を行うこととされているのであり、「療養の給付」と「療養の費用の支給」のうち、どちらか一方を労働者が選択できるわけではない。

1. 療養の給付

療養の給付は政府が行うが、療養行為そのものは、社会復帰促進等事業の一環として設置された病院若しくは診療所又は都道府県労働局長の指定する病院若しくは診療所、薬局若しくは訪問看護事業者（**指定病院等**）において行われる。

R元-5A

2. 療養の費用の支給

療養の費用が支給されるのは次の２つの場合である。

⑴ 療養の給付をすることが困難な場合

その地区に指定病院等がない場合や、特殊な医療技術又は診療施設を必要とする傷病の場合に最寄りの指定病院等にこれらの技術又は施設の設備がなされていない場合等、政府側の事情において療養の給付を行うことが困難な場合をいう。

⑵ 療養の給付を受けないことについて労働者に相当の理由がある場合

労働者側に療養の費用によることを便宜とする事情がある場合、すなわち、傷病が指定病院等以外の病院、診療所等で緊急な療養を必要とする場合や、最寄りの病院、診療所等が指定病院等でない等の事情がある場合をいう。

（昭和41.1.31基発73号）

②給付の範囲及び支給期間（法13条２項） 重要度A ★★★

療養の給付の範囲は、次のⅰからⅵ（**政府が必要と認める**ものに限る。）による。

ⅰ　**診察**

ⅱ　**薬剤又は治療材料の支給**

ⅲ　**処置、手術その他の治療**

ⅳ　**居宅における療養上の管理及びその療養に伴う世話その他の看護** H30-2D

ⅴ　**病院又は診療所への入院及びその療養に伴う世話その他の看護** H30-2D

ⅵ　**移送**

Check Point!

□「療養」とは、傷病を「治す」ために診療を受けたり休養したりすることを指し、傷病が治ゆした後に行われる義肢の装着のための再手術などの「外科後処置」は、当該保険給付の対象外である。

1.　労働基準法との関係

労災保険法の療養補償給付たる療養の給付の範囲は、労働基準法施行規則第36条の療養補償の療養項目のうち「政府が必要と認めるものに限る」と定めている。

参考（療養補償の規定による療養の範囲）

⑴労働者が業務上負傷し、又は疾病にかかった場合においては、使用者は、その費用で必要な療養を行い、又は必要な療養の費用を負担しなければならない。

⑵⑴に規定する業務上の疾病及び療養の範囲は、厚生労働省令で定める。

⑶⑵の規定による療養の範囲は、次に掲げるものにして、**療養上相当と認められるもの**とする。

①診察
②薬剤又は治療材料の支給
③処置、手術その他の治療
④居宅における療養上の管理及びその療養に伴う世話その他の看護
⑤病院又は診療所への入院及びその療養に伴う世話その他の看護
⑥移送

（労基法75条、労基則36条）

（義肢等）

健全肢を有していた労働者が業務災害により四肢を離断又は切断して義肢を必要とする場合は、社会復帰促進等事業として義肢が支給される。（昭和24.11.11基災発313号）

（義歯等）
歯科補綴の際の「金冠」の使用は、歯科補綴の効果又はその技術上の必要から、特に金を使用することを適当とする場合に限り、保険給付の対象となる。（昭和23.2.23基災発24号）

（柔道整復師等）
柔道整復師の骨折又は脱臼に対する施術については、応急手当の場合を除いて、医師の同意がある場合にのみ保険給付の対象となる。また、はり、きゅう及びマッサージについても、医師が必要と認めることなど一定の要件を満たした場合は保険給付の対象となることがある。（昭和31.11.6基発754号、平成8.2.23基発79号）

（温泉療養）
医師が直接の指導を行わない温泉療養は保険給付の対象とされない。ただし、病院等の付属施設で医師が直接指導のもとに行うものについては保険給付の対象となる。R元-5C
（昭和25.10.6基発916号）

2. 支給期間

療養（補償）等給付は、療養の必要が生じたときから、傷病が治ゆするか、又は労働者が死亡して療養を必要としなくなるまで行われる。

なお、「治ゆ」とは治療の必要がなくなった状態になることをいい、症状が残っている場合でも、症状が安定し、疾病が固定して治療の効果が期待できない状態になった場合には「治ゆ」したことになり療養（補償）等給付の対象外となる。

H27-2B（昭和23.1.13基災発３号）

問題チェック H28-4A～E

労災保険給付に関する次の記述のうち、誤っているものはどれか。

A　被災労働者が、災害現場で医師の治療を受けず医療機関への搬送中に死亡した場合、死亡に至るまでに要した搬送費用は、療養のためのものと認められるので移送費として支給される。

B　労働者が遠隔地において死亡した場合の火葬料及び遺骨の移送に必要な費用は、療養補償費の範囲には属さない。

C　業務災害の発生直後、救急患者を災害現場から労災病院に移送する場合、社会通念上妥当と認められる場合であれば移送に要した費用全額が支給される。

D　死体のアルコールによる払拭のような本来葬儀屋が行うべき処置であっても、医師が代行した場合は療養補償費の範囲に属する。

E　医師が直接の指導を行わない温泉療養については、療養補償費は支給されない。

解答 D

A　昭和30.7.13基収841号。設問の通り正しい。
B　昭和24.7.22基収2303号。設問の通り正しい。
C　昭和31.4.27基収1058号、昭和31.9.22基収1058号。設問の通り正しい。
D　昭和23.7.10基災発97号。設問の医師が代行した処置は葬祭料の範囲に属する。

E　昭和25.10.6基発916号。設問の通り正しい。なお、病院等の付属施設で医師が直接指導の下に行う場合には療養補償費（現行療養補償給付）の対象となる。

問題チェック R元-5D

被災労働者が、災害現場から医師の治療を受けるために医療機関に搬送される途中で死亡したときは、搬送費用が療養補償給付の対象とはなり得ない。

解答 ×　昭和30.7.13基収841号

被災労働者が死亡に至るまでに要した搬送の費用は、療養のためのものと認められるので、療養補償給付の対象となる。

Advice　上記H28-4Aを踏まえると誤りであることが判断できる。

③ 請求手続 重要度A

1 療養の給付の請求（則12条1項、2項、3項、則18条の3の7,1項、則18条の5）

★★★

Ⅰ　**療養補償給付たる療養の給付**を受けようとする者は、次に掲げる事項※1を記載した**請求書**を、当該**療養の給付**を受けようとする**病院**若しくは**診療所**、**薬局**又は**訪問看護事業者**（以下「**指定病院等**」という。）を**経由**して**所轄労働基準監督署長**に提出しなければならない。H27-2C

ⅰ　**労働者の氏名、生年月日及び住所**

ⅱ　**事業の名称及び事業場の所在地**

ⅲ　**負傷又は発病の年月日**

ⅳ　**災害の原因及び発生状況**

ⅴ　**療養の給付**を受けようとする**指定病院等**の**名称及び所在地**

ⅵ　労働者が**複数事業労働者**である場合は、その旨

※1　療養給付たる療養の給付の場合は、ⅰからⅵの他「**災害の発生の時刻及び場所**」「**通常の通勤の経路及び方法**」等についても記載しなければならない。

Ⅱ　Ⅰⅲ及びⅳに掲げる事項※2については、**事業主**〔法第7条第1項第1号又は第2号に規定する負傷、疾病、障害又は死亡が発生した事業場以外の事業場（以下「**非災害発生事業場**」という。）の**事業主を除く**。〕**の証明**を受けなければならない。

※2　療養給付たる療養の給付の場合は、Ⅰⅲに掲げる事項及び「災害の発生の時刻及び場所」「通常の通勤の経路及び方法」等について事業主の証明が必要となる。ただし、**複数事業労働者**にあっては、**通勤災害に係る事業主以外の事業主**の証明は必要とされない。

Ⅲ　**療養（補償）等給付たる療養の給付**を受ける労働者は、当該**療養の給付**を受ける**指定病院等を変更**しようとするときは、所定の事項を記載した届書を、**新たに当該療養の給付を受けようとする指定病院等を経由**して**所轄労働基準監督署長**に提出しなければならない。

R元-5B

概要

請求の流れは次の通りである。

療養の給付請求書

（**事業主**※**の証明**が必要な事項）
①**負傷又は発病の年月日**
②**災害の原因及び発生状況**
※　非災害発生事業場の事業主を除く

・療養給付たる療養の給付の場合は、①及び「災害の発生の時刻及び場所」「通常の通勤の経路及び方法」等について事業主の証明が必要となる。ただし、**複数事業労働者**にあっては、**通勤災害に係る事業主以外の事業主**の証明は必要とされない。

Check Point!

□ 療養の給付の請求は、請求書を指定病院等を経由して所轄労働基準監督署長に提出することによって行う。

2 療養の費用の請求（則12条の2、則18条の3の8,1項、則18条の6,1項、2項、3項）

★★★

Ⅰ　**療養補償給付たる療養の費用**の支給を受けようとする者は、次に掲げる事項※1を記載した**請求書**を、**所轄労働基準監督署長**に提出しなければならない。H30-2E

i　**労働者の氏名、生年月日及び住所**

ii　**事業の名称及び事業場の所在地**

iii　**負傷又は発病の年月日**

iv　**災害の原因及び発生状況**

v　**傷病名及び療養の内容**

vi　**療養に要した費用の額**

vii　**療養の給付**を受けなかった理由

viii　労働者が**複数事業労働者**である場合は、その旨

※1　療養給付たる療養の費用の場合は、ⅰからⅷの他「災害の発生の時刻及び場所」「通常の通勤の経路及び方法」等についても記載しなければならない。

Ⅱ　Ⅰⅲ及びⅳに掲げる事項※2については**事業主**（**非災害発生事業場**の事業主を**除く**。）**の証明**を、ⅴ及びⅵに掲げる事項については**医師その他の診療、薬剤の支給、手当又は訪問看護を担当した者**（以下「**診療担当者**」という。）**の証明**を受けなければならない。ただし、**看護**（**病院**又は**診療所**の労働者が提供するもの及び**訪問看護**を除く。以下同じ。）又は**移送**に要した費用の額については、この限りでない。H30-2E

※2　療養給付たる療養の費用の場合は、Ⅰⅲに掲げる事項及び「災害の発生の時刻及び場所」「通常の通勤の経路及び方法」等について事業主の証明が必要となる。ただし、**複数事業労働者**にあっては、**通勤災害に係る事業主以外の事業主**の証明は必要とされない。

Ⅲ　Ⅰⅵの額が**看護又は移送に要した費用の額**を含むものであるときは、当該**費用の額を証明することができる書類**を、**請求書**に添えなければならない。

概要

請求の流れは次の通りである。

療養の費用請求書

（**事業主**※1の証明が必要な事項）H30-2E
①負傷又は発病の年月日
②災害の原因及び発生状況
※1　非災害発生事業場の事業主を除く
（**診療担当者**の証明が必要な事項）
①傷病名及び療養の内容
②療養※2に要した費用の額
※2　看護（病院又は診療所の労働者が提供するもの及び訪問看護を除く。）・移送に要した費用を除く

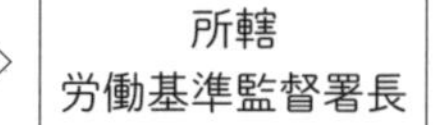

・指定病院等以外の病院等で療養を受けた場合は、当該療養にかかった費用をいったん医療機関に支払い、療養補償給付たる療養の費用請求書に「負傷又は発病の年月日」及び「災害の原因及び発生状況」について事業主の証明を受け、「傷病名及び療養の内容」及び「療養に要した費用の額」について診療担当者の証明を受けたうえで、当該請求書を**直接所轄労働基準監督署長に提出**する。

・療養給付たる療養の費用の場合は、①及び「災害の発生の時刻及び場所」「通常の通勤の経路及び方法」等について事業主の証明が必要となる。ただし、**複数事業労働者**にあっては、**通勤災害に係る事業主以外の事業主**の証明は必要とされない。

Check Point!

☐ 療養の費用の請求を行う場合には、請求書を直接所轄労働基準監督署長に提出する（指定病院等を経由しない。）。

問題チェック H19-4D

療養補償給付たる療養の費用の支給を受けようとする者は、所定の事項を記載した請求書を所轄労働基準監督署長に提出しなければならないが、その場合に、負傷又は発病の年月日、傷病の発生状況等をはじめ、傷病名及び療養の内容並びに療養に要した費用（病院又は診療所の労働者が提供する看護及び訪問看護又は移送に要した費用を除く。）の内容について、医師その他の診療担当者の証明を受ける必要がある。

解答 ×　　則12条の2,1項、2項

療養補償給付たる療養の費用の支給に係る請求書に記載する事項のうち、「**負傷又は発病の年月日**」及び「**傷病（災害）の発生状況等**」については、医師その他の診療担当者の証明ではなく、**事業主（非災害発生事業場の事業主を除く）の証明**を受ける必要がある。

また、「傷病名及び療養の内容」及び「療養に要した費用」については、原則として診療担当者の証明が必要であるが、「療養に要した費用」のうち、「看護（病院又は診療所の労働者が提供するもの及び訪問看護を除く）又は移送に要した費用」の額については診療担当者の証明は不要とされている（設問は、病院又は診療所の労働者が提供する看護及び訪問看護について証明不要としているため、この点についても誤りである）。

---

④ 療養給付の一部負担金（法31条2項、4項、則44条の2、法22条の2,3項）

重要度 A　★★★

Ⅰ　**政府**は、次のⅰからⅳの者を除き、**療養給付**を受ける**労働者**から、**200円を超えない範囲内**で厚生労働省令で定める額〔**200円**（**健康保険法**に規定する**日雇特例被保険者**である労働者については、**100円**）。ただし、**現に療養に要した費用の総額がこの額に満たない**場合には、**当該現に療養に要した費用の総額に相当する額**〕を**一部負担金**として徴収する。ただし、Ⅱの規定により減額した**休業給付**の支給を受けた労働者については、この限りでない。H29-5B

ⅰ　**第三者の行為**によって生じた事故により**療養給付**を受ける者 H27-2E

ⅱ　**療養の開始後3日以内**に**死亡した者**その他**休業給付**を受けない者

ⅲ　**同一の通勤災害**に係る**療養給付**について既に**一部負担金**を納付した者

ⅳ　**特別加入者**

Ⅱ　**療養給付**を受ける労働者（Ⅰⅰからⅳの者を除く。）に支給する**休業給付**であって**最初に支給すべき事由の生じた日に係るものの額**は、その額からⅠの厚生労働省令で定める額［**一部負担金の額**］に相当

する額を減じた額とする。R元-5E
Ⅲ　**一部負担金**を徴収する政府の権利は、これを行使することができる時から**2年**を経過したときは、**時効**によって**消滅**する。

Check Point!

□ 療養補償給付（業務災害）及び複数事業労働者療養給付（複数業務要因災害）を受ける労働者からは、一部負担金は徴収しない。

1. 徴収方法

当該一部負担金の徴収は、**療養給付**を受ける労働者に支給される**休業給付**であって、**最初に支給すべき事由の生じた日に係るものの額**から**控除**することにより行われる。R元-5E （昭和52.3.30基発192号）

2. 徴収金額

一部負担金の額は、現に療養に要した費用の総額が200円（100円）に満たない場合は、その現に療養に要した費用の総額となる（一部負担金の額が、現に療養に要した費用の総額を超えることはない。）。

休業（補償）等給付

① 支給要件（法14条１項） 重要度A ★★★

休業補償給付は、**労働者**が**業務上の負傷又は疾病**による**療養のため労働することができないために賃金を受けない日の第４日目**から支給するものとする。H30-5A R5-選AB

【複数事業労働者休業給付（法20条の４）】

複数事業労働者休業給付は、**複数事業労働者がその従事する２以上の事業の業務を要因**とする負傷又は疾病による療養のため労働することができないために賃金を受けない日の第４日目から支給するものとする。

【休業給付（法22条の２）】

休業給付は、労働者が通勤による負傷又は疾病に係る療養のため労働することができないために賃金を受けない日の第４日目から支給するものとする。

概要

休業（補償）等給付は、労働者が業務災害、複数業務要因災害又は通勤災害による負傷又は疾病のために休業した場合に、次の要件を満たす休業日について支給される。

(1) **療養**のために**休業する日**であること
(2) **労働することができない日**であること
(3) **賃金を受けない日**であること
(4) **第４日目以後**の休業日であること

Check Point!

☐ 休業補償給付（業務災害）の場合は、待期の３日間について、労働基準法の規定により事業主が休業補償を支払う義務が生じる。H30-5A

（昭和40.7.31基発901号）

☐ 複数事業労働者休業給付（複数業務要因災害）及び休業給付（通勤災害）

の場合は、待期の３日間について、事業主は労働基準法に基づく休業補償を行う義務はない。

1. 療養のため

休業（補償）等給付は、「療養」のために休業していなければ支給されない。したがって、傷病の治ゆ後に行われる処置（外科後処置）による休業については、当該保険給付は支給されない。

参考（治ゆ後の義肢装着）
患部の治ゆ後に行う義肢の装着は療養の範囲に属するものではないから、たとえ義肢装着のため療養所に入所しても、その入所期間中の休業に対しては休業（補償）等給付は支給されない。
（昭和24.2.16基収275号）

2. 労働することができない

「労働することができない」とは、労働者が負傷し又は疾病にかかる直前に従事していた種類の労働をすることができない場合のみでなく、一般に労働不能であることをいう。

3. 賃金を受けない日

「賃金を受けない日」とは、(1)又は(2)のいずれかの日をいう。

(1) 所定労働時間の全部について労働不能である場合

賃金を受けない日＝
- 事業主から**全く金額を受けない日**
- あるいは
- 事業主から受領した金額が**平均賃金の60%未満である日** H30-5B

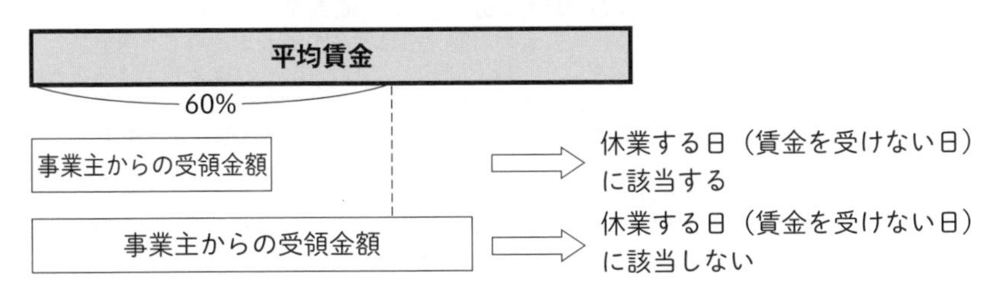

(2) 所定労働時間の一部分について労働不能である場合

賃金を受けない日＝｛事業主から受領した金額が**「平均賃金と当該労働時間に対して支払われる賃金との差額」の60%未満**である日

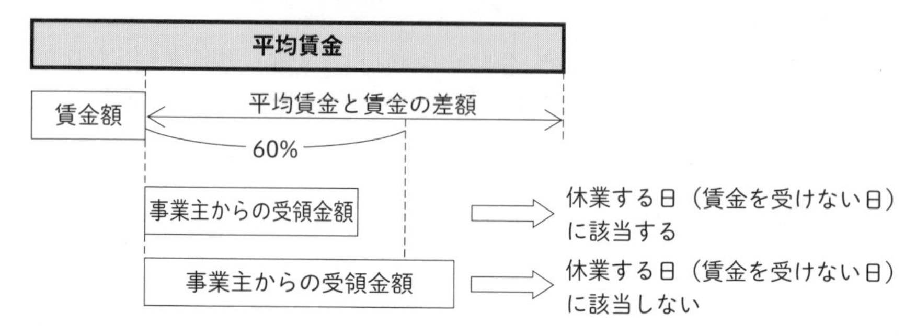

（昭和40.9.15基災発14号）

参考（複数事業労働者に係る休業（補償）等給付の支給要件について）

(1)労働することができない

複数事業労働者については、複数就業先における全ての事業場における就労状況等を踏まえて、休業（補償）等給付に係る支給の要否を判断する必要がある。例えば、複数事業労働者が、現に一の事業場において労働者として就労した場合には、原則、「労働することができない」とは認められないことから、下記(2)の「賃金を受けない日」に該当するかの検討を行う必要はなく、**休業（補償）等給付に係る保険給付については不支給決定**となる。

ただし、複数事業労働者が、**現に一の事業場において労働者として就労しているものの、他方の事業場において通院等のため、所定労働時間の全部又は一部について労働することができない場合**には、労災法第14条第１項本文の**「労働することができない」に該当すると認められることがある。** R6-4A

(2)賃金を受けない日

複数事業労働者については、複数の就業先のうち、一部の事業場において、年次有給休暇等により当該事業場における平均賃金相当額（複数事業労働者を使用する事業ごとに算定した平均賃金に相当する額をいう。以下同じ。）の60%以上の賃金を受けることにより賃金を受けない日に該当しない状態でありながら、他の事業場において、傷病等により無給での休業をしているため、賃金を受けない日に該当する状態があり得る。 R6-4B

したがって、複数事業労働者の休業（補償）等給付に係る「賃金を受けない日」の判断については、まず複数就業先における事業場ごとに行うこと。その結果、**一部の事業場でも賃金を受けない日に該当する場合**には、当該日は労災法第14条第１項の**「賃金を受けない日」に該当するもの**として取り扱うこと。

一方、**全ての事業場において賃金を受けない日に該当しない場合**は、当該日は労災法第14条第１項の**「賃金を受けない日」に該当せず**、**保険給付を行わない**こと。

（令和3.3.18基管発0318第１号、基補発0318第６号、基保発0318第１号）

4. 待期期間

休業の最初の３日間は、待期期間とされ、休業（補償）等給付は支給されない。この待期期間は**継続している必要はなく**、また、**その間使用者から金銭（賃金）を受けていても成立**する。

参考（刑事施設に拘置等されている場合）
休業（補償）等給付の待期期間の計算に当たっては、労働者が刑事施設に拘置等されている日は、待期期間に算入しない。（昭和62.3.30発労徴23号、基発174号）

（待期期間の扱い）
その日の所定労働時間内に災害が発生した場合は、当日を休業日とし（待期期間に算入し）、残業時間中に災害が発生した場合は、当日は休業日としない（翌日から待期期間に算入する）。言い換えると、所定労働時間の一部休業の場合のみ負傷当日を休業日数（待期期間）に算入する。なお、所定労働時間内に災害が発生し、所定労働時間の一部について労働することができない場合については、**平均賃金と実労働時間に対して支払われる賃金との差額の100分の60以上の金額が支払われているときであっても、その日は休業日（待期期間）とする。**（昭和27.8.8基収3208号、昭和40.9.15基災発14号）

（雇用契約上賃金請求権を有しない日）
法14条１項に規定する休業補償給付は、労働者が業務上の傷病により療養のため労働不能の状態にあって賃金を受けることができない場合に支給されるものであり、右の条件を具備する限り、その者が休日又は出勤停止の懲戒処分を受けた等の理由で雇用契約上賃金請求権を有しない日についても、休業補償給付の支給がされると解するのが相当である。
H30-5D（最一小昭和58.10.13雪島鉄工所事件）

② 支給額及び支給期間（法14条1項） 重要度A ★★★

休業補償給付の額は、**１日**につき**給付基礎日額**の**100分の60**に相当する額とする。R5-選C

ただし、労働者が**業務上の負傷又は疾病**による**療養**のため**所定労働時間のうちその一部分についてのみ労働する日**若しくは**賃金が支払われる休暇**（以下「**部分算定日**」という。）又は**複数事業労働者**の**部分算定日**に係る休業補償給付の額は、**給付基礎日額**（**最高限度額**を**給付基礎日額**とすることとされている場合にあっては、**最高限度額**の適用がないものとした場合における**給付基礎日額**）から**部分算定日に対して支払われる賃金の額**を控除して得た額（当該控除して得た額が**最高限度額を超える**場合にあっては、**最高限度額に相当する額**）の**100分の60**に相当する額とする。H30-5E R5-選AC

【複数事業労働者休業給付（法20条の4,2項）】
第14条［休業補償給付］の規定は、複数事業労働者休業給付について準用する。

【休業給付（法22条の2,2項）】
第14条［休業補償給付］の規定は、休業給付について準用する。

Check Point!

□ 休業（補償）等給付は、休業の第4日目から、休業日が継続していると断続しているとを問わず、実際の休業日について休業の続く間支給される。

1. 原則

1日につき**給付基礎日額の100分の60**に相当する額が支給される。

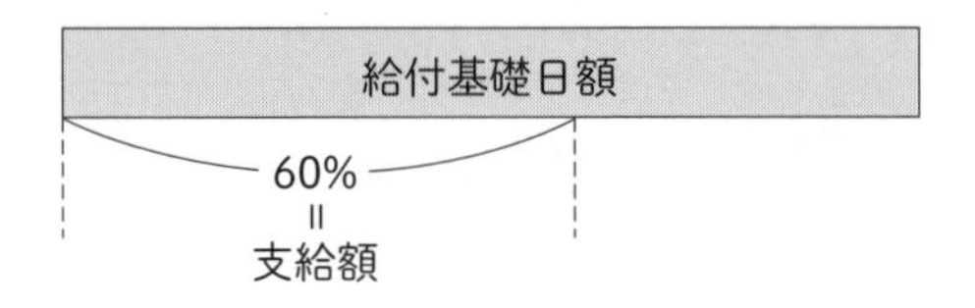

2. 部分算定日である場合①

部分算定日である場合は、1日について「**給付基礎日額から部分算定日に対して支払われる賃金の額を控除して得た額**」**の100分の60**に相当する額が支給される。 H30-5E R2-6A

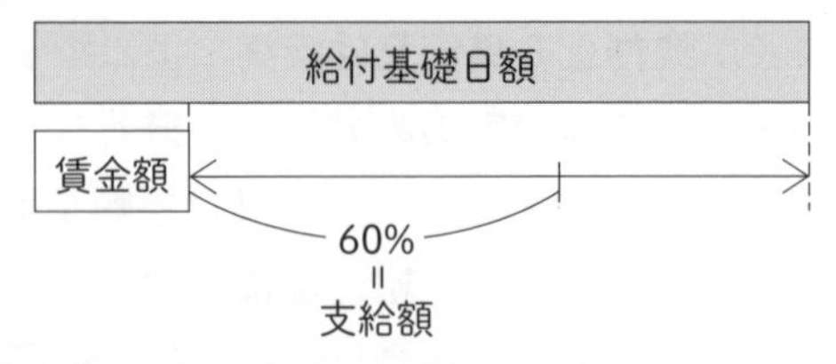

参考（部分算定日における休業（補償）等給付の額について）

1．一の事業場のみに使用される労働者に係る部分算定日の取扱い
従来から、休業日であっても平均賃金の60%以上の賃金を年次有給休暇等により受ける場合は、「賃金を受けない日」に該当せず、休業（補償）給付の支給対象ではなかったが、時間単位の年次有給休暇等により休業日の所定労働時間のうち一部分について平均賃金の60%未満の賃金を受ける場合には、「賃金を受けない日」に該当し、休業（補償）給付の支給対象となっていた。その際、このような休暇に対する賃金に関してはこれまで控除に係る規定がなく、所定労働時間のうちその一部分についてのみ労働し、賃金を一部受ける場合との不均衡が生じていたことから、年次有給休暇等により賃金が支払われる場合は、部分算定日に係る労災法第14条第1項但書きの規定に基づき、給付基礎日額から実際に支払われた賃金を控除することとされたものである。

2．複数事業労働者に係る取扱い
「賃金を受けない日」の判断は、まず複数就業先における事業場ごとに行う。このため、一部の事業場で賃金を受けない日に該当し、一部の事業場で賃金を受けない日に該当しない場合及び全ての事業場で賃金を受けない日に該当する場合は、労災法第14条第1項の「賃金を受けない日」に該当するものとして、休業（補償）等給付の支給対象となる。
このうち、**一部の事業場で賃金を受けない日に該当し、一部の事業場で賃金を受けない日に該当しない場合**又は**全ての事業場で賃金を受けない日に該当しているものの、平均**

賃金相当額の60%未満の賃金を受けている場合の保険給付額は、下記⑴又は⑵に基づき**給付基礎日額から実際に支払われる賃金（平均賃金相当額を上限とする。）を控除した額**をもとに保険給付を行うこと。

⑴「賃金が支払われる休暇」（労災法第14条第１項但書き）に係る保険給付額
「賃金を受けない日」に該当すると判断される場合であって、一部賃金が年次有給休暇等により支払われる場合は、部分算定日に係る労災法第14条第１項但書きの規定に基づき、給付基礎日額から実際に支払われた賃金（平均賃金相当額を上限とする。）を控除した金額をもとに、当該日についての保険給付を行うこと。

⑵「所定労働時間のうちその一部分についてのみ労働する日」（労災法第14条第１項但書き）に係る保険給付額
所定労働時間とは、就業規則や労働契約等において、労働者が契約上、労働すべき時間として定められた時間を指すため、「所定労働時間のうちその一部分についてのみ労働する日」に該当するかについても、複数の就業先における事業場ごとに判断すること。「所定労働時間の一部分についてのみ労働する日」に該当する場合は、部分算定日に係る労災法第14条第１項但書きの規定に基づき、**給付基礎日額から実際に支払われた賃金（平均賃金相当額を上限とする。）を控除した金額**をもとに、当該日についての保険給付を行うこと。
なお、一部の事業場において所定労働時間のうちその全部を労働し、他の事業場において通院等で労働することができず、所定労働時間のうちその全部について休業している場合もあり得るところ、この場合も「所定労働時間のうちその一部分についてのみ労働する日」に準じて取り扱うこと。

（令和3.3.18基管発0318第１号、基補発0318第６号、基保発0318第１号）

3. 部分算定日である場合②
（給付基礎日額について年齢階層別の最高限度額の適用を受ける場合）

療養開始後１年６箇月を経過すると、最低・最高限度額の適用を受けることになるが、このうち最高限度額の適用を受けている場合は、「最高限度額を適用しない場合の給付基礎日額から部分算定日に対する賃金額を控除した額」と「最高限度額」を比較していずれか低い額の60%相当額が支給される。

最高限度額を適用しない場合の給付基礎日額 － 部分算定日に対する賃金額 ⟺ 最高限度額

どちらか低い方の60%相当額が支給される

【例１】最高限度額が２万円、最高限度額の適用をしない場合の給付基礎日額が４万円、賃金額が３万円の場合

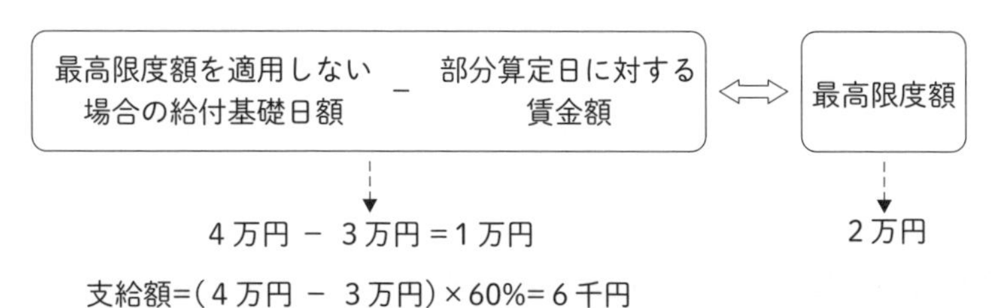

支給額＝（４万円 － ３万円）×60%＝６千円

【例2】最高限度額が2万円、最高限度額の適用をしない場合の給付基礎日額が6万円、賃金額が3万円の場合

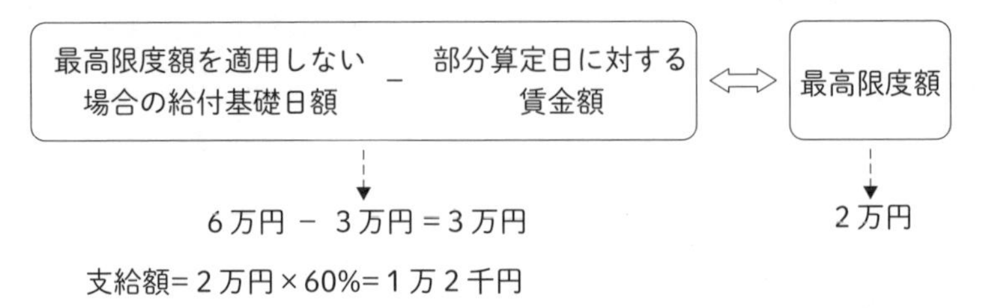

支給額＝2万円×60%＝1万2千円

4. 支給期間

休業の第4日目から、休業日が継続していると断続しているとを問わず、実際の休業日について休業の続く間支給される。

なお、休業（補償）等給付の支給要件を満たす場合であっても、後述する傷病（補償）等年金の支給要件を満たすこととなった場合には、当該傷病（補償）等年金の支給決定の有無にかかわらず、当該支給事由が生じた月の翌月以後、休業（補償）等給付は行わないこととされている。したがって、傷病（補償）等年金の支給要件を満たした日と当該傷病（補償）等年金の支給決定日が異なる場合は、必要に応じ内払処理（支払の調整）が行われる。

（法18条2項、法20条の8,2項、法23条2項、昭和52.3.30基発192号）

③ 休業（補償）等給付の支給制限（法14条の2）重要度A

★★★

労働者が次のⅰ又はⅱのいずれかに該当する場合（**厚生労働省令で定める場合に限る。**）には、**休業補償給付**は、行わない。

ⅰ　**刑事施設**、**労役場**その他これらに準ずる施設に**拘禁**されている場合 R6-7ウ

ⅱ　**少年院**その他これに準ずる施設に**収容**されている場合

【複数事業労働者休業給付（法20条の4,2項）】

第14条の2［休業補償給付の支給制限］の規定は、複数事業労働者休業給付について準用する。

【休業給付（法22条の2,2項）】

第14条の2［休業補償給付の支給制限］の規定は、休業給付について準用する。

Check Point!

□ 未決勾留中の者については、休業（補償）等給付の支給制限は行われない。

・支給制限

休業（補償）等給付は、刑事施設や少年院等に拘禁又は収容された場合には、原則として行われない。

上記の「厚生労働省令で定める場合」とは、**罪が確定し刑の執行のために拘置等されている**場合（以下のいずれかに該当する場合）を指し、未決勾留中の者については、支給制限はされない。

⑴懲役、禁錮若しくは拘留の刑の執行のため若しくは死刑の言渡しを受けて刑事施設（少年法第56条第３項の規定により少年院において刑を執行する場合における当該少年院を含む。）に拘置されている場合若しくは留置施設に留置されて懲役、禁錮若しくは拘留の刑の執行を受けている場合、労役場留置の言渡しを受けて労役場に留置されている場合又は監置の裁判の執行のため監置場に留置されている場合 R6-7ウ

⑵少年法第24条の規定による保護処分として少年院若しくは児童自立支援施設に送致され、収容されている場合、同法第64条の規定による保護処分として少年院に送致され、収容されている場合又は同法第66条の規定による決定により少年院に収容されている場合

（則12条の４）

傷病（補償）等年金

① 支給要件（法12条の8,3項）

重要度 A ★★★

傷病補償年金は、**業務上負傷し、又は疾病にかかった**労働者が、当該**負傷又は疾病**に係る**療養の開始後１年６箇月を経過した日**において次のⅰⅱのいずれにも該当するとき、又は**同日後**次のⅰⅱ**のいずれにも**該当することとなったときに、**その状態が継続している間**、当該**労働者**に対して支給する。H30-2A

ⅰ　当該**負傷又は疾病**が**治っていない**こと。

ⅱ　当該**負傷又は疾病**による**障害の程度**が厚生労働省令で定める**傷病等級**に該当すること。

【複数事業労働者傷病年金（法20条の8,1項）】

複数事業労働者傷病年金は、**複数事業労働者がその従事する２以上の事業の業務を要因**として負傷し、又は疾病にかかった場合に、当該負傷又は疾病に係る療養の開始後１年６箇月を経過した日において次のⅰⅱのいずれにも該当するとき、又は同日後次のⅰⅱのいずれにも該当することとなったときに、その状態が継続している間、当該複数事業労働者に対して支給する。

ⅰ　当該負傷又は疾病が治っていないこと。

ⅱ　当該負傷又は疾病による障害の程度が厚生労働省令で定める傷病等級に該当すること。

【傷病年金（法23条１項）】

傷病年金は、通勤により負傷し、又は疾病にかかった労働者が、当該負傷又は疾病に係る療養の開始後１年６箇月を経過した日において次のⅰⅱのいずれにも該当するとき、又は同日後次のⅰⅱのいずれにも該当することとなったときに、その状態が継続している間、当該労働者に対して支給する。

ⅰ　当該負傷又は疾病が治っていないこと。

ⅱ　当該負傷又は疾病による障害の程度が厚生労働省令で定める傷病等級に該当すること。

Check Point!

- □ 傷病（補償）等年金は、休業（補償）等給付に切り替えて支給される給付なので、両者が併給されることはない。また、両者とも療養（補償）等給付と併給される。H27-7ウ H30-5C
- □ さらにその後、傷病が治ゆしないが傷病等級に該当しなくなった場合は、再び休業（補償）等給付に切り替えられる。

1. 療養開始後1年6箇月を経過した日に傷病が治ゆせず、かつ、傷病等級に該当している場合

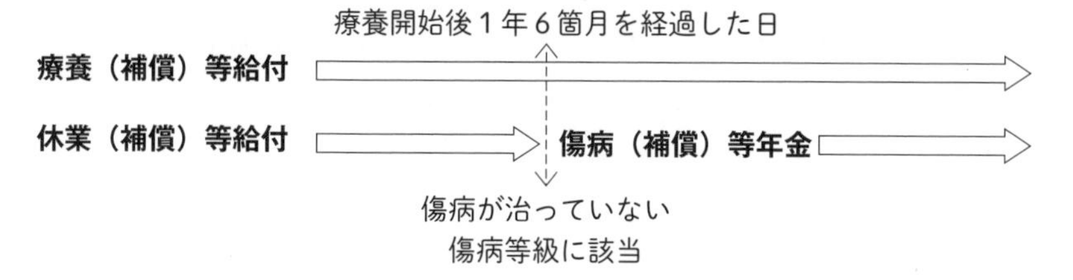

2. 療養開始後1年6箇月を経過した日には支給要件に該当していなかったが、その後支給要件に該当した場合

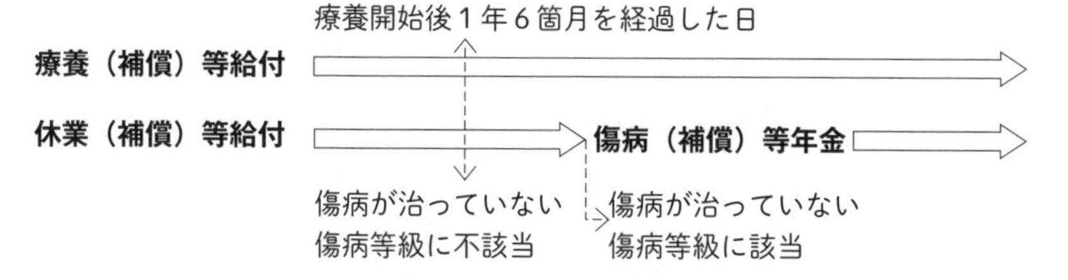

3. 療養開始後1年6箇月を経過した日には支給要件に該当していたが、その後傷病等級不該当となり、再び休業（補償）等給付に切り替えられる場合 H29-2C

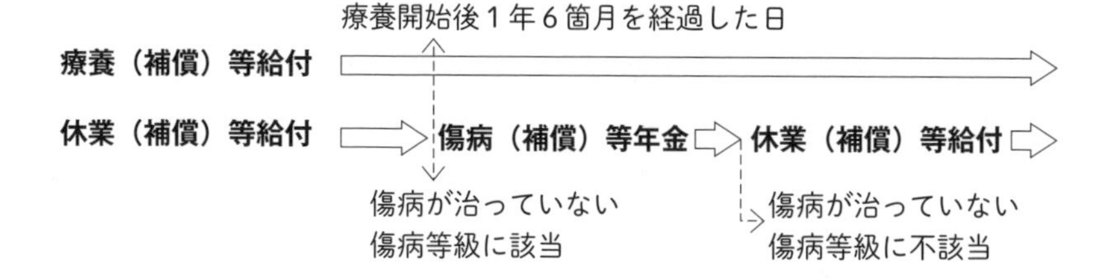

参考 厚生労働省令で定める傷病等級とは次の通りである。

傷病等級	障害の状態
第１級	①神経系統の機能又は精神に著しい障害を有し、常に介護を要するもの ②胸腹部臓器の機能に著しい障害を有し、常に介護を要するもの ③両眼が失明しているもの ④そしゃく及び言語の機能を廃しているもの ⑤両上肢をひじ関節以上で失ったもの ⑥両上肢の用を全廃しているもの ⑦両下肢をひざ関節以上で失ったもの ⑧両下肢の用を全廃しているもの ⑨①から⑧に定めるものと同程度以上の障害の状態にあるもの
第２級	①神経系統の機能又は精神に著しい障害を有し、随時介護を要するもの ②胸腹部臓器の機能に著しい障害を有し、随時介護を要するもの ③両眼の視力が0.02以下になっているもの ④両上肢を腕関節以上で失ったもの ⑤両下肢を足関節以上で失ったもの ⑥①から⑤に定めるものと同程度以上の障害の状態にあるもの
第３級	①神経系統の機能又は精神に著しい障害を有し、常に労務に服することができないもの ②胸腹部臓器の機能に著しい障害を有し、常に労務に服することができないもの ③一眼が失明し、他眼の視力が0.06以下になっているもの ④そしゃく又は言語の機能を廃しているもの ⑤両手の手指の全部を失ったもの ⑥①又は②に定めるもののほか常に労務に服することができないものその他①から⑤に定めるものと同程度以上の障害の状態にあるもの

・上記の障害の程度は、**6箇月以上**の期間にわたって存する障害の状態によって認定される。 H29-2B

（則18条、則別表第２）

❷ 支給額（法18条1項、法別表第1）

重要度 A ★★★

傷病補償年金は、**傷病等級**に応じ、別表第１（次表）に規定する額とする。

傷病等級	傷病補償年金の年金額
第１級	給付基礎日額の**313**日分
第２級	給付基礎日額の**277**日分
第３級	給付基礎日額の**245**日分

【複数事業労働者傷病年金（法20条の8,2項）】

第18条［傷病補償年金］及び別表第１［傷病補償年金の額］の規定は、複数事業労働者傷病年金について準用する。

【傷病年金（法23条２項）】

第18条［傷病補償年金］及び別表第１［傷病補償年金の額］の規定は、傷病年金について準用する。

Check Point!

- □ 傷病（補償）等年金の年金額は、障害（補償）等年金第１級～第３級の年金額と同額である。
- □ 傷病（補償）等年金は、その支給要件を満たす期間支給される。

③ 支給手続（則18条の2,1項） 重要度A ★★★

業務上の事由により**負傷**し、又は**疾病**にかかった**労働者**が、当該**負傷**又は**疾病**に係る**療養の開始後１年６箇月を経過した日**において法第12条の８第３項各号［傷病補償年金の支給要件］のいずれにも該当するとき、**又は同日後**同項各号のいずれにも該当することとなったときは、**所轄労働基準監督署長**は、当該**労働者**について**傷病補償年金の支給の決定をしなければならない**。

【複数事業労働者傷病年金（則18条の３の15)】

第18条の２の規定は、複数事業労働者傷病年金の支給の決定等について準用する。

【傷病年金（則18条の13,2項)】

第18条の２の規定は、傷病年金の支給の決定等について準用する。

Check Point!

- □ 傷病（補償）等年金は、労働者の請求により支給が決定されるのではなく、所轄労働基準監督署長の職権により支給が決定される。したがって、時効の問題も生じない。

・**手続**

具体的な手続は次のようになる。

⑴ **所轄労働基準監督署長**は、**療養開始後１年６箇月を経過した日**において治っていない長期療養者から、その**１年６箇月を経過した日以後１箇月以内**に、「**傷病の状態等に関する届**」を提出させ、**傷病（補償）等年金**を支給するか、引き続き**休業（補償）等給付**を支給するかを決定する。H29-2A

（則18条の2,2項）

⑵ 引き続き休業（補償）等給付を支給されることとなった労働者からは、毎

年**1月1日から同月末日**までのいずれかの日の分を含む**休業（補償）等給付**の請求書を提出する際に、その**請求書**に添えて「**傷病の状態等に関する報告書**」を提出させ、傷病（補償）等年金の**支給決定の要否**を決定する。

（則19条の２）

ただし、当該報告書の提出を待つまでもなく、当該**労働者**が**傷病等級**に該当するに至っていることが推定できるに至った場合や当該**労働者**が**傷病等級**に該当するに至ったとして申し出た場合には、**所轄労働基準監督署長**は「**傷病の状態等に関する届**」を提出させ、**支給決定の要否**を決定する。

（昭和52.3.30基発192号）

問題チェック H21-5C

傷病補償年金は、労働者の請求に基づき、政府がその職権によって支給を決定するのであって、支給の当否、支給開始の時機等についての判断は、所轄労働基準監督署長の裁量に委ねられる。

解答 ×　法９条１項、法12条の8,3項、則18条の2,1項

傷病補償年金の支給決定は、労働者の請求に基づき行われるのではない。

④ 障害の程度の変更（法18条の2） 重要度 A ★★★

傷病補償年金を受ける労働者の当該**障害の程度に変更**があったため、**新たに**別表第１中の他の**傷病等級に該当するに至った**場合には、**政府**は、厚生労働省令で定めるところにより、**新たに該当するに至った傷病等級**に応ずる**傷病補償年金**を支給するものとし、その後は、**従前の傷病補償年金は、支給しない**。H29-2D

【複数事業労働者傷病年金（法20条の8,2項）】

第18条の２［障害の程度の変更］の規定は、複数事業労働者傷病年金について準用する。

【傷病年金（法23条２項）】

第18条の２［障害の程度の変更］の規定は、傷病年金について準用する。

Check Point!

□ 傷病（補償）等年金の変更に関する決定についても、労働者の請求により行われるのではなく、定期報告書又は傷病の状態の変更に関する届出に基づいて、所轄労働基準監督署長の職権により行われる。

・**手続**

傷病（補償）等年金は年金たる保険給付の受給権者に義務付けられている報告書等によって障害の程度が認定され、傷病（補償）等年金の変更決定、休業（補償）等給付への切り替え、又は治ゆの認定が行われる。

具体的な手続は、次の通りである。

⑴ 年金たる保険給付の受給権者は、原則として、**毎年6月30日**（**1月から6月生まれの者**の場合）又は**10月31日**（**7月から12月生まれの者**の場合）までに定期報告書を提出しなければならないことになっており、当該報告書により障害の程度が認定される。

（則21条、平成15年厚労告114号、平成15.3.25基発0325009号）

⑵ 傷病（補償）等年金の受給権者は傷病が治ゆした場合又は障害の程度に変更があった場合は届け出なければならないことになっているので、当該届出によっても障害の程度が認定される。（則21条の2,1項7号）

⑤ 打切補償との関係（法19条） 重要度A ★★★

業務上負傷し、又は**疾病**にかかった**労働者**が、当該**負傷**又は**疾病**に係る**療養の開始後3年を経過した日**において**傷病補償年金を受けている場合又は同日後において傷病補償年金を受けることとなった場合**には、労働基準法第19条第1項［**解雇制限**］の規定の適用については、当該使用者は、それぞれ、当該**3年を経過した日**又は**傷病補償年金を受けることとなった日**において、同法第81条の規定により**打切補償**を支払ったものとみなす。H29-2E R2-6B

Check Point!

□「打切補償との関係」の規定は、複数事業労働者傷病年金（複数業務要因災害）及び傷病年金（通勤災害）には適用されない。

1.　負傷又は疾病に係る療養の開始後3年を経過した日において傷病補償年金を受けている場合

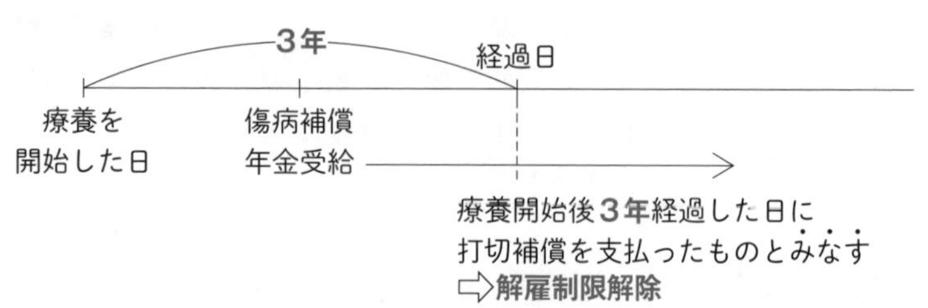

2.　負傷又は疾病に係る療養の開始後3年を経過した日後において傷病補償年金を受けることとなった場合

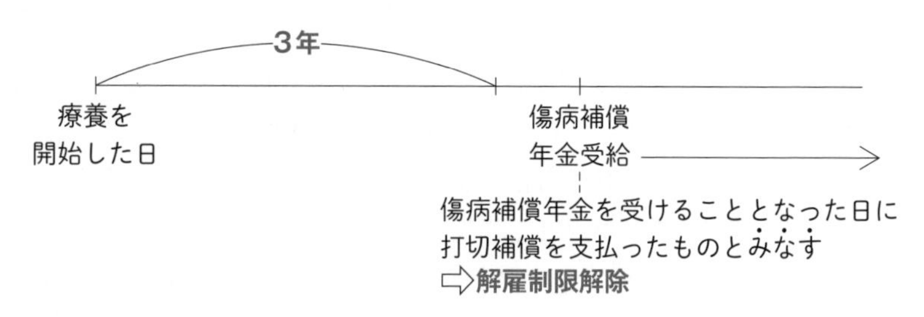

第4章 第3節

障害に関する保険給付

障害（補償）等給付

① 種類及び支給額（法15条、法別表第1、第2） 重要度B

★★

Ⅰ　**障害補償給付**は、厚生労働省令で定める**障害等級**に応じ、**障害補償年金又は障害補償一時金**とする。

Ⅱ　**障害補償年金又は障害補償一時金**の額は、それぞれ、次表に規定する額とする。

保険給付	障害等級	額
障害補償年金	**第1級**	1年につき給付基礎日額の**313**日分
	第2級	1年につき給付基礎日額の**277**日分
	第3級	1年につき給付基礎日額の**245**日分
	第4級	1年につき給付基礎日額の213日分
	第5級	1年につき給付基礎日額の184日分
	第6級	1年につき給付基礎日額の156日分
	第7級	1年につき給付基礎日額の**131**日分
障害補償一時金	**第8級**	給付基礎日額の**503**日分
	第9級	給付基礎日額の391日分
	第10級	給付基礎日額の302日分
	第11級	給付基礎日額の223日分 R2-5A～E
	第12級	給付基礎日額の156日分 R2-5A～E
	第13級	給付基礎日額の101日分
	第14級	給付基礎日額の**56**日分

【複数事業労働者障害給付（法20条の5）】

Ⅰ　複数事業労働者障害給付は、**複数事業労働者がその従事する2以上の事業の業務を要因**として負傷し、又は疾病にかかり、治ったとき身体に障害が存する場合に、当該複数事業労働者に対し、その請求に基づいて行う。

Ⅱ　複数事業労働者障害給付は、第15条第1項の厚生労働省令で定める障害等級に応じ、**複数事業労働者障害年金**又は**複数事業労働者障害一時金**とする。

Ⅲ　第15条第2項［障害補償給付の額］、別表第1及び別表第2の規定は、複数事業労働者障害給付について準用する。

【障害給付（法22条の３）】

Ⅰ　障害給付は、労働者が通勤により負傷し、又は疾病にかかり、なおったとき身体に障害が存する場合に、当該労働者に対し、その請求に基づいて行なう。

Ⅱ　障害給付は、第15条第１項の厚生労働省令で定める障害等級に応じ、障害年金又は障害一時金とする。

Ⅲ　第15条第２項［障害補償給付の額］、別表第１及び別表第２の規定は、障害給付について準用する。

Check Point!

□ 障害（補償）等給付は、治ゆ後の給付であり、傷病が治っていない間は支給されない。

❷ 障害等級（則14条1項、4項） 重要度A ★★★

Ⅰ　**障害補償給付**を支給すべき**身体障害の障害等級**は、別表第１に定めるところによる。

Ⅱ　**別表第１に掲げるもの以外の身体障害**については、その**障害の程度**に応じ、**同表に掲げる身体障害に準じて**その**障害等級**を定める。

H30-6A

【複数事業労働者障害給付（則18条の３の10,1項）】

第14条の規定は、複数事業労働者障害給付について準用する。

【障害給付（則18条の8,1項）】

第14条の規定は、障害給付について準用する。

Check Point!

□ 味覚や臭覚を脱失した場合などの障害等級表に定められていない身体障害の場合は、同表の身体障害に準じて定められる。

③ 併合（則14条2項、3項） 重要度A ★★★

Ⅰ　別表第1に掲げる**身体障害**が**2以上**ある場合には、**重い方の身体障害**の**該当する障害等級**による。H30-6E R5-2A～E

Ⅱ　次のⅰからⅲに掲げる場合には、**障害等級**をそれぞれ当該ⅰからⅲに掲げる等級だけ繰り上げた**障害等級**による。ただし、本文の規定による**障害等級**が**第8級以下**である場合において、各の**身体障害**の該当する**障害等級**に応ずる障害補償給付の額の合算額が本文の規定による**障害等級**に応ずる障害補償給付の額に満たないときは、その者に支給する障害補償給付は、当該**合算額**による。H30-6E

ⅰ　**第13級以上**に該当する**身体障害**が**2以上**あるとき　**1級**
ⅱ　**第8級以上**に該当する**身体障害**が**2以上**あるとき　**2級** R6-選A
ⅲ　**第5級以上**に該当する**身体障害**が**2以上**あるとき　**3級** R6-選B

【複数事業労働者障害給付（則18条の3の10,1項）】
第14条の規定は、複数事業労働者障害給付について準用する。
【障害給付（則18条の8,1項）】
第14条の規定は、障害給付について準用する。

1．併合

同一の事故による身体障害が2以上あるときは、原則として、そのうち**重い方**をその身体障害の等級とする（併合）。例えば、第12級と第14級の場合は、第12級とする。しかし、この併合が適用されるのは、第14級の身体障害がある場合に限定される。R2-6D R5-2A～E

2．併合繰上げ

同一の事故による第13級以上の身体障害が2以上あるときは、以下のように併合繰上げを行う。

(1)　**第13級以上**に該当する身体障害が2以上あるときは、重い方の障害等級を**1級**繰り上げる。R4-選A

【例】第12級と第13級の場合は、第11級とする。

なお、この方法によると**第9級と第13級**の場合は、**第8級**となるが、併合繰上げ後の障害等級による額（第8級で503日分）が、各障害等級に応ずる障害（補償）等給付の額の合算額（第9級の391日分と第13級の101日分を加算して492日分）を上回るので、**加算した額である492日分の一時金が支給**される（この併合繰上げの特例が適用されるのはこのケースのみである。）。

(2) **第8級以上**に該当する身体障害が２以上あるときは、重い方の障害等級を**２級**繰り上げる。R6-選A

【例】第８級と第７級の場合は、第５級とする。

(3) **第5級以上**に該当する身体障害が２以上あるときは、重い方の障害等級を**３級**繰り上げる。R6-選B

【例】第５級と第４級の場合は、第１級とする。

参考（業務災害による機能障害から派生した神経症状）
原審の確定した事実関係のもとにおいて、上告人の身体障害について労働者災害補償保険法施行規則別表第１所定の障害等級を認定するにつき、上告人の右膝関節部における機能障害とこれより派生した神経症状とを包括して一個の身体障害と評価し、その等級は前者（重い方）の障害等級によるべく同規則14条３項の規定により等級を繰り上げるべきものではないとした原審の判断は、正当として是認することができる。
（最一小昭和55.3.27障害等級決定取消請求事件）

第4章 第3節

問題チェック H21-6C

障害等級表に該当する障害が２以上あって厚生労働省令の定める要件を満たす場合には、その障害等級は、厚生労働省令の定めるところに従い繰り上げた障害等級による。繰り上げた障害等級の具体例を挙げれば、次のとおりである。

① 第８級、第11級及び第13級の３障害がある場合　第７級
② 第４級、第５級、第９級及び第12級の４障害がある場合　第１級
③ 第６級及び第８級の２障害がある場合　第４級

解答 ○　則14条３項

①の場合は、第13級以上に該当する身体障害が２以上（３つ）ある場合に該当するので、一番重い第８級を１級繰り上げて、第７級となる。

②の場合は、第５級以上に該当する身体障害が２以上（第４級と第５級の２つ）ある場合に該当するので、重い方の第４級を３級繰り上げて、第１級となる。

③の場合は、第８級以上に該当する身体障害が２以上（２つ）ある場合に該当するので、重い方の第６級を２級繰り上げて、第４級となる。

④ 加重（則14条5項） 重要度A ★★★

既に身体障害のあった者が、負傷又は疾病により**同一の部位**について**障害の程度を加重**した場合における当該事由に係る**障害補償給付**は、**現在の身体障害**の該当する**障害等級**に応ずる**障害補償給付**とし、その額は、**現在の身体障害**の該当する**障害等級**に応ずる**障害補償給付の額**から、**既にあった身体障害**の該当する**障害等級**に応ずる**障害補償給付の額**（**現在の身体障害**の該当する**障害等級**に応ずる**障害補償給付**が**障害補償年金**であって、**既にあった身体障害**の該当する**障害等級**に応ずる**障害補償給付**が**障害補償一時金**である場合には、その**障害補償一時金の額を25で除して得た額**）**を差し引いた額**による。H30-6C

【複数事業労働者障害給付（則18条の３の10,1項）】

第14条の規定は、複数事業労働者障害給付について準用する。

【障害給付（則18条の8,1項）】

第14条の規定は、障害給付について準用する。

概要

「加重」とは、業務災害、複数業務要因災害又は通勤災害によって新たに障害が加わった結果、障害等級表上、現存する障害が既存の障害より重くなった場合をいうので、自然的経過又は既存の障害の原因となった疾病の再発により障害の程度を重くした場合は「加重」に該当しない。

「同一の部位」とは、完全に同一の場所ということではなく、例えば、**右眼と左眼の場合も含まれる**。

Check Point!

- □ 既存の障害は業務災害、複数業務要因災害又は通勤災害によるものであるか否かは問わない。
- □ 既存の障害で既に障害（補償）等年金を受けている労働者は、加重の結果、新たに差額支給相当額の障害（補償）等年金の受給権を取得することになる（同一労働者が同時に２以上の障害（補償）等年金の受給権を取得することがある。）。H30-6C

・給付額

⑴ **加重の前後ともに年金相当の場合**

（加重後の障害等級に応ずる障害（補償）等年金の額）－（加重前の障害等級に応ずる障害（補償）等年金の額）

⑵ **加重の前後ともに一時金相当の場合** R2-5A～E R4-選B

（加重後の障害等級に応ずる障害（補償）等一時金の額）－（加重前の障害等級に応ずる障害（補償）等一時金の額）

⑶ **加重前が一時金相当で加重後が年金相当の場合** R3-5A～E

（加重後の障害等級に応ずる障害（補償）等年金の額）－（加重前の障害等級に応ずる障害（補償）等一時金の額×$\frac{1}{25}$）

問題チェック R4-選AB

次の文中の［　　］の部分を選択肢の中の最も適切な語句で埋め、完全な文章とせよ。

業務災害により既に1下肢を1センチメートル短縮していた（13級の8）者が、業務災害により新たに同一下肢を3センチメートル短縮（10級の7）し、かつ1手の小指を失った（12級の8の2）場合の障害等級は［ A ］級であり、新たな障害につき給付される障害補償の額は給付基礎日額の［ B ］日分である。

なお、8級の障害補償の額は給付基礎日額の503日分、9級は391日分、10級は302日分、11級は223日分、12級は156日分、13級は101日分である。

選択肢

① 8　② 9　③ 10　④ 11　⑤ 122　⑥ 201　⑦ 290　⑧ 402

解答　　則14条3項、5項、平成23.2.1基発0201第2号

A：② 9

B：⑦ 290

Advice

Aについて
　同一の部位に加重障害が生ずるとともに、他の部位にも新たな身体障害が残った場合は、まず、同一部位の加重された後の身体障害についてその等級を定め（設問の場合第10級）、次に、他の部位の身体障害についてその等級を定め（設問の場合第12級）、両者を併合して現在の身体障害の該当する等級を認定する（設問の場合第９級）。
Bについて
　現在の身体障害の該当する等級（設問の場合第９級）の給付の額（設問の場合、給付基礎日額の391日分）から、既にあった身体障害の該当する等級（設問の場合第13級）による給付の額（設問の場合、給付基礎日額の101日分）を控除して得た額（設問の場合、給付基礎日額の290日分）が、給付の額となる。

⑤ 変更（法15条の2） 重要度A

★★★

　障害補償年金を受ける**労働者**の当該**障害の程度に変更**があったため、**新たに他の障害等級に該当するに至った**場合には、政府は、厚生労働省令で定めるところにより、**新たに該当するに至った障害等級**に応ずる**障害補償年金又は障害補償一時金**を支給するものとし、その後は、**従前の障害補償年金は、支給しない。** H30-6B

【複数事業労働者障害給付（法20条の5,3項）】
　第15条の２［障害補償年金の変更］の規定は、複数事業労働者障害給付について準用する。

【障害給付（法22条の3,3項）】
　第15条の２［障害補償年金の変更］の規定は、障害給付について準用する。

Check Point!

- □ 変更の扱いは、障害（補償）等年金の支給事由となっている障害の程度が新たな傷病によらず、又は傷病の再発によらず、自然的に変更した場合に行われる。
- □ 障害（補償）等一時金の支給を受けた者の障害の程度が自然的に増悪又は軽減しても変更の取扱いは行われない。H30-6B

(1)その変更が、障害等級第１級から第７級の範囲内であるときは、その変更のあった月の翌月の分から新たに該当するに至った障害等級に応ずる年金額に改定する。
(2)その変更が、障害等級第８級以下（第14級以上）に及ぶときは、障害（補償）等年金の受給権が消滅するので、その月分をもって障害（補償）等年金の支給を打ち切り、障害（補償）等一時金を支給する。
（昭和41.1.31基発73号）

問題チェック 予想問題

障害補償給付を受ける労働者の当該障害の程度に変更があったため、新たに他の障害等級に該当するに至った場合には、政府は、厚生労働省令で定めるところにより、新たに該当するに至った障害等級に応ずる障害補償年金又は障害補償一時金を支給するものとし、その後は、従前の障害補償給付は、支給しない。

解答 ×　法15条の２

問題文中「障害補償給付」は、正しくは「障害補償年金」である（障害補償一時金の支給を受けた者の障害の程度が自然的に増悪又は軽減しても変更の取扱いは行われない）。

⑥ 再発（昭和41.1.31基発73号） 重要度 B ★★

Ⅰ　**障害（補償）等年金**の受給権者の負傷又は疾病が**再発**した場合は、次のようになる。

ⅰ　従前の障害（補償）等年金の支給は、**その月分**をもって打ち切られる。H30-6D

ⅱ　**再発**による療養の期間中は、療養（補償）等給付等が支給される。

ⅲ　再治ゆ後に残った障害については、治ゆ後の**新たな障害等級**に応ずる年金又は一時金が支給される。

Ⅱ　**障害（補償）等一時金**の支給を受けた者の負傷又は疾病が**再発**した場合は、次のようになる。

ⅰ　再治ゆ後に残った障害の程度が従前の障害より**軽減**したときは、再治ゆ後に残った障害については、**給付は行われない**。

ⅱ　再治ゆ後に残った同一部位の障害の程度が従前の障害の程度より**悪化**したときは、「**加重**」の取扱いに準じ、**差額支給**が行われる。

問題チェック H13-3D

業務上の傷病が治り、障害等級第８級以下の障害が残って障害補償一時金を受給した者について、傷病が再発し、治ったが、同一の部位の障害の程度が障害等級第７級以上に該当することとなった場合には、障害補償年金が支給されることとなるが、その額は、原則として、既に受給した障害補償一時金の額の25分の１の額を差し引いた額による。

解答 ○　　法15条、則14条５項、昭和41.1.31基発73号

障害補償一時金を受給した者の傷病が再発し、治ったときに同一の部位の障害の程度が障害等級第７級以上に該当することとなった場合には、その該当する障害等級に応ずる障害補償年金の額から、既に受給した障害補償一時金の額の25分の１の額を差し引いた額が障害補償年金の支給額となる。

障害（補償）等年金前払一時金

❶ 支給要件及び支給額
（法附則59条1項、2項、則附則24項）
重要度 A ★★★

Ⅰ　**政府**は、当分の間、**労働者**が**業務上負傷**し、又は**疾病**にかかり、治ったとき身体に**障害**が存する場合における当該**障害**に関しては、**障害補償年金を受ける権利を有する者に対し、その請求に基づき、**保険給付として、**障害補償年金前払一時金**を支給する。

Ⅱ　**障害補償年金前払一時金**の額は、**障害等級**に応じ、次表に掲げる額のうちから**受給権者**が**選択した額**となる。

障害等級	支給額（給付基礎日額の○○日分）						
第１級	200日分	400日分	600日分	800日分	1,000日分	1,200日分	**1,340日分**
第２級	200日分	400日分	600日分	800日分	1,000日分	**1,190日分**	
第３級	200日分	400日分	600日分	800日分	1,000日分	**1,050日分**	
第４級	200日分	400日分	600日分	800日分	**920日分**		
第５級	200日分	400日分	600日分	**790日分**			
第６級	200日分	400日分	600日分	**670日分**			
第７級	200日分	400日分	**560日分**				

【複数事業労働者障害年金前払一時金の支給要件及び支給額（法附則60条の3,1項、２項、則附則37項）】

Ⅰ　政府は、当分の間、複数事業労働者がその従事する２以上の事業の業務を要因として負傷し、又は疾病にかかり、治ったとき身体に障害が存する場合における当該障害に関しては、複数事業労働者障害年金を受ける権利を有する者に対し、その請求に基づき、保険給付として、複数事業労働者障害年金前払一時金を支給する。

Ⅱ　複数事業労働者障害年金前払一時金の額は、法附則第59条第２項に規定する厚生労働省令で定める額とする。

【障害年金前払一時金の支給要件及び支給額（法附則62条１項、２項、則附則46項）】

Ⅰ　政府は、当分の間、労働者が通勤により負傷し、又は疾病にかかり、治

第4章 第3節

ったとき身体に障害が存する場合における当該障害に関しては、障害年金を受ける権利を有する者に対し、その請求に基づき、保険給付として、障害年金前払一時金を支給する。

Ⅱ　障害年金前払一時金の額は、法附則第59条第2項に規定する厚生労働省令で定める額とする。

・スライド

年金の受給権が算定事由発生日の属する年度の翌々年度の8月以後に生じた場合は、障害（補償）等一時金とみなしてスライド改定が行われた額（スライド改定された給付基礎日額を用いて算定した額）となる。

（則附則24項カッコ書、則附則37項、則附則46項）

参考 障害（補償）等年金前払一時金の請求が障害（補償）等年金の請求と同時でない場合、当該請求額は、等級ごとの最高額（加重障害の場合においては、加重障害に係る前払最高限度額）から既に支給を受けた障害（補償）等年金の額〔当該障害（補償）等年金前払一時金が支給される月の翌月に支払われることとなる障害（補償）等年金の額を含む。〕の合計額を減じた額を超えることはできない。（則附則28項、則附則38項、則附則50項）

② 請求（法附則59条4項、則附則26項、27項）

重要度 A ★★★

Ⅰ　**障害補償年金前払一時金の請求**は、**同一の事由に関し、1回に限り**行うことができる。

Ⅱ　**障害補償年金前払一時金の請求**は、**障害補償年金の請求と同時に**行わなければならない。ただし、**障害補償年金の支給の決定の通知のあった日の翌日から起算して1年を経過する日までの間**は、**当該障害補償年金を請求した後**においても**障害補償年金前払一時金**を請求することができる。

Ⅲ　**障害補償年金前払一時金の支給を受ける権利**は、これを行使することができる時から**2年を経過したとき**は、**時効によって消滅**する。

【複数事業労働者障害年金前払一時金の請求（法附則60条の3,3項、則附則38項)】

複数事業労働者障害年金前払一時金の請求についても同様である。

【障害年金前払一時金の請求（法附則62条3項、則附則47項)】

障害年金前払一時金の請求についても同様である。

参考 前払一時金の請求が年金の請求と同時でない場合、当該一時金は、１月、３月、５月、７月、９月又は11月のうち前払一時金の請求が行われた月後の最初の月に支給される。

（則附則29項、則附則38項、則附則47項）

③ 支給停止（法附則59条３項） 重要度A ★★★

障害補償年金前払一時金が支給される場合には、当該**労働者**の**障害**に係る**障害補償年金**は、**各月に支給されるべき額の合計額**が厚生労働省令で定める算定方法に従い当該**障害補償年金前払一時金の額に達するまでの間**、その**支給を停止**する。

【複数事業労働者障害年金前払一時金の支給停止（法附則60条の3,3項）】

複数事業労働者障害年金前払一時金の場合も同様である。

【障害年金の支給停止（法附則62条３項）】

障害年金前払一時金の場合も同様である。

・支給停止期間

年金の支給停止期間は、年金が支給されると仮定した場合の毎月の年金額（前払一時金が支給された月後最初の年金の支払期月から１年経過月以後の分は、法第８条第１項に規定する算定事由発生日における法定利率により割り引いた額）を合計した額が、前払一時金の額に達するまでの間である。

（則附則30項、則附則39項、則附則48項）

参考 本条の規定により障害（補償）等年金の支給が停止されている期間は、労災保険の年金たる保険給付が支給されたものとして取り扱われる（前払一時金として受給している）ため、国民年金法第30条の４に規定する20歳前傷病による障害基礎年金、障害福祉年金から裁定替えされた障害基礎年金等は支給されない。

（法附則59条６項、法附則60条の3,3項、法附則62条３項）

障害（補償）等年金差額一時金

① 支給要件及び支給額（法附則58条1項）重要度A ★★★

政府は、当分の間、**障害補償年金を受ける権利を有する者**が死亡した場合において、その者に支給された当該**障害補償年金の額**及び当該**障害補償年金に係る障害補償年金前払一時金の額の合計額**が、当該**障害補償年金**に係る**障害等級**に応じ、次表に掲げる額に満たないときは、**その者の遺族**に対し、その**請求に基づき**、**保険給付**として、その**差額**に相当する額の**障害補償年金差額一時金**を支給する。

障害等級	額
第１級	給付基礎日額の**1,340**日分
第２級	給付基礎日額の**1,190**日分
第３級	給付基礎日額の**1,050**日分
第４級	給付基礎日額の**920**日分
第５級	給付基礎日額の**790**日分
第６級	給付基礎日額の**670**日分
第７級	給付基礎日額の**560**日分

【複数事業労働者障害年金差額一時金の支給要件及び支給額（法附則60条の2,1項)】

政府は、当分の間、複数事業労働者障害年金を受ける権利を有する者が死亡した場合において、その者に支給された当該複数事業労働者障害年金の額及び当該複数事業労働者障害年金に係る複数事業労働者障害年金前払一時金の額の合計額が、当該複数事業労働者障害年金に係る障害等級に応じ、第58条第１項に掲げる額に満たないときは、その者の遺族に対し、その請求に基づき、保険給付として、その差額に相当する額の複数事業労働者障害年金差額一時金を支給する。

【障害年金差額一時金の支給要件及び支給額（法附則61条１項)】

政府は、当分の間、障害年金を受ける権利を有する者が死亡した場合において、その者に支給された当該障害年金の額及び当該障害年金に係る障害年金前払一時金の額の合計額が、当該障害年金に係る障害等級に応じ、第58条第１項に掲げる額に満たないときは、その者の遺族に対し、その請求に基づき、保険給付として、その差額に相当する額の障害年金差額一時金を支給する。

趣旨

障害（補償）等年金差額一時金は、障害（補償）等年金の受給権者が死亡した場合に、「障害等級別の保障額」と既に支給を受けた「障害（補償）等年金と障害（補償）等年金前払一時金の額の合計額」との差額を遺族に支給しようとするものである。

1. 支給額

障害（補償）等年金差額一時金の支給額は次の通りである。

支給額 ＝ 等級別保障額 －（既に支給を受けた障害(補償)等年金＋障害(補償)等年金前払一時金の額の合計額）

2. スライド

障害（補償）等年金の受給権者が死亡した日が算定事由発生日の属する年度の翌々年度の８月以後の日である場合は、障害（補償）等一時金とみなしてスライド改定が行われた額（スライド改定された給付基礎日額を用いて算定した額）となる。

（則附則19項、則附則36項、則附則45項）

❷ 受給資格者及び受給権者（法附則58条2項、5項、法16条の3,2項、則附則23項、36項、則15条の5,1項）

重要度 A ★★★

Ⅰ　**障害補償年金差額一時金**を受けることができる**遺族**は、次のⅰⅱに掲げる者とする。この場合において、**障害補償年金差額一時金を受けるべき遺族の順位**は、次のⅰ及びⅱの順序により、当該ⅰ及びⅱに掲げる者のうちにあっては、それぞれ、当該ⅰ及びⅱに掲げる順序による。

i　**労働者の死亡の当時その者と生計を同じくしていた配偶者、子、父母、孫、祖父母及び兄弟姉妹**

ii　**iに該当しない配偶者、子、父母、孫、祖父母及び兄弟姉妹**

II　**障害補償年金差額一時金**を受ける権利を有する者が**2人以上**あるときは、**障害補償年金差額一時金**の額は、**その人数で除して**得た額とする。

III　**障害補償年金差額一時金**を受ける権利を有する者が**2人以上**あるときは、これらの者は、原則として、**そのうち1人**を、**請求及び受領**についての**代表者**に選任しなければならない。

【複数事業労働者障害年金差額一時金の受給資格者及び受給権者（法附則60条の2,2項）】

複数事業労働者障害年金差額一時金も同様である。

【障害年金差額一時金の受給資格者及び受給権者（法附則61条3項）】

障害年金差額一時金も同様である。

Check Point!

□「受給資格者」とは、受給権者となる資格を有する者のことであり、受給資格者のうちの最先順位者が受給権者となる。

□ 障害（補償）等年金差額一時金の遺族の順位は、次表の通りである。

優先順位（高→低）

労働者の死亡の当時 その者と**生計を同じく**していた	①配偶者 ②子 ③父母 ④孫 ⑤祖父母 ⑥兄弟姉妹
労働者の死亡の当時 その者と**生計を同じく**していなかった	⑦配偶者 ⑧子 ⑨父母 ⑩孫 ⑪祖父母 ⑫兄弟姉妹

参考「生計を同じくする」とは、1個の生計単位の構成員であるということである。したがって、生計を維持されていることを要せず、また、必ずしも同居していることを要しない

が、生計を維持されている場合には、生計を同じくしているものと推定して差し支えない。
（昭和41.1.31基発73号）

❸ 受給資格の欠格
（法附則58条5項、法16条の9,1項、2項）重要度B ★★

Ⅰ　**労働者**を**故意**に**死亡**させた者は、**障害補償年金差額一時金**を受けることができる**遺族としない**。

Ⅱ　**労働者**の**死亡前**に、当該**労働者**の**死亡**によって**障害補償年金差額一時金**を受けることができる**先順位又は同順位**の**遺族**となるべき者を**故意**に**死亡**させた者は、**障害補償年金差額一時金**を受けることができる**遺族**としない。

【複数事業労働者障害年金差額一時金の受給資格の欠格（法附則60条の2,2項）】
複数事業労働者障害年金差額一時金も同様である。

【障害年金差額一時金の受給資格の欠格（法附則61条３項）】
障害年金差額一時金も同様である。

・準用

第４章第５節 **❷**「**遺族（補償）等年金**」**❸**「**欠格**」の規定を障害（補償）等年金差額一時金に準用したものである。

第4章 第4節

要介護状態に関する保険給付

1 介護（補償）等給付

❶ 支給要件

❷ 支給額

❸ 請求

介護（補償）等給付

① 支給要件（法12条の8,4項） 重要度 A ★★★

介護補償給付は、**障害補償年金又は傷病補償年金**を受ける権利を有する**労働者**が、その受ける権利を有する**障害補償年金又は傷病補償年金**の支給事由となる**障害**であって厚生労働省令［則別表第3］で定める程度のものにより、**常時又は随時介護を要する状態**にあり、**かつ**、**常時又は随時介護を受けているときに**、当該**介護を受けている間**（次に掲げる間を除く。）、**当該労働者**に対し、**その請求に基づいて行う**。 H30-2B

i　障害者総合支援法第5条第11項に規定する障害者支援施設（以下「**障害者支援施設**」という。）に入所している間〔同条第7項に規定する**生活介護**（以下「**生活介護**」という。）を受けている場合に限る。〕

ii　**障害者支援施設**（**生活介護**を行うものに限る。）に準ずる施設として**厚生労働大臣が定めるものに入所**している間

iii　**病院又は診療所に入院**している間 H30-2B

【複数事業労働者介護給付の支給要件（法20条の9,1項）】

複数事業労働者介護給付は、**複数事業労働者障害年金**又は**複数事業労働者傷病年金**を受ける権利を有する複数事業労働者が、その受ける権利を有する**複数事業労働者障害年金**又は**複数事業労働者傷病年金**の支給事由となる障害であって厚生労働省令［則別表第3］で定める程度のものにより、常時又は随時介護を要する状態にあり、かつ、常時又は随時介護を受けているときに、当該介護を受けている間（上記iからiiiに掲げる間を除く。）、当該複数事業労働者に対し、その請求に基づいて行う。

【介護給付の支給要件（法24条）】

介護給付は、障害年金又は傷病年金を受ける権利を有する労働者が、その受ける権利を有する障害年金又は傷病年金の支給事由となる障害であって厚生労働省令［則別表第3］で定める程度のものにより、常時又は随時介護を

要する状態にあり、かつ、常時又は随時介護を受けているときに、当該介護を受けている間（上記ⅰからⅲに掲げる間を除く。）、当該労働者に対し、その請求に基づいて行う。

沿革

介護補償給付及び介護給付は、高齢化・核家族化の進展に伴い介護費用の負担が増大してきたこと等に鑑み、重度被災労働者に対する支援を大幅に拡充するため平成７年に創設されたものである（平成８年４月施行）。

Check Point!

☐ 介護（補償）等給付は、少なくとも障害等級又は傷病等級が第３級以下の者には支給されない。

1. 障害の程度

介護（補償）等給付は、則別表第３に定める「常時介護を要する状態」又は「随時介護を要する状態」に該当する障害の程度にある障害（補償）等年金又は傷病（補償）等年金の受給権者が常時又は随時介護を受けている場合に、その請求に基づいて支給される。

2. 支給対象外の施設

介護（補償）等給付は、次の施設に入所又は入院している期間は支給されない。

(1) 障害者支援施設（生活介護を受けている場合に限る。）
(2) 特別養護老人ホーム
(3) 原子爆弾被爆者特別養護ホーム
(4) **病院又は診療所**（介護老人保健施設を含む。）（則18条の３の３、平成8.3.1基発95号）

② 支給額（法19条の2） 重要度A ★★★

介護補償給付は、**月を単位**として支給するものとし、その**月額**は、**常時又は随時介護**を受ける場合に**通常要する費用**を考慮して**厚生労働大臣**が定める額とする。H30-2C

【複数事業労働者介護給付の支給額（法20条の9,2項）】

複数事業労働者介護給付の支給額についても同様である。
【介護給付の支給額（法24条２項）】
介護給付の支給額についても同様である。

Check Point!

□ 支給事由が生じた月に介護費用を支出しないで親族等による介護を受けた場合においては給付は行われず、その翌月から給付が行われる。

1．常時介護を要する状態にある場合の支給額

労働者が受ける権利を有する障害（補償）等年金又は傷病（補償）等年金の支給事由となる障害（以下「**特定障害**」という。）の程度が常時介護を要する状態にある場合は、177,950円を上限として、その月に介護に要する費用として支出された実費相当額が支給される（その月に費用を支出して介護を受けた日がないのであれば支給なし）。

ただし、その月に親族等による介護を受けた日がある場合は、その月が支給事由が生じた月である場合を除き、81,290円が最低保障される〔介護に要する費用として支出された額が81,290円未満又は費用を支出した日がない月であって、かつ、親族等による介護を受けた日がある月には、原則として81,290円が支給（最低保障）されるが、その月が**支給事由が生じた月である場合は、実費相当額しか支給されない**（費用を支出して介護を受けた日がないのであれば支給なし）〕。

R2-6E

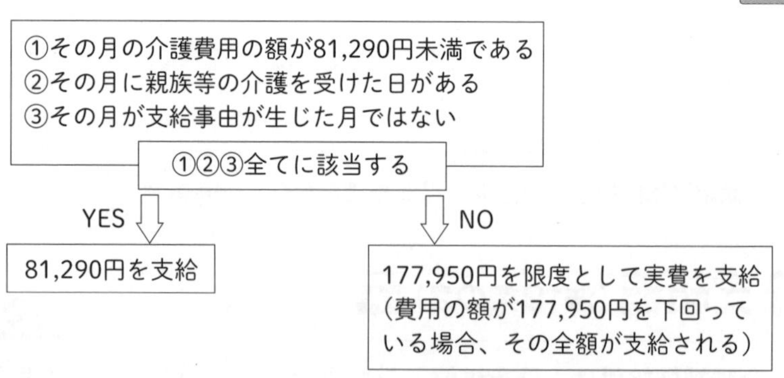

・支給事由が生じた月において費用を支出していない場合は不支給

（則18条の３の４、則18条の３の16、則18条の14）

2. 随時介護を要する状態にある場合の支給額

特定障害の程度が随時介護を要する状態にある場合は、最高限度額及び親族等の介護を受けた場合の最低保障額が約半額になる他は、常時介護を要する状態にある場合と同様である。R2-6E

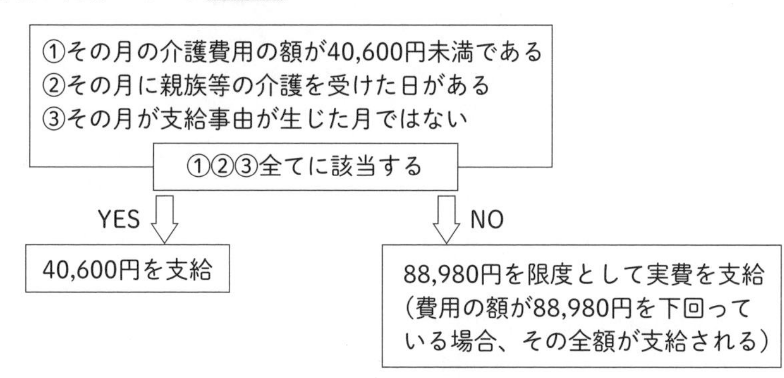

・支給事由が生じた月において費用を支出していない場合は不支給

（則18条の３の４、則18条の３の16、則18条の14）

❸ 請求

（則18条の3の5,1項、2項、平成8.3.1基発95号） 重要度 A

★★★

Ⅰ **障害補償年金**を受ける権利を有する者が**介護補償給付**を請求する場合における当該請求は、**当該障害補償年金の請求と同時**に、又は**請求をした後**に行わなければならない。

Ⅱ **傷病補償年金**を受ける権利を有する者が**介護補償給付**を請求する場合における当該請求は、当該**傷病補償年金**の**支給決定**を**受けた後**に行うものとする。

Ⅲ **介護補償給付**の支給を受けようとする者は、一定事項を記載した**請求書**を、**所轄労働基準監督署長**に提出しなければならない。

【複数事業労働者介護給付の請求（則18条の３の17)】

複数事業労働者介護給付の請求も同様である。

【介護給付の請求（則18条の15)】

介護給付の請求も同様である。

問題チェック 演習問題

次の文中の［　　］の部分を選択肢の中の適当な語句で埋め、完全な文章とせよ。

介護補償給付は、［ A ］又は［ B ］を受ける権利を有する労働者が、その受ける権利を有する［ A ］又は［ B ］の支給事由となる障害であって厚生労働省令で定める程度のものにより、常時又は随時介護を要する状態にあり、かつ、常時又は随時介護を［ C ］ときに、当該介護を［ C ］間（一定の場合を除く。）、当該労働者に対し、その請求に基づいて行う。

介護補償給付の初回の請求は、［ A ］を受ける権利を有する者については、当該［ A ］の請求と同時に、又は請求をした後に行い、［ B ］を受ける権利を有する者については、当該［ B ］の支給決定を受けた後に行うものとする。

選択肢

①　障害補償給付　②　障害補償年金　③　障害補償一時金
④　休業補償給付　⑤　傷病補償年金　⑥　受けている
⑦　受け得る状態の

解答　法12条の8,4項、則18条の３の5,1項、平成8.3.1基発95号

A　②　障害補償年金

B　⑤　傷病補償年金

C　⑥　受けている

Advice

・Aについては、問題文下から２行目に「［ A ］の請求」とあるので、請求によって支給される障害補償年金が入ると判断できる。なお、障害補償一時金の受給権者には介護補償給付は支給されないため、「障害補償給付（＝障害補償年金及び障害補償一時金）」も誤りとなる。

・Bについては、問題文下から１行目に「［ B ］の支給決定」とある点から傷病補償年金が入ると判断できる。

・Cについては、介護補償給付は「介護を受けている間」に支給されることを押さえていれば正解が導き出せる。

第4章 第5節

死亡に関する保険給付

遺族（補償）等給付

① 遺族（補償）等給付の種類（法16条） 重要度B ★★

遺族補償給付は、**遺族補償年金**又は**遺族補償一時金**とする。

【複数事業労働者遺族給付（法20条の6,1項、２項）】

Ⅰ　複数事業労働者遺族給付は、**複数事業労働者がその従事する２以上の事業の業務を要因**として死亡した場合に、当該複数事業労働者の遺族に対し、その請求に基づいて行う。

Ⅱ　複数事業労働者遺族給付は、**複数事業労働者遺族年金**又は**複数事業労働者遺族一時金**とする。

【遺族給付（法22条の4,1項、２項）】

Ⅰ　遺族給付は、労働者が通勤により死亡した場合に、当該労働者の遺族に対し、その請求に基づいて行なう。

Ⅱ　遺族給付は、遺族年金又は遺族一時金とする。

遺族（補償）等年金

① 受給資格者〔法16条の2,1項、2項、（40）法附則43条1項、則14条の4〕 重要度A ★★★

Ⅰ　**遺族補償年金**を受けることができる**遺族**は、**労働者の配偶者、子、父母、孫、祖父母及び兄弟姉妹**であって、**労働者の死亡の当時その収入によって生計を維持していた**ものとする。ただし、妻（**婚姻の届出をしていないが、事実上婚姻関係と同様の事情にあった者を含む**。以下同じ。）以外の者にあっては、**労働者の死亡の当時**次のⅰからⅳに掲げる要件に該当した場合に限るものとする。H28-6ア

ⅰ　**夫**（**婚姻の届出をしていないが、事実上婚姻関係と同様の事情にあった者を含む**。以下同じ。）、**父母又は祖父母**については、**60歳以上**であること。R3-選D R5-5A

ⅱ　**子又は孫**については、**18歳に達する日以後の最初の3月31日**までの間にあること。R2-6C R3-選E

ⅲ　**兄弟姉妹**については、**18歳に達する日以後の最初の3月31日**までの間にあること又は**60歳以上**であること。R3-選DE

ⅳ　ⅰからⅲの要件に該当しない**夫、子、父母、孫、祖父母又は兄弟姉妹**については、厚生労働省令で定める**障害の状態**にあること。

R2-6C R5-5AB

Ⅱ　附則第45条［業務災害に対する年金による補償に関する検討］の規定に基づき遺族補償年金を受けることができる遺族の範囲が改定されるまでの間、労働者の夫、父母、祖父母及び兄弟姉妹であって、労働者の死亡の当時、その収入によって生計を維持し、かつ、**55歳以上60歳未満であったもの**（厚生労働省令で定める障害の状態にあることにより引き続いて遺族補償年金を受けることができる遺族とされている者を除く。）は、上記Ⅰの規定にかかわらず、**遺族補償年金を受けることができる遺族とする。**

Ⅲ　**労働者**の**死亡の当時胎児であった子が出生**したときは、Ⅰの規定の適用については、**将来に向かって**、その子は、**労働者の死亡の当時その収入によって生計を維持していた子**とみなす。R5-5C

Ⅳ　Ⅰに規定する**労働者の死亡の当時その収入によって生計を維持していたことの認定**は、当該労働者との**同居の事実の有無**、当該**労働者以外の扶養義務者の有無**その他必要な事項を基礎として**厚生労働省労働基準局長が定める基準**によって行う。

【複数事業労働者遺族年金の受給資格者〔法20条の6,3項、(令和2) 法附則7条1項〕】

複数事業労働者遺族年金も同様である。

【遺族年金の受給資格者〔法22条の4,3項、(48)法附則5条1項〕】

遺族年金も同様である。

Check Point!

□「生計を維持していた」とは、もっぱら又は主として労働者の収入によって生計を維持されていることを要せず、労働者の収入によって生計の一部を維持されていれば足りる。したがって、いわゆる共稼ぎもこれに含まれる。H28-6イ　(昭和41.1.31基発73号)

1. 重婚的内縁関係にあった場合の取扱い

被災者が重婚的内縁関係にあった場合の未支給の保険給付、遺族（補償）等給付、障害（補償）等年金差額一時金の受給権者は、本来、婚姻の成立がその届出により法律上の効力を生ずることとされていることからも、原則として届出による婚姻関係にあった者とするが、届出による婚姻関係がその実体を失って形骸化し、かつ、その状態が固定化して近い将来解消される見込みがなかった場合に限り、事実上の婚姻関係にあった者とする。　(平成10.10.30基発627号)

2. 厚生労働省令で定める障害の状態

「厚生労働省令で定める障害の状態」とは、次のいずれかに該当する状態をいう。

① 障害等級の**第5級以上**に該当する障害がある状態

② 負傷又は疾病が治らないで、身体の機能又は精神に、労働が高度の制限を受けるか、若しくは労働に高度の制限を加えることを必要とする程度以上の障害がある状態（少なくとも**厚生年金保険の障害等級第2級程度以上**の障害

の状態に相当する状態） R5-5B　（則15条、昭和41.1.31基発73号）

（労働者の死亡当時生計を維持していた者の取扱い）

1．労働者の死亡当時における当該遺族の生活水準が年齢、職業等の事情が類似する一般人のそれをいちじるしく上回る場合を除き、当該遺族が死亡労働者の収入によって消費生活の全部又は一部を営んでいた関係（生計依存関係）が認められる限り、当該遺族と死亡労働者との間に「生計維持関係」があったものと認めて差し支えない。

2．以下の場合も生計維持関係が「常態であった」ものと認める。

(1)労働者の死亡当時において、業務外の疾病その他の事情により当該遺族との生計維持関係が失われていても、それが一時的な事情によるものであることが明らかであるとき。

(2)労働者の収入により生計を維持することとなった後まもなく当該労働者が死亡した場合であっても、労働者が生存していたとすれば、特別の事情がない限り、生計維持関係が存続するに至ったであろうことを推定し得るとき。

(3)労働者がその就職後極めて短期間の間に死亡したためその収入により当該遺族が生計を維持するに至らなかった場合であっても、労働者が生存していたとすれば、生計維持関係がまもなく常態となるに至ったであろうことが賃金支払事情等から明らかに認められるとき。 R5-5D　（昭和41.10.22基発1108号）

問題チェック H19-6B改題

遺族補償年金、複数事業労働者遺族年金又は遺族年金を受けることができる遺族について、労働者の死亡の当時胎児であった子が出生したときは、その子は、将来に向かって、労働者の死亡の当時その収入によって生計を維持していたとみなされ、また、その子が厚生労働省令で定める障害の状態で出生した場合についても、将来に向かって、労働者の死亡の当時厚生労働省令で定める障害の状態にあったものとみなされる。

解答 ×　法16条の2,2項、法20条の6,3項、法22条の4,3項

労働者の死亡の当時胎児であった子が出生したときは、その子は、将来に向かって、労働者の死亡の当時その収入によって生計を維持していたものとみなされるが、その子が厚生労働省令で定める障害の状態で出生したとしても、「労働者の死亡の当時厚生労働省令で定める障害の状態」にあったものとみなされることはない。

② 受給権者〔法16条の2,3項、(40) 法附則43条2項、3項〕 重要度 A ★★★

Ⅰ　**遺族補償年金**を受けるべき**遺族の順位**は、次の通りとする。

順位	遺族	労働者の死亡当時の要件	
1	**妻**	労働者の収入によって**生計維持**していた	
	夫		**60歳以上**又は**障害の状態**にあること
2	**子**		**18歳に達する日以後の最初の3月31日**までの間にある又は**障害の状態**にあること
3	**父母**		**60歳以上**又は**障害の状態**にあること
4	**孫**		**18歳に達する日以後の最初の3月31日**までの間にある又は**障害の状態**にあること
5	**祖父母**		**60歳以上**又は**障害の状態**にあること
6	**兄弟姉妹**		**18歳に達する日以後の最初の3月31日**までの間にある若しくは**60歳以上**又は**障害の状態**にあること
7	**夫**		**55歳以上60歳未満**の者で**障害の状態**にないものであること
8	**父母**		
9	**祖父母**		
10	**兄弟姉妹**		

Ⅱ　Ⅰの**7から10までの遺族（若年支給停止者）**に支給すべき**遺族補償年金**は、その者が**60歳に達する月**までの間は、その**支給を停止**する。ただし、労働者災害補償保険法附則第60条［**遺族補償年金前払一時金**］の規定の適用を妨げるものではない。

【複数事業労働者遺族年金の受給権者〔法20条の6,3項、(令和2) 法附則7条2項〕】

複数事業労働者遺族年金も同様である。

【遺族年金の受給権者〔法22条の4,3項、(48)法附則5条〕】

遺族年金も同様である。

Check Point!

- □ 遺族（補償）等年金の受給権者となるのは、受給資格者のうち最先順位者である。
- □ 受給権者が失権し、同順位者がいない場合には次順位者が受給権者となる（転給）。

☐ 若年支給停止者は、受給権者になっても60歳に達するまでは支給が停止されるが、遺族（補償）等年金前払一時金を請求することができる。なお、この若年支給停止者が60歳に達しても順位は繰り上がらない。

1. 胎児であった子が生まれた場合の順位

順位３から10までの者が受給権者となっていても、労働者の死亡の当時胎児であった子が生まれたときは受給権者ではなくなり、胎児であった子が受給権者となる。ただし、失格するわけではないので出生した胎児の受給権が消滅した場合には再び受給権者となることがあり得る。

2. 請求等についての代表者

遺族（補償）等年金の受給権者が２人以上あるときは、原則として、そのうち１人を、請求及び受領についての代表者に選任しなければならない。

（則15条の5,1項、則18条の３の11,4項、則18条の9,3項）

③ 欠格（法16条の9,1項、2項、4項、5項） 重要度A ★★★

Ⅰ　**労働者**を**故意に死亡**させた者は、**遺族補償給付**を受けることができる遺族としない。R6-7イ

Ⅱ　**労働者の死亡前**に、**当該労働者の死亡**によって遺族補償年金を受けることができる**先順位又は同順位**の遺族となるべき者を**故意に死亡**させた者は、**遺族補償年金**を受けることができる遺族としない。

Ⅲ　**遺族補償年金**を受けることができる**遺族**が、**遺族補償年金**を受けることができる**先順位又は同順位**の他の**遺族**を**故意に死亡**させたときは、その者は、**遺族補償年金**を受けることができる**遺族**でなくなる。この場合において、その者が**遺族補償年金**を受ける権利を有する者であるときは、その権利は、消滅する。H27-7オ

Ⅳ　Ⅲの欠格事由に該当した場合において、同順位者がなくて後順位者があるときは、次順位者に遺族補償年金を支給する。

【複数事業労働者遺族年金の欠格（法20条の6,3項）】

複数事業労働者遺族年金も同様である。

【遺族年金の欠格（法22条の4,3項）】
遺族年金も同様である。

④ 年金額〔法16条の3,1項、2項、法別表第1、(40) 法附則43条1項〕 重要度A ★★★

Ⅰ　**遺族補償年金の額**は、次に掲げる**遺族補償年金を受ける権利を有する遺族**及び**その者と生計を同じくしている遺族補償年金を受けることができる遺族**（**55歳以上60歳未満**で厚生労働省令で定める**障害の状態にない夫、父母、祖父母及び兄弟姉妹**を除く。）の人数の区分に応じ、次に掲げる額とする。

遺族の数	遺族補償年金の額
1人	**給付基礎日額**の**153日分** ただし、**55歳以上の妻**又は厚生労働省令で定める**障害の状態にある妻**にあっては、**給付基礎日額**の**175日分**
2人	**給付基礎日額**の**201日分**
3人	**給付基礎日額**の**223日分**
4人以上	**給付基礎日額**の**245日分**

Ⅱ　**遺族補償年金を受ける権利を有する者**が**2人以上**あるときは、**遺族補償年金の額**は、Ⅰの規定にかかわらず、Ⅰの表に規定する額を**その人数**で除して得た額とする。

【複数事業労働者遺族年金の年金額〔法20条の6,3項、(令和2) 法附則7条1項〕】
複数事業労働者遺族年金も同様である。

【遺族年金の年金額〔法22条の4,3項、(48) 法附則5条1項〕】
遺族年金も同様である。

Check Point!

□ 遺族（補償）等年金の額は、受給権者及び受給権者と生計を同じくする受給資格者の人数で決まるが、いわゆる若年支給停止者の人数は年金額に反映されない。

□ 遺族（補償）等年金の算定の基礎となる遺族が1人のときの年金額は、

原則として給付基礎日額の153日分であるが、当該遺族が55歳以上の妻又は厚生労働省令で定める障害の状態にある妻であるときは、給付基礎日額の175日分になる。

❺ 年金額の改定（法16条の3,3項、4項） 重要度 A ★★★

Ⅰ　遺族補償年金の額の算定の基礎となる**遺族の数に増減**を生じたときは、その**増減を生じた月の翌月**から、遺族補償年金の**額を改定**する。

Ⅱ　遺族補償年金を受ける権利を有する**遺族**が**妻**であり、かつ、**当該妻と生計を同じくしている遺族補償年金を受けることができる遺族がない場合**において、当該妻が次のⅰⅱのいずれかに該当するに至ったときは、その該当するに至った**月の翌月**から、遺族補償年金の**額を改定**する。

ⅰ　**55歳**に達したとき（厚生労働省令で定める**障害の状態**にあるときを除く。）。

ⅱ　厚生労働省令で定める**障害の状態**になり、又はその**事情がなくなった**とき（**55歳以上であるときを除く**。）。

【複数事業労働者遺族年金の年金額の改定（法20条の6,3項）】
複数事業労働者遺族年金も同様である。

【遺族年金の年金額の改定（法22条の4,3項）】
遺族年金も同様である。

❻ 支給停止（法16条の5、法16条の3,3項） 重要度 A ★★★

Ⅰ　**遺族補償年金**を受ける権利を有する者の**所在が1年以上明らかでない**場合には、当該**遺族補償年金**は、**同順位者**があるときは**同順位者**の、**同順位者**がないときは**次順位者の申請によって**、その**所在が明らかでない間**、その支給を停止する。この場合において、**同順位者**がないときは、その間、**次順位者を先順位者**とする。 H27-7エ

Ⅱ　Ⅰの規定により**遺族補償年金**の支給を停止された遺族は、**いつでも、その支給の停止の解除を申請することができる**。 H27-7エ

Ⅲ　Ⅰの規定により**遺族補償年金**の支給が停止され、又はⅡの規定によりその**停止が解除**されたときは、その**支給が停止**され、又はその**停止が解除された月の翌月**から、**遺族補償年金**の**額を改定**する。

【複数事業労働者遺族年金の支給停止（法20条の6,3項）】
複数事業労働者遺族年金も同様である。

【遺族年金の支給停止（法22条の4,3項）】
遺族年金も同様である。

Check Point!

□ 支給を停止する場合は、所在不明となったときにさかのぼり、その月の翌月分からその支給を停止する。

・所在不明による支給停止の解除

支給停止を解除したときは、その解除の月の翌月分から支給を再開すればよく、所在が明らかとなったときにさかのぼる必要はない。

なお、支給停止は申請がない限り行うことができない。（昭和41.1.31基発73号）

⑦ 失権及び失格（法16条の4）重要度A ★★★

Ⅰ　**遺族補償年金**を受ける権利は、その権利を有する遺族が次のⅰからⅵのいずれかに該当するに至ったときは、消滅する。この場合において、**同順位者**がなくて**後順位者**があるときは、**次順位者**に**遺族補償年金**を支給する。R5-5E

ⅰ　**死亡**したとき。R6-5ア

ⅱ　**婚姻**（届出をしていないが、**事実上婚姻関係と同様の事情**にある場合を含む。）をしたとき。R6-5イ

ⅲ　**直系血族又は直系姻族以外**の者の養子（届出をしていないが、**事実上養子縁組関係と同様の事情にある者を含む**。）となったとき。H28-6ウ R6-5ウ

ⅳ　**離縁**によって、死亡した労働者との**親族関係が終了**したとき。

ⅴ　**子、孫又は兄弟姉妹**については、**18歳に達した日以後の最初の3月31日が終了**したとき（**労働者の死亡の時から引き続き厚生労**

働省令で定める障害の状態にあるときを除く。）。R6-5エオ

vi　厚生労働省令で定める**障害の状態**にある**夫、子、父母、孫、祖父母又は兄弟姉妹**については、その事情がなくなったとき（**夫、父母又は祖父母**については、**労働者の死亡の当時60歳以上**であったとき、**子又は孫**については、**18歳に達する日以後の最初の3月31日**までの間にあるとき、**兄弟姉妹**については、**18歳に達する日以後の最初の3月31日**までの間にあるか又は**労働者の死亡の当時60歳以上**であったときを除く。）。

Ⅱ　**遺族補償年金を受けることができる遺族**がⅠのⅰからⅵのいずれかに該当するに至ったときは、その者は、**遺族補償年金を受けることができる遺族**でなくなる。

【複数事業労働者遺族年金の失権及び失格（法20条の6,3項）】
複数事業労働者遺族年金も同様である。

【遺族年金の失権及び失格（法22条の4,3項）】
遺族年金も同様である。

Check Point!

□「直系血族又は直系姻族以外の者の養子となる」とは、自己又は自己の配偶者の父母、祖父母等でない者、例えば自己のおじ、おば（傍系親族）その他の者の養子になることをいう。（昭和41.1.31基発73号）

参考（失権）
遺族（補償）等年金の**受給権者**が上記Ⅰⅰからⅵのいずれかに該当するに至ったときは、その受給権は消滅する。

（失格）
遺族（補償）等年金の**受給資格者**が上記Ⅰⅰからⅵのいずれかに該当するに至ったときは、その受給資格は消滅する。

（離縁）
「離縁」とは、養子縁組を解消すること、すなわち、養子又は養父母でなくなることをいう。（同上）

（労働者の死亡の当時55歳以上60歳未満で障害の状態にあった者の扱い）
労働者の死亡の当時55歳以上60歳未満で障害の状態にあった夫、父母、祖父母及び兄弟姉妹については、当該障害の状態に該当しなくなったときでも失格しないこととされており、遺族の順位等の規定については、労働者の死亡の当時、「❷受給権者」のⅠの7から10（若年支給停止者）に該当していたものとして扱われる。したがって、当該障害の状態に該当しなくなったときは、遺族の順位は上記7から10に該当することとなる（先順位となるべき者がいれば、順位が入れ替わることとなる。）。
（(40)法附則43条1項、(48)法附則5条1項、(令和2)法附則7条1項）

3 遺族（補償）等年金前払一時金

① 支給要件及び支給額
（法附則60条1項、2項、則附則31項） 重要度A ★★★

Ⅰ　**政府**は、当分の間、労働者が業務上の事由により**死亡**した場合における当該**死亡**に関しては、**遺族補償年金を受ける権利を有する遺族**に対し、**その請求に基づき**、保険給付として、**遺族補償年金前払一時金**を支給する。

Ⅱ　**遺族補償年金前払一時金の額**は、**給付基礎日額の200日分、400日分、600日分、800日分又は1,000日分**に相当する額とする。

【複数事業労働者遺族年金前払一時金の支給要件（法附則60条の4,1項）】

政府は、当分の間、**複数事業労働者がその従事する２以上の事業の業務を要因**として死亡した場合における当該死亡に関しては、複数事業労働者遺族年金を受ける権利を有する遺族に対し、その請求に基づき、保険給付として、複数事業労働者遺族年金前払一時金を支給する。

【複数事業労働者遺族年金前払一時金の支給額（法附則60条の4,2項、則附則40項）】

複数事業労働者遺族年金前払一時金の支給額も同様である。

【遺族年金前払一時金の支給要件（法附則63条１項）】

政府は、当分の間、労働者が通勤により死亡した場合における当該死亡に関しては、遺族年金を受ける権利を有する遺族に対し、その請求に基づき、保険給付として、遺族年金前払一時金を支給する。

【遺族年金前払一時金の支給額（法附則63条２項、則附則49項）】

遺族年金前払一時金の支給額も同様である。

・スライド

年金の受給権が算定事由発生日の属する年度の翌々年度の８月以後に生じた場合は、遺族（補償）等一時金とみなしてスライド改定が行われた額（スライド改定された給付基礎日額を用いて算定した額）となる。

（則附則31項カッコ書、則附則40項、則附則49項）

参考 遺族（補償）等年金前払一時金の額は、上記Ⅱの額から受給権者が選択して請求するが、遺族（補償）等年金前払一時金の請求が遺族（補償）等年金の請求と同時でない場合、当該請求額は、給付基礎日額の1,000日分から既に支給を受けた遺族（補償）等年金の額〔当該遺族（補償）等年金前払一時金が支給される月の翌月に支払われることとなる遺族（補償）等年金の額を含む。〕の合計額を減じた額を超えることはできない。

（則附則28項、則附則33項、則附則41項）

② 請求（法附則60条5項、則附則26項、27項、33項）

重要度 A

★★★

Ⅰ　**遺族補償年金前払一時金**の**請求**は、**同一の事由に関し、１回に限り**行うことができる。

Ⅱ　**遺族補償年金前払一時金**の**請求**は、**遺族補償年金の請求と同時に**行わなければならない。ただし、**遺族補償年金の支給の決定の通知のあった日の翌日から起算して１年を経過する日**までの間は、当該**遺族補償年金を請求した後**においても**遺族補償年金前払一時金**を請求することができる。

Ⅲ　**遺族補償年金前払一時金**の支給を受ける権利は、これを行使することができる時から**２年を経過**したときは、**時効**によって**消滅**する。

【複数事業労働者遺族年金前払一時金の請求（法附則60条の4,3項、則附則41項）】

複数事業労働者遺族年金前払一時金の請求も同様である。

【遺族年金前払一時金の請求（法附則63条３項、則附則50項）】

遺族年金前払一時金の請求も同様である。

Check Point!

- □ 遺族（補償）等年金前払一時金は、同一の事由に関し１回に限り請求できるものであるため、失権した先順位者がすでに受給している場合には、転給者は当該前払一時金の請求をすることができない。
- □ 55歳以上60歳未満の若年支給停止者であっても遺族（補償）等年金前払一時金の請求をすることができる。

参考 前払一時金の請求が年金の請求と同時でない場合、当該一時金は、１月、３月、５月、７月、９月又は11月のうち前払一時金の請求が行われた月後の最初の月に支給される。

（則附則29項、則附則33項、則附則41項）

❸ 支給停止（法附則60条3項） 重要度B ★★★

遺族補償年金前払一時金が支給される場合には、当該労働者の死亡に係る**遺族補償年金**は、**各月に支給されるべき額の合計額**が厚生労働省令で定める算定方法に従い当該**遺族補償年金前払一時金の額に達するまでの間、その支給を停止する**。

【複数事業労働者遺族年金前払一時金の支給停止（法附則60条の4,3項）】

複数事業労働者遺族年金前払一時金も同様である。

【遺族年金の支給停止（法附則63条3項）】

遺族年金前払一時金も同様である。

・支給停止期間

年金の支給停止期間は、年金が支給されると仮定した場合の毎月の年金額（前払一時金が支給された月後最初の年金の支払期月から1年経過月以後の分は、法第8条第1項に規定する算定事由発生日における法定利率により割り引いた額）を合計した額が、前払一時金の額に達するまでの間である。

（則附則34項、則附則42項、則附則51項）

参考 本条の規定により遺族（補償）等年金の支給が停止されている期間は、労災保険の年金たる保険給付が支給されたものとして取り扱われる（前払一時金として受給している）ため、国民年金法第30条の4に規定する**20歳前傷病**による障害基礎年金、障害福祉年金から裁定替えされた障害基礎年金等は支給されない。

（法附則60条7項、法附則60条の4,4項、法附則63条3項）

4 遺族（補償）等一時金

① 支給要件及び支給額（法16条の6,1項、法16条の8、法附則60条4項、法別表第2）重要度A ★★★

Ⅰ　**遺族補償一時金**は、次の場合に支給する。

ⅰ　**労働者**の**死亡の当時遺族補償年金を受けることができる遺族がない**とき。

ⅱ　**遺族補償年金を受ける権利を有する者の権利が消滅した**場合において、他に当該**遺族補償年金**を受けることができる**遺族がなく**、かつ、当該労働者の**死亡**に関し支給された**遺族補償年金の額及び遺族補償年金前払一時金の額の合計額**が当該権利が消滅した日においてⅰに掲げる場合に該当することとなるものとしたときに支給されることとなる**遺族補償一時金**の額（**給付基礎日額の1,000日分**）に満たないとき。H28-6エ

Ⅱ　**遺族補償一時金**の額は、次の通りとする。

ⅰ　Ⅰⅰの場合　**給付基礎日額の1,000日分**

ⅱ　Ⅰⅱの場合　**給付基礎日額の1,000日分**からⅠⅱに規定する**遺族補償年金の額及び遺族補償年金前払一時金の額の合計額**を控除した額

Ⅲ　**遺族補償一時金**を受ける権利を有する者が**２人以上**あるときは、**遺族補償一時金**の額は、上記に規定する額をその**人数**で除して得た額とする。

【複数事業労働者遺族一時金の支給要件及び支給額（法20条の6,3項、法附則60条の4,3項)】

第16条の２から第16条の９までの規定は、複数事業労働者遺族一時金について準用する。

【遺族一時金の支給要件及び支給額（法22条の4,3項、法附則63条３項)】

第16条の２から第16条の９までの規定は、遺族一時金について準用する。

趣旨

遺族（補償）等一時金は、遺族（補償）等年金の受給資格者がいない、又は受給権者が全て失権した場合に、給付基礎日額の1,000日分を保障額として、その全額又は既に支給された遺族（補償）等年金の額及び遺族（補償）等年金前払一時金の額の合計額との差額を遺族に支給しようとするものである。

・**支給額**

遺族（補償）等一時金の支給額は、次の通りである。

事由	支給額
労働者の死亡当時、遺族（補償）等年金の受給資格者となる遺族がいない場合	給付基礎日額の1,000日分
遺族（補償）等年金の受給権者が失権し、他に受給資格者がいない場合で、労働者の死亡に関し支給された遺族（補償）等年金の額及び遺族（補償）等年金前払一時金の額の合計額が給付基礎日額の1,000日分に満たないとき（**失権差額一時金**）	給付基礎日額の1,000日分 － 既に支給された遺族（補償）等年金の額と遺族（補償）等年金前払一時金の額の合計額

参考 失権差額一時金の差額の計算に当たっては、受給権が消滅した日の属する年度（当該権利が消滅した日の属する月が４月から７月までの月に該当する場合にあっては、その前年度）の７月以前の分として支給された年金額及び同期間に支給事由が生じた前払一時金の額については、平均給与額の変動に応じて現在価値に換算（逆スライド）したうえで合算される。

（法16条の6,2項、法20条の6,3項、法22条の4,3項、法附則60条４項、法附則60条の4,3項、法附則63条３項、則附則32項、則附則43項、則附則52項）

問題チェック H15-7C改題

遺族補償年金、複数事業労働者遺族年金又は遺族年金を受ける権利を有する者の権利が消滅した場合において、他に当該遺族補償年金、複数事業労働者遺族年金又は遺族年金を受けることができる遺族がなく、かつ、当該労働者の死亡に関し支給された遺族補償年金、複数事業労働者遺族年金又は遺族年金の合計額が、当該権利が消滅した日において労働者の死亡の当時遺族補償年金、複数事業労働者遺族年金又は遺族年金を受けることができる遺族がない場合に該当することとなるものとしたときに支給されることとなる遺族補償一時金、複数事業労働者遺族一時金又は遺族一時金の額に厚生労働大臣が定める率を乗じて得た額に満たないときは、その差額に相当する額の遺族補償一時金、複数事業労働者遺族一時金又は遺族一時金が支給される。

解答 ×　法16条の6,2項、法20条の6,3項、法22条の4,3項、法附則60条4項、法附則60条の4,3項、法附則63条3項、則附則32項、則附則43項、則附則52項

失権差額一時金の計算に関する問題である。問題文を計算式にすると以下①の通りになるが、正しくは②の計算式となるため、設問は誤りである。

① 問題文の計算式

（［遺族(補償)等一時金の額（給付基礎日額の1,000日分）］×［厚生労働大臣が定める率］）－［既に支給された遺族(補償)等年金の合計額］

② 正しい計算式

［遺族(補償)等一時金の額（給付基礎日額の1,000日分）…A］－（［既に支給された遺族(補償)等年金及び遺族(補償)等年金前払一時金の合計額…B］×［厚生労働大臣が定める率］）

遺族（補償）等一時金の額（A）は、当該失権した日が算定事由発生日の属する年度の翌々年度の８月以後である場合には法第８条の４のスライドの規定が適用され、現在価値に評価替えされているが、既に支給された年金及び前払一時金の合計額は、当該支給された時点における価値である。このように、金銭的価値の異なる保険給付の額をそのまま用いて差額を計算するのは不合理であるため、「**②正しい計算式**」のように、Bの額に厚生労働大臣が定める率を乗じることにより、それぞれ支給された年金及び前払一時金の額を現在価値に評価替えすることとされている。

---

❷ 受給資格者及び受給権者（法16条の7） 重要度A

★★★

Ⅰ　**遺族補償一時金**を受けることができる**遺族**は、次のⅰからⅲに掲げる者とする。

ⅰ　**配偶者**

ⅱ　**労働者の死亡の当時**その収入によって**生計を維持していた子、父母、孫及び祖父母**

iii　iiに該当しない**子、父母、孫及び祖父母並びに兄弟姉妹** H28-6オ

II　**遺族補償一時金**を受けるべき**遺族の順位**は、I i ii iiiの順序により、ii及びiiiに掲げる者のうちにあっては、それぞれ、ii及びiiiに掲げる順序による。

【複数事業労働者遺族一時金の受給資格者及び受給権者（法20条の6,3項）】

第16条の2から第16条の9までの規定は、複数事業労働者遺族一時金について準用する。

【遺族一時金の受給資格者及び受給権者（法22条の4,3項）】

第16条の2から第16条の9までの規定は、遺族一時金について準用する。

Check Point!

- □ 配偶者は、労働者の死亡当時、生計維持関係のあるなしにかかわらず、最先順位者であり、兄弟姉妹は、最後順位者である。R3-6ADE
- □ 遺族（補償）等一時金については転給が行われることはない。

・遺族の順位

遺族（補償）等一時金と障害（補償）等年金差額一時金の遺族の順位を対比すると、次の通りとなる。

	遺族（補償）等一時金		障害（補償）等年金差額一時金
1	**配偶者** R3-6A	1	労働者の死亡当時 **生計同一関係にある** ① 配偶者 ② 子 ③ 父母 ④ 孫 ⑤ 祖父母 ⑥ 兄弟姉妹
2	労働者の死亡当時 **生計維持関係にある** ① **子** ② **父母** R3-6A ③ **孫** R3-6C ④ **祖父母** R3-6B		
3	労働者の死亡当時 **生計維持関係にない** ① **子** R3-6CD ② **父母** R3-6BE ③ **孫** ④ **祖父母**	2	労働者の死亡当時 **生計同一関係にない** ① 配偶者 ② 子 ③ 父母 ④ 孫 ⑤ 祖父母 ⑥ 兄弟姉妹
4	**兄弟姉妹** R3-6DE		

③受給資格の欠格（法16条の9,1項、3項）重要度B

★★

Ⅰ　**労働者**を**故意に死亡**させた者は、**遺族補償給付**を受けることができる遺族としない。R6-7イ

Ⅱ　**遺族補償年金**を受けることができる**遺族**を**故意に死亡**させた者は、**遺族補償一時金**を受けることができる**遺族**としない。**労働者の死亡前**に、当該**労働者の死亡**によって**遺族補償年金**を受けることができる**遺族**となるべき者を**故意に死亡**させた者も、同様とする。

【複数事業労働者遺族給付の受給資格の欠格（法20条の6,3項）】

第16条の２から第16条の９までの規定は、複数事業労働者遺族給付について準用する。

【遺族給付の受給資格の欠格（法22条の4,3項）】

第16条の２から第16条の９までの規定は、遺族給付について準用する。

5 葬祭料等（葬祭給付）

① 支給要件及び支給額（法12条の8,2項、法17条、則17条、労基法80条）重要度A

★★★

Ⅰ　**葬祭料**は、労働者が**業務上死亡**した場合に、**葬祭を行う者**に対し、**その請求に基づいて**行う。

Ⅱ　葬祭料は、**通常葬祭に要する費用を考慮**して**厚生労働大臣**が定める金額とする。

Ⅲ　葬祭料の額は、**315,000円に給付基礎日額の30日分を加えた額**（**その額が給付基礎日額の60日分に満たない場合には、給付基礎日額の60日分**）とする。

【複数事業労働者葬祭給付の支給要件（法20条の7,1項）】

複数事業労働者葬祭給付は、複数事業労働者がその従事する２以上の事業の業務を要因として死亡した場合に、葬祭を行う者に対し、その請求に基づいて行う。

【複数事業労働者葬祭給付の支給額（法20条の7,2項、則18条の３の13)】

第17条の規定は、複数事業労働者葬祭給付について準用する。

【葬祭給付の支給要件（法22条の5,1項)】

葬祭給付は、労働者が通勤により死亡した場合に、葬祭を行なう者に対し、その請求に基づいて行なう。

【葬祭給付の支給額（法22条の5,2項、則18条の11)】

第17条の規定は、葬祭給付について準用する。

Check Point!

- □「葬祭を行う者」とは、一般的には遺族である。ただし、葬祭を行う遺族がいない場合に、社葬として会社において葬祭を行ったような場合は、当該会社とされる。
- □ 葬祭料等（葬祭給付）の額は、次の⑴又は⑵の額のうち、いずれか高い方の額となる。

⑴ 315,000円＋給付基礎日額の30日分
⑵ 給付基礎日額の60日分

参考 社葬を行った場合において、葬祭料を葬祭を行った会社（事業場）に支給すべきか否かは社葬の性質によって決定すべきであり、社葬を行うことが会社の恩恵的或いは厚意的性質に基づくときは葬祭料は遺族に支給すべきであり、葬祭を行う遺族がない場合、社葬として会社において葬祭を行った場合は、葬祭料は当該会社に対して支給されるべきである。
（昭和23.11.29基災収2965号）

・スライド

算定事由発生日の属する年度の翌々年度の８月以降に葬祭料等（葬祭給付）を支給すべき事由が生じた場合には、葬祭料等（葬祭給付）を遺族（補償）等一時金とみなしてスライド改定した給付基礎日額を用いる。

（則17条カッコ書、則18条の３の13、則18条の11）

問題チェック 予想問題

葬祭料の額は、315,000円に給付基礎日額の30日分を加えた額（その額が給付基礎日額の60日分を超える場合には、給付基礎日額の60日分）とする。

解答 ×　則17条

葬祭料の額は、315,000円に給付基礎日額の30日分を加えた額（その額が給付基礎日額の60日分に満たない場合には、給付基礎日額の60日分）とする（給付基礎日額の60日分は上限額ではなく最低保障額である）。

❷ 請求（則17条の2） 重要度 B

★★

Ⅰ **葬祭料**の支給を受けようとする者は、次に掲げる事項を記載した請求書を、**所轄労働基準監督署長**に提出しなければならない。

ⅰ 死亡した労働者の**氏名**及び**生年月日**
ⅱ 請求人の氏名、住所及び死亡した労働者との関係
ⅲ 事業の名称及び事業場の所在地
ⅳ **負傷又は発病及び死亡の年月日**
ⅴ **災害の原因及び発生状況**
ⅵ **平均賃金**
ⅶ 死亡した労働者が**複数事業労働者**である場合は、その旨

Ⅱ　Ⅰivからviまでに掲げる事項（**死亡の年月日**を除き、死亡した**複数事業労働者**に係る**非災害発生事業場の事業主**にあっては、Ⅰviに掲げる事項に限る。）については、**事業主の証明**を受けなければならない。ただし、死亡した労働者が傷病補償年金を受けていた者であるときは、この限りでない。

Ⅲ　Ⅰの請求書には、労働者の死亡に関して市町村長に提出した**死亡診断書**、**死体検案書**若しくは**検視調書**に記載してある事項についての**市町村長の証明書**又はこれに代わるべき書類を添えなければならない。ただし、当該労働者の死亡について、**遺族補償給付**の支給の請求書が提出されているときは、この限りでない。

第4章 第6節

脳・心臓疾患予防のための保険給付

1 二次健康診断等給付

❶ 支給要件

❷ 給付の範囲

❸ 受給手続

二次健康診断等給付

❶ 支給要件（法26条1項） 重要度A ★★★

二次健康診断等給付は、**労働安全衛生法**第66条第１項［一般健康診断］の規定による**健康診断**又は当該**健康診断**に係る同条第５項ただし書［労働者指定医師による健康診断］の規定による**健康診断**のうち、**直近**のもの（以下「**一次健康診断**」という。）において、**血圧検査、血液検査**その他**業務上の事由による脳血管疾患及び心臓疾患の発生**にかかわる身体の状態に関する検査であって、厚生労働省令で定めるものが行われた場合において、当該検査を受けた労働者がその**いずれの項目にも異常の所見**があると診断されたときに、当該労働者（**当該一次健康診断の結果その他の事情により既に脳血管疾患又は心臓疾患の症状を有すると認められるものを除く。**）に対し、その**請求に基づいて**行う。H30-7A

趣旨

「**過労死**」等の原因である**脳血管・心臓疾患の発生**を**予防**するため、労働安全衛生法に規定する定期健康診断等の一次健康診断において、一定の項目について異常所見があると診断された労働者については、二次健康診断及びその結果に基づく保健指導が行われる。

Check Point!

□ 二次健康診断等給付は、特別加入者には支給されない。

（平成13.3.30基発233号）

□ 一次健康診断の結果その他の事情により既に脳血管疾患又は心臓疾患の症状を有すると認められる者については二次健康診断等給付の対象とはならない（既にこれらの疾患の症状を有すると認められる者については、予防ではなく治療の対象になる）。H30-7A

参考 1．労働安全衛生法第66条第１項の規定による健康診断とは、雇入れ時の健康診断、定期健康診断、特定業務従事者の健康診断、海外派遣労働者の健康診断及び給食従業員の検便であるが、給食従業員の検便については、血圧検査、血液検査等の業務上の事由による脳血管疾患及び心臓疾患の発生にかかわる身体の状態に関する検査が行われないことから、一次健康診断の対象とはならない。

2．一次健康診断により次の**いずれの項目にも**異常所見があると診断された労働者が二次健康診断等給付の対象者である。

⑴血圧の測定

⑵血中脂質検査〔低比重リポ蛋白コレステロール（LDLコレステロール）、高比重リポ蛋白コレステロール（HDLコレステロール）又は血清トリグリセライドの量の検査〕

⑶血糖検査

⑷腹囲の検査又はBMI〔体重(kg)/身長$(m)^2$〕の測定 （則18条の16）

問題チェック 予想問題

二次健康診断等給付は、労働安全衛生法第66条第１項の規定による健康診断又は当該健康診断に係る同条第５項ただし書の規定による健康診断のうち、直近のもの（以下この項において「一次健康診断」という。）において、血圧検査、血液検査その他業務上の事由による脳血管疾患及び心臓疾患の発生にかかわる身体の状態に関する検査であって、厚生労働省令で定めるものが行われた場合において、当該検査を受けた労働者がそのいずれかの項目に異常の所見があると診断されたときに、当該労働者（当該一次健康診断の結果その他の事情により既に脳血管疾患又は心臓疾患の症状を有すると認められるものを除く。）に対し、その請求に基づいて行う。

解答 ✕ 法26条１項

設問中「いずれかの項目に異常の所見がある」は、正しくは「いずれの項目にも異常の所見がある」である。

② 給付の範囲（法26条2項、3項） 重要度 A ★★★

Ⅰ **二次健康診断等給付の範囲**は、次のとおりとする。

ⅰ **脳血管及び心臓の状態を把握するために必要な検査**（第26条第１項に規定する検査を除く。）であって厚生労働省令で定めるものを行う医師による健康診断（**１年度につき１回**に限る。以下「**二次健康診断**」という。）

ⅱ **二次健康診断**の結果に基づき、**脳血管疾患及び心臓疾患の発生の予防**を図るため、**面接**により行われる**医師又は保健師**による**保健指導**（**二次健康診断ごとに１回**に限る。以下「**特定保健指導**」という。） H30-7B

Ⅱ　政府は、**二次健康診断の結果**その他の事情により**既に脳血管疾患又は心臓疾患の症状を有すると認められる労働者**については、当該**二次健康診断に係る特定保健指導を行わないものとする。** H30-7C

概要

二次健康診断は、１年度につき１回に限り、特定保健指導は、二次健康診断ごとに１回に限る。したがって、同一年度内に１人の労働者に対して２回以上の定期健康診断等を実施している事業場であっても、一次健康診断において給付対象所見が認められる場合に当該年度内に１回に限り支給する。

（平成13.3.30基発233号）

なお、一次健康診断を実施した次の年度に当該一次健康診断に係る二次健康診断等給付を支給することは可能である。ただしその場合は、当該年度に実施した定期健康診断等について、同一年度内に再度二次健康診断等給付を支給することはできない。

（同上）

１．医師の意見聴取

二次健康診断を受けた労働者から当該**二次健康診断の実施の日から３箇月以内**に当該二次健康診断の結果を証明する書面の提出を受けた事業者は、当該二次健康診断の結果（当該健康診断の項目に異常の所見があると診断された労働者に係るものに限る。）に基づき、当該労働者の健康を保持するために必要な措置について、**医師の意見**を、当該健康診断の結果を証明する**書面が事業者に提出された日から２月以内**に、聴かなければならない。H30-7D

（法27条、則18条の17、則18条の18、安衛法66条の４、安衛則51条の2,2項１号）

２．事後措置

事業主は、二次健康診断の結果についての医師の意見を勘案し、その必要があると認めるときは、当該労働者の実情を考慮して、**就業場所の変更、作業の転換、労働時間の短縮、深夜業の回数の減少等の措置を講ずる**ほか、**作業環境測定の実施、施設又は設備の設置又は整備、当該医師の意見の衛生委員会若しくは安全衛生委員会又は労働時間等設定改善委員会への報告**その他の適切な措置を講じなければならない。

（安衛法66条の５、平成13.3.30基発233号）

なお、二次健康診断の場合も、聴取した医師の意見は、**健康診断個人票に記載**しなければならない。

（法27条、則18条の18、安衛法66条の４、安衛則51条の2,2項２号）

参考（特定保健指導）
特定保健指導は、次の指導の全てを行うものとされている。
⑴栄養指導　⑵運動指導　⑶生活指導　H30-7B　（平成13.3.30基発233号）

❸ 受給手続
（則11条の3,1項、則18条の19,1項、4項）

重要度 A ★★★

Ⅰ　**二次健康診断等給付**は、**社会復帰促進等事業**として設置された病院若しくは診療所又は**都道府県労働局長**の指定する**病院若しくは診療所**（以下「**健診給付病院等**」という。）において行う。

Ⅱ　**二次健康診断等給付**を受けようとする者は、所定の事項を記載した請求書を、**健診給付病院等を経由**して**所轄都道府県労働局長**に提出しなければならない。H30-7E

Ⅲ　**二次健康診断等給付の請求**は、**一次健康診断を受けた日から３箇月以内**に行わなければならない。ただし、天災その他請求をしなかったことについてやむを得ない理由があるときは、この限りでない。

問題チェック H21-7D改題

二次健康診断等給付は、社会復帰促進等事業として設置された病院若しくは診療所又は都道府県労働局長の指定する病院若しくは診療所において行われるが、その請求は、一次健康診断の結果を知った日から３か月以内に行わなければならない。

解答 ×　則11条の3,1項、則18条の19,4項

問題文中「一次健康診断の結果を知った日」は、正しくは、「一次健康診断を受けた日」である。

第5章
給付通則等

第5章 第1節

給付通則・社会保険との併給調整

1 給付通則

❶ 年金給付の支給期間等
❷ 死亡の推定
❸ 未支給の保険給付
❹ 受給権の保護
❺ 端数処理
❻ 保険給付に関する届出

2 内払処理・充当処理

❶ 内払処理
❷ 充当処理

3 社会保険との併給調整

❶ 年金間の調整
❷ 一時金間の調整

4 支給制限・一時差止め

❶ 絶対的支給制限
❷ 相対的支給制限
❸ 一時差止め

5 費用徴収

❶ 事業主からの費用徴収
❷ 不正受給者からの費用徴収

給付通則

① 年金給付の支給期間等（法９条） 重要度A ★★★

Ⅰ　**年金たる保険給付の支給**は、支給すべき**事由が生じた月の翌月**から始め、支給を受ける**権利が消滅した月**で終わるものとする。 H27-7ア R元-1A R6-選C

Ⅱ　**年金たる保険給付**は、その支給を**停止**すべき事由が生じたときは、その事由が生じた**月の翌月**からその**事由が消滅した月**までの間は、支給しない。 R3-選C

Ⅲ　**年金たる保険給付**は、**毎年２月、４月、６月、８月、10月及び12月の６期に**、それぞれその**前月分**までを支払う。ただし、支給を受ける**権利が消滅した場合**におけるその期の年金たる保険給付は、支払期月でない月であっても、支払うものとする。

概要

年金たる保険給付の基本権（年金たる保険給付の支給を受ける権利）は、支給又は給付決定によって確定し、支分権（毎支払期ごとに支払を受ける権利）は、特別の決定処分を待たずに支払期月ごとに法律上当然に生ずるもの（受給権者は改めて請求する必要はない）とされている。 （昭和41.1.31基発73号）

参考（労災保険給付支払請求権と行政庁の処分）
労災保険法による保険給付は、保険事故の発生により、抽象的な保険給付請求権が発生するに過ぎず、同法所定の手続により行政機関が保険給付の決定をすることにより給付の内容が具体的に定まり、具体的な給付請求権を取得するに至るのであるから、この行政機関の保険給付の決定を待つことなく、訴えによって直接、具体的な給付を求める請求権は有しない。 H29-7A （最二小昭和29.11.26労働者災害補償保険金給付請求事件）

② 死亡の推定（法10条、法附則58条4項、法附則61条2項）重要度A

★★★

Ⅰ　**船舶**が**沈没し**、**転覆し**、**滅失し**、**若しくは行方不明**となった際現にその船舶に乗っていた労働者若しくは**船舶**に乗っていてその**船舶**の**航行中**に**行方不明**となった**労働者の生死が3箇月間わからない**場合又はこれらの労働者の**死亡**が**3箇月以内**に明らかとなり、かつ、その**死亡の時期がわからない**場合には、**遺族補償給付**、**葬祭料**、**遺族給付及び葬祭給付**の支給に関する規定の適用については、その**船舶が沈没し、転覆し、滅失し、若しくは行方不明となった日**又は**労働者が行方不明となった日**に、当該労働者は、**死亡したものと推定する。航空機が墜落し、滅失し、若しくは行方不明**となった際現にその**航空機**に乗っていた労働者若しくは**航空機**に乗っていてその**航空機**の航行中行方不明となった**労働者の生死**が**3箇月間**わからない場合又はこれらの労働者の**死亡**が**3箇月以内**に明らかとなり、かつ、その**死亡の時期**がわからない場合にも、同様とする。

H27-5DE　R2-2AB

Ⅱ　**障害補償年金差額一時金**は、**遺族補償給付とみなして**、Ⅰの規定を適用する。

Ⅲ　**障害年金差額一時金**は、**遺族給付とみなして**、Ⅰの規定を適用する。

概要

船舶の沈没、航空機の墜落等の事故が発生した場合であって、労働者の生死が3箇月間不明である場合又は3箇月以内に死亡が判明したが死亡時期が不明な場合は、遺族補償給付、葬祭料、障害補償年金差額一時金、遺族給付、葬祭給付及び障害年金差額一時金の支給に関する規定の適用については、それぞれ当該事故等の発生日に死亡したものと推定される。

Check Point!

□ 複数業務要因災害に関する保険給付は、「死亡の推定」の規定の対象とされていない。

参考（「推定する」と「みなす」の違い）

「推定する」	「推定する」とは、当事者間に別段の取決めがない場合又は反証が挙がらない場合に、ある事項について法令が一応こうであろうという判断を下すことをいう。
「みなす」	「みなす」とは、本来異なるものを法令上一定の法律関係につき同一なものとして認定してしまう（当事者間の別段の取決めや反証を許さない点で「推定する」と異なる）ことをいう。

【例】 本条の規定により死亡したものと推定された後に、その者が生きていることが立証された場合には、生きているものとして処理することになるが、失踪宣告を受けることにより死亡したものとみなされた者は、このような場合であっても法律効果に変動は生じないことになる（失踪宣告が取り消されない限りは法律効果は動かすことができない。）。

③ 未支給の保険給付 重要度A

1 請求権者（法11条1項、2項）

★★★

Ⅰ　労働者災害補償保険法に基づく保険給付を受ける権利を有する者が**死亡**した場合において、その**死亡**した者に支給すべき保険給付でまだその者に支給しなかったものがあるときは、その者の**配偶者**（**婚姻の届出をしていないが、事実上婚姻関係と同様の事情にあった者を含む。**）、**子、父母、孫、祖父母又は兄弟姉妹**であって、その者の**死亡の当時**その者と**生計を同じく**していたもの（**遺族補償年金**については当該**遺族補償年金**を受けることができる他の遺族、**複数事業労働者遺族年金**については当該**複数事業労働者遺族年金**を受けることができる他の遺族、**遺族年金**については当該**遺族年金**を受けることができる他の遺族）は、**自己の名**で、その**未支給の保険給付の支給を請求**することができる。H30-4ア R2-2E R6-選D

Ⅱ　Ⅰの場合において、**死亡**した者が**死亡前にその保険給付を請求していなかったとき**は、Ⅰに規定する者は、**自己の名**で、その保険給付を請求することができる。H30-4イ

Check Point!

□ 未支給の保険給付の請求権者は次表の通りである。

原則	死亡した受給権者の配偶者、子、父母、孫、祖父母及び兄弟姉妹であって、受給権者の死亡の当時その者と生計を同じくしていたもの
遺族（補償）等年金	死亡した**労働者の遺族**たる配偶者、子、父母、孫、祖父母及び兄弟姉妹であって次順位の受給権者となるもの 〔死亡した遺族（補償）等年金の受給権者と同順位の受給権者があるときはその者が、同順位の受給権者がなくて後順位の受給資格者があるときは次順位の受給資格者が請求権者となる〕

・未支給の保険給付は、原則として「受給権者の遺族」に支給されるが、遺族（補償）等年金の場合は、「死亡した労働者の遺族」に支給される。

（昭和41.1.31基発73号）

2 順位（法11条1項、3項、4項）

★★★

Ⅰ **未支給の保険給付**を受けるべき者の**順位**は、**配偶者、子、父母、孫、祖父母、兄弟姉妹**の順序（**遺族補償年金**については第16条の２第３項［**遺族補償年金**を受けるべき遺族の順位］に、**複数事業労働者遺族年金**については第20条の６第３項［**複数事業労働者遺族年金**を受けるべき遺族の順位］に、**遺族年金**については第22条の４第３項［**遺族年金**を受けるべき遺族の順位］に規定する順序）による。

Ⅱ **未支給の保険給付**を受けるべき**同順位者が２人以上**あるときは、その**１人**がした請求は、**全員のためその全額につき**したものとみなし、その**１人**に対してした支給は、**全員**に対してしたものとみなす。

H30-4ウ

Check Point!

□ 未支給の遺族（補償）等年金を受けることができる遺族は、死亡した遺族（補償）等年金の受給権者以外の当該遺族（補償）等年金の受給資格者のうち、最先順位の者である。

④ 受給権の保護 重要度A

1 退職後の権利（法12条の5,1項）

★★★

保険給付を受ける権利は、**労働者の退職**によって**変更**されることはない。H27-6イ H29-7D R6-7エ

問題チェック H6-3A

日々雇い入れられる労働者は、その日その日の労働契約が成立し、当該労働日の労働時間経過後は労働関係が消滅するのであるから、休業補償給付は支給されない。

解答 ×　法12条の5,1項、昭和23.8.9基収2370号

保険給付を受ける権利は、労働者の退職によって変更されることはない。したがって、日々雇い入れられる労働者についても要件に該当していれば退職後も休業補償給付は支給される。

2 譲渡等の禁止（法12条の5,2項）

★★★

保険給付を受ける権利は、**譲り渡し**、**担保に供し**、**又は差し押さえることができない**。

3 公課の禁止（法12条の6）

★★★

租税その他の公課は、**保険給付**として支給を受けた**金品を標準として課することはできない**。H27-6ア

【法44条（印紙税の非課税）】

労働者災害補償保険に関する書類には、印紙税を課さない。

⑤ 端数処理（国等の債権債務等の金額の端数計算に関する法律2条1項）重要度B

★★

保険給付の支払金額に**1円未満の端数**が生じたときは、これを**切り捨てる**※。

※　特別支給金の支払金額の端数処理も同様である。（1円未満切捨て）

参考 国及び公庫等の債権で金銭の給付を目的とするもの又は国及び公庫等の債務で金銭の給付を目的とするものの確定金額に1円未満の端数があるときは、その端数金額を切り捨てるものとする。（国等の債権債務等の金額の端数計算に関する法律2条1項）

⑥ 保険給付に関する届出（法12条の7、則21条1項）重要度A

★★★

Ⅰ　**保険給付**を受ける権利を有する者は、厚生労働省令で定めるところにより、**政府に対して**、保険給付に関し必要な厚生労働省令で定める**事項を届け出**、又は保険給付に関し必要な厚生労働省令で定める**書類その他の物件を**提出しなければならない。

Ⅱ　**年金たる保険給付の受給権者**は、**毎年、厚生労働大臣が指定する日**（以下「**指定日**」という。）までに、所定の事項を記載した報告書（以下「**定期報告書**」という。）を、**所轄労働基準監督署長**に提出しなければならない。ただし、所轄労働基準監督署長があらかじめその必要がないと認めて通知したとき又は厚生労働大臣が住民基本台帳法第30条の9の規定により当該定期報告書と同一の内容を含む機構保存本人確認情報の提供を受けることができるとき若しくは番号利用法第22条第1項の規定により当該定期報告書と同一の内容を含む**利用特定個人情報の提供**を受けることができるときは、この限りでない。改正

Check Point!

□ 上記Ⅱの定期報告書の提出期限（指定日）は次のとおりである。

年金たる保険給付の受給権者の生年月日※	提出期限
1月から6月	6月30日
7月から12月	10月31日

※　遺族（補償）等年金にあっては、死亡した被災労働者の生年月日

（平成15.3.25基発0325009号）

□ 定期報告書等の届出を怠ると、保険給付の支払の一時差止めの対象となる。（法47条の3）

参考（定期報告の一部廃止）
従来、労災年金受給者に対して、年1回の定期報告の際に、戸籍、住民票や厚生年金等の支給額等がわかる書類を添付させ、生存（転居）情報や厚生年金等の確認を行っていたが、マイナンバーを活用した情報連携により、住民基本台帳における機構保存本人確認情報及び日本年金機構の保有する厚生年金等受給関係情報がオンライン照会により確認可能となったため、マイナンバー情報連携によって必要な情報を取得できる者についての定期報告は廃止された。ただし、**遺族が2名以上の場合の定期報告については、現に労災年金を受給していない受給資格者の個人番号は未収集（戸籍謄本の提出により確認）のため、マイナンバー連携により死亡、婚姻等の情報収集は不可能であることから、定期報告は廃止しないこととされている。**

（様式）
労働者災害補償保険法、労働者災害補償保険法施行規則並びに労働者災害補償保険特別支給金支給規則の規定による申請書、請求書、証明書、報告書及び届書のうち厚生労働大臣が別に指定するもの並びに労働者災害補償保険法施行規則の規定による年金証書の様式は、厚生労働大臣が別に定めて告示するところによらなければならない。R元-1C（則54条）

（年金証書）
所轄労働基準監督署長は、年金たる保険給付の支給の決定の通知をするときは、①年金証書の番号、②受給権者の氏名及び生年月日、③年金たる保険給付の種類、④支給事由が生じた年月日を記載した年金証書を当該受給権者に交付しなければならない。R元-2ア

（則20条）

問題チェック H25-6改題

年金たる保険給付の受給権者が、労災保険法施行規則第21条の2の規定により、遅滞なく文書で所轄労働基準監督署長に届け出なければならないこととされている場合として、次の記述のうち、誤っているものはどれか。

A　受給権者の氏名、住所及び個人番号に変更があった場合並びに新たに個人番号の通知を受けた場合

B　同一の事由により厚生年金保険の障害厚生年金等又は厚生年金保険の遺族厚生年金等が支給されることとなった場合

C　同一の事由により支給されていた厚生年金保険の障害厚生年金等又は厚生年金保険の遺族厚生年金等の支給額に変更があった場合

D　同一の事由により支給されていた厚生年金保険の障害厚生年金等又は厚生年金保険の遺族厚生年金等が支給されなくなった場合

E　障害補償年金、複数事業労働者障害年金又は障害年金の受給権者にあっては、当該障害にかかる負傷又は疾病が治った場合（再発して治った場合は除く。）

解答 E

A　則21条の2,1項1号。設問の通り正しい。
B　則21条の2,1項2号。設問の通り正しい。
C　則21条の2,1項3号。設問の通り正しい。
D　則21条の2,1項4号。設問の通り正しい。
E　則21条の2,1項。設問のような規定はない。

Advice
一見したところ難問とも思えるが、障害（補償）等年金は傷病が治ゆしないと支給されない保険給付であることから類推すると、Eが誤りと判断できる。

2 内払処理・充当処理

❶ 内払処理 重要度A

1 支給停止の場合（法12条1項）

★★★

年金たる保険給付の**支給を停止すべき事由**が生じたにもかかわらず、その**停止すべき期間の分**として**年金たる保険給付**が支払われたときは、その支払われた**年金たる保険給付**は、**その後に支払うべき年金たる保険給付の内払**とみなすことができる。

概要

「支給停止の場合」には、年金間で内払処理が行われる。

「支給を停止すべき事由が生じた」とは、例えば、障害（補償）等年金前払一時金の支給を受けたことにより、障害（補償）等年金の支給が停止される場合などがある。

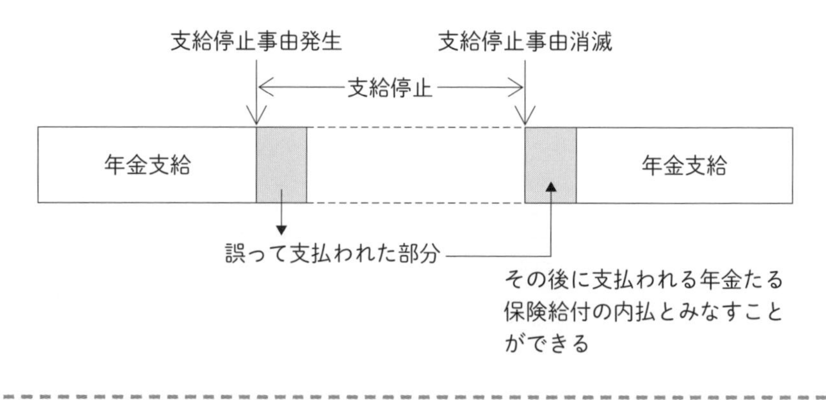

2 減額改定の場合（法12条1項）

★★★

年金たる保険給付を**減額して改定すべき事由**が生じたにもかかわらず、その事由が生じた月の翌月以後の分として**減額しない額**の**年金たる保険給付**が支払われた場合における当該**年金たる保険給付**の**当該減額すべきであった部分**については、その後に支払うべき**年金たる保険給付の内払**とみなすことができる。

概要

「減額改定の場合」も年金間で内払処理が行われる。

「減額して改定すべき事由が生じた」とは、例えば、障害の程度の軽減により障害補償年金の額が減額改定される場合などがある。

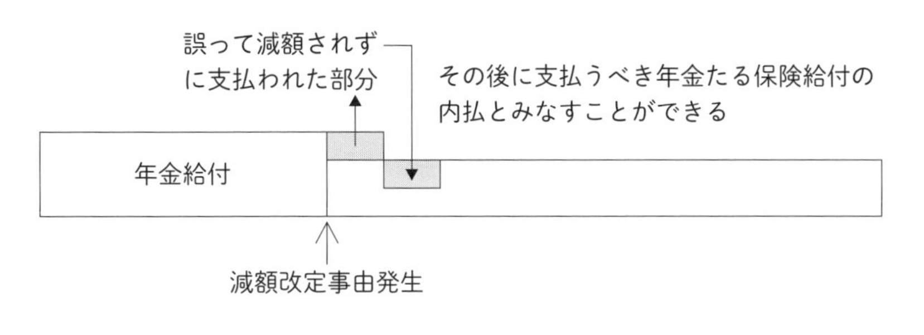

第5章第1節

3 受給権消滅等の場合（法12条2項、3項）

★★★

Ⅰ　**同一の傷病**（同一の業務上の事由、複数事業労働者の２以上の事業の業務を要因とする事由又は通勤による負傷又は疾病）に関し、**年金たる保険給付**（**遺族補償年金、複数事業労働者遺族年金及び遺族年金を除く**。以下「乙年金」という。）を受ける権利を有する労働者が**他の年金たる保険給付**（**遺族補償年金、複数事業労働者遺族年金及び遺族年金を除く**。以下「甲年金」という。）を受ける権利を有することとなり、かつ、乙年金を受ける**権利が消滅**した場合において、その**消滅した月の翌月以後**の分として乙年金が支払われたときは、その支払われた乙年金は、甲年金の**内払**とみなす。

Ⅱ　**同一の傷病**に関し、**年金たる保険給付**（**遺族補償年金、複数事業**

労働者遺族年金及び遺族年金を除く。）を受ける権利を有する労働者が**休業補償給付、複数事業労働者休業給付**若しくは**休業給付**又は**障害補償一時金、複数事業労働者障害一時金**若しくは**障害一時金**を受ける権利を有することとなり、かつ、当該年金たる保険給付を受ける**権利が消滅**した場合において、その**消滅した月の翌月以後**の分として当該**年金たる保険給付**が支払われたときも、同様とする。

Ⅲ　**同一の傷病**に関し、**休業補償給付、複数事業労働者休業給付**又は**休業給付**を受けている労働者が**障害補償給付**若しくは**傷病補償年金、複数事業労働者障害給付**若しくは**複数事業労働者傷病年金**又は**障害給付**若しくは**傷病年金**を受ける権利を有することとなり、かつ、**休業補償給付、複数事業労働者休業給付**又は**休業給付**を行わないこととなった場合において、その後も**休業補償給付、複数事業労働者休業給付**又は**休業給付**が支払われたときは、その支払われた**休業補償給付、複数事業労働者休業給付**又は**休業給付**は、当該**障害補償給付**若しくは**傷病補償年金、複数事業労働者障害給付**若しくは**複数事業労働者傷病年金**又は**障害給付**若しくは**傷病年金**の**内払**とみなす。

概要

次表の場合に内払処理が行われる。

受給権消滅給付	新たに支給されることとなった給付
障害（補償）等年金	傷病（補償）等年金　障害（補償）等一時金 休業（補償）等給付
傷病（補償）等年金	障害（補償）等給付（年金又は一時金） 休業（補償）等給付
休業（補償）等給付	傷病（補償）等年金 障害（補償）等給付（年金又は一時金）

・年金と一時金間でも内払処理が行われる。

例えば、休業（補償）等給付から傷病（補償）等年金に切り替わったにもかかわらず、誤って休業（補償）等給付が支給された場合などがある。

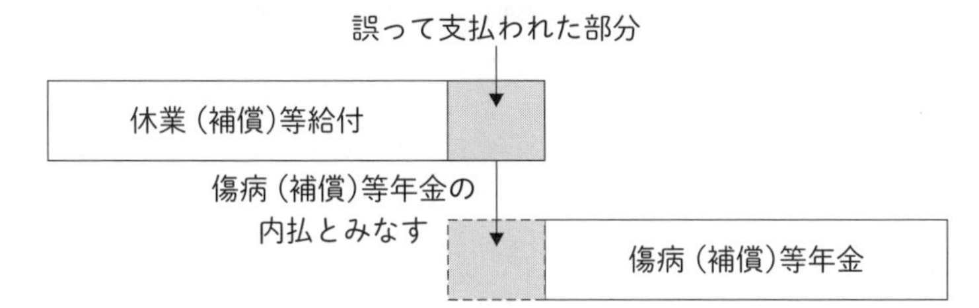

Check Point!

□ 受給権消滅の場合であっても、遺族（補償）等年金は内払処理の対象とはされない。

② 充当処理（法12条の2） 重要度 A ★★★

年金たる保険給付を受ける権利を有する者が死亡したためその支給を受ける**権利が消滅**したにもかかわらず、その**死亡の日の属する月の翌月以後**の分として当該**年金たる保険給付の過誤払**が行われた場合において、当該**過誤払による返還金に係る債権**（以下「**返還金債権**」という。）に係る**債務の弁済をすべき者**に支払うべき**保険給付**があるときは、厚生労働省令で定めるところにより、当該保険給付の支払金の金額を当該**過誤払による返還金債権の金額**に**充当**することができる。

Check Point!

□ 充当処理の対象となる「過誤払分を返還すべき債務を負っている者に支払うべき保険給付」は、死亡した者と関連があるものであることを要し、全く別の事由により支給される保険給付は含まれない。

・充当処理の対象となるケース

(1) 年金たる保険給付の受給権者が死亡し、当該死亡に関して新たに保険給付の受給権者となる者が生じる場合に、新たに受給権者となる者が当該死亡に伴う過誤払による返還金債権に係る債務の弁済をなすべき者であるときは、次表左欄に掲げる年金たる保険給付の種類に応じ、右欄に掲げる保険給付の支払金の金額を当該過誤払による返還金債権の金額に充当することができる。

過誤払された 年金たる保険給付	受給権者の死亡により新たに受給権者となった者に支給すべき保険給付
障害（補償）等年金	遺族（補償）等年金　遺族（補償）等一時金 葬祭料等（葬祭給付）　障害（補償）等年金差額一時金
遺族（補償）等年金	遺族（補償）等年金　遺族（補償）等一時金 葬祭料等（葬祭給付）
傷病（補償）等年金	

⑵　年金たる保険給付の受給権者が死亡し、当該年金たる保険給付について他に同順位の受給権者がいる場合に、同順位の受給権者が当該死亡に伴なう過誤払による返還金債権に係る債務の弁済をなすべき者であるときは、次表左欄に掲げる保険給付の種類に応じ、右欄に掲げる保険給付の支払金の金額を当該過誤払による返還金債権の金額に充当することができる。

過誤払された 年金たる保険給付	同順位の受給権者が死亡した場合の他の同順位の受給権者に支給すべき年金たる保険給付
遺族（補償）等年金	遺族（補償）等年金

（則10条の２、昭和55.12.5基発673号）

3 社会保険との併給調整

① 年金間の調整（法別表第1、令2条、4条、6条、法14条2項） 重要度A

★★★

Ⅰ **同一の事由**により、**障害補償年金**若しくは**傷病補償年金**又は**遺族補償年金**と厚生年金保険法の規定による**障害厚生年金**及び国民年金法の規定による**障害基礎年金**（同法第30条の4［**20歳前傷病による障害基礎年金**］**の規定による障害基礎年金を除く**。）又は**厚生年金保険法**の規定による**遺族厚生年金及び国民年金法**の規定による**遺族基礎年金**若しくは**寡婦年金**とが支給される場合にあっては、年金たる保険給付の額は、下表の政令で定める率を乗じて得た額（その額が、**政令で定める額を下回る場合**には、**当該政令で定める額**）とする。

R5-4イウオ

	障害厚生年金	障害基礎年金	障害厚生年金及び障害基礎年金
障害補償年金 傷病補償年金	0.83 0.88	0.88	0.73 R5-4ア

	遺族厚生年金	遺族基礎年金又は寡婦年金	遺族厚生年金及び遺族基礎年金
遺族補償年金	0.84	0.88	0.80 R5-4エ

Ⅱ **休業補償給付**を受ける労働者が**同一の事由**について厚生年金保険法の規定による**障害厚生年金**又は国民年金法の規定による**障害基礎年金**を受けることができるときは、当該労働者に支給する**休業補償給付**の額は、上記に定める率のうち**傷病補償年金**について定める率を乗じて得た額（**その額が政令で定める額を下回る場合には、当該政令で定める額**）とする。

【複数業務要因災害に係る給付と社会保険との調整（法20条の4,2項、法20条の5,3項、法20条の6,3項、法20条の8,2項）】

第5章 第1節

複数事業労働者障害年金、複数事業労働者傷病年金、複数事業労働者遺族年金、複数事業労働者休業給付についても同様の調整が行われる。
【通勤災害に係る給付と社会保険との調整（法22条の3,3項、法23条2項、法22条の4,3項、法22条の2,2項）】
障害年金、傷病年金、遺族年金、休業給付についても同様の調整が行われる。

概要

同一の事由により労災保険の年金給付と社会保険の年金給付が併給される場合には、社会保険の年金給付は全額支給されるが、労災保険の年金給付には一定の率（調整率）が乗じられ、減額支給される。

Check Point!

□ 休業（補償）等給付についても、傷病（補償）等年金について定められる調整率が乗じられ減額支給される。

1. 同一の事由により支給される給付

「同一の事由により支給される給付」は、受給権者が異なっていても併給調整の対象となる。例えば、労働者の死亡により残された生計維持関係のある遺族が、厚生労働省令で定める障害者である55歳未満の夫と18歳の年度末前の子である場合、遺族（補償）等年金の受給権者は当該夫、遺族厚生年金の受給権者は当該子となるが、このような場合であっても、夫の遺族（補償）等年金が減額支給される。

2. 国民年金法第30条の4［20歳前傷病による障害基礎年金］の規定による障害基礎年金との調整

福祉的な意味合いで支給される20歳前傷病による障害基礎年金は、何らかの公的制度から年金等が受給できる場合には、支給されないこととされている。したがって、労災保険の年金給付が支給される場合には、当該障害基礎年金は支給されず、労災保険の年金給付は減額されずに支給される。

（国年法36条の2,1項1号、国年令4条の8）

3. 「政令で定める額」が調整後の労災保険の支給額になる場合

次図Bのように「調整後の労災保険の年金額と社会保険の年金額の合計」が調整前の労災保険の年金額よりも少なくなってしまうときは、次図Cのように「政令で定める額（=調整前の労災保険の年金額から社会保険の年金額を控除した額)」が労災保険の年金支給額となる。なお、休業（補償）等給付の場合は、「調整前の休業（補償）等給付の額から併給される社会保険の年金額を365で除して得た額を減じた額」が「政令で定める額」となる。

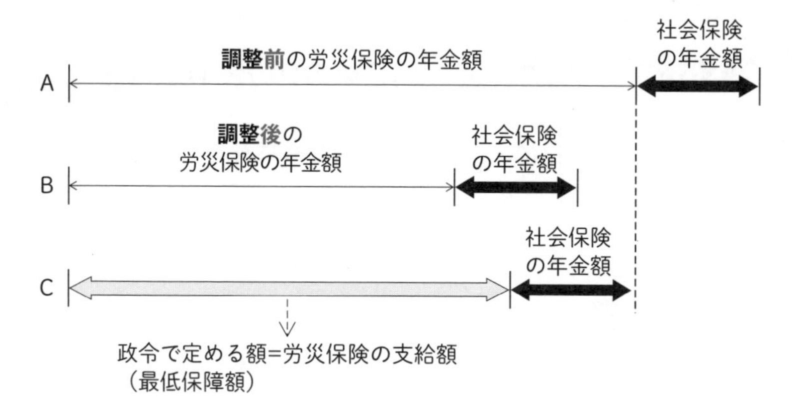

② 一時金間の調整（厚年法56条3号）重要度A ★★★

厚生年金保険法の規定による**障害の程度**を定めるべき日において、**当該傷病について**労働者災害補償保険法の規定による**障害補償給付**、**複数事業労働者障害給付**又は**障害給付**を受ける権利を有する者については、**障害手当金を支給しない**。

概要

同一の事由について、労災保険の障害（補償）等給付と障害手当金が併給される場合には、障害（補償）等給付が全額支給され、障害手当金は支給されない。

支給制限・一時差止め

① 絶対的支給制限（法12条の2の2,1項） 重要度A ★★★

労働者が、**故意に負傷**、**疾病**、**障害若しくは死亡**又は**その直接の原因となった事故**を生じさせたときは、**政府は、保険給付を行わない**。

H29-7E

Check Point!

□ 相対的支給制限と異なり、絶対的支給制限の対象となる保険給付は休業（補償）等給付、障害（補償）等給付及び傷病（補償）等年金に限定されていない。

1. 故意に

一般に故意とは、自分の行為が一定の結果を生ずべきことを認識し、かつ、この結果を生ずることを認容することをいう。ただし、被災労働者が結果の発生を認容していても業務との因果関係が認められる事故については、本項の適用はない。

参考 法第12条の２の２第１項の規定は、業務上とならない事故について確認的に定めたものであって、労働基準法第78条［休業補償及び障害補償の例外］の規定で、結果の発生を意図した故意によって事故を発生させたときは当然業務外とし、重大な過失による事故のみについて定めていることと対応するものである。したがって、被災労働者が結果の発生を認容していても業務との因果関係が認められる事故については、同項の適用がないのはいうまでもない。（昭和40.7.31基発901号）

2. 自殺の扱い

精神障害によらない自殺（いわゆる覚悟の自殺）の場合は、その主な動機が業務に関連するとしても、「故意」に該当するので、保険給付の対象とされない(業務上災害に被災し、今後の職業生活に絶望して自殺をした場合など)。

法第12条の２の２第１項の「故意」については、**結果の発生を意図した故意**であると解釈してきたところであるが、業務上の精神障害によって、正常の認識、行為選択能力が著しく阻害され、又は**自殺**行為を思いとどまる精神的な抑制力が著しく阻害されている状態で**自殺**が行われたと認められる場合には、**結果の発生を意図した故意**には該当しない取扱いとする。（平成11.9.14基発545号）

② 相対的支給制限（法12条の2の2,2項） 重要度 A ★★★

政府は、次の場合には保険給付の**全部又は一部を行わないことができる。**

i　**労働者**が**故意の犯罪行為**若しくは**重大な過失**により、**負傷、疾病、障害若しくは死亡若しくはこれらの原因となった事故**を生じさせ、又は**負傷、疾病若しくは障害の程度を増進**させ、若しくはその回復を妨げたとき。R2-1ABC R6-7ア

ii　**労働者**が**正当な理由がなくて療養に関する指示に従わない**ことにより、**負傷、疾病若しくは障害の程度を増進**させ、若しくは**その回復を妨げた**とき。H28-選B R2-1DE

Check Point!

□ 療養（補償）等給付、介護（補償）等給付、遺族（補償）等給付、葬祭料等（葬祭給付）及び二次健康診断等給付は、故意の犯罪行為又は重過失並びに療養に関する指示違反があった場合の支給制限の対象外である。

1. 故意の犯罪行為

「故意の犯罪行為」とは、事故の発生を意図した故意はないがその原因となる犯罪行為が故意によるものであることをいう。（昭和40.7.31基発901号）

2. 故意の犯罪行為又は重過失の場合の支給制限

労働者が故意の犯罪行為若しくは重大な過失により、負傷、疾病、障害若しくは死亡若しくはこれらの原因となった事故を生じさせ、又は負傷、疾病若しくは障害の程度を増進させ、若しくはその回復を妨げたときの支給制限の内容は次の通りである。

支給制限の対象となる保険給付	支給制限の内容
休業（補償）等給付 障害（補償）等給付 傷病（補償）等年金	保険給付のつど所定給付額の**30%**を減額する。ただし、**年金給付**については、**療養開始後3年以内**の期間に係る分に限る。

・故意の犯罪行為若しくは重大な過失を理由とする支給制限は、法令（労働基準法や道路交通法等）上の危害防止に関する規定で罰則の附されているものに違反すると認められる場合に適用される。

・労働基準法で支給制限の対象となるのは、休業補償と障害補償である〔労働者が

重大な過失によって業務上負傷し、又は疾病にかかり、且つ使用者がその過失について行政官庁の認定を受けた場合においては、休業補償又は障害補償を行わなくてもよい（労基法78条）〕。傷病（補償）等年金はその意味で本来は支給制限の対象外であるが、療養開始後3年を経過する日の属する月までの分については、休業（補償）等給付とみなして取り扱う。（昭和52.3.30基発192号）

3. 療養に関する指示違反の場合の支給制限

労働者が正当な理由がなくて療養に関する指示に従わないことにより、負傷、疾病若しくは障害の程度を増進させ、若しくはその回復を妨げたときの支給制限の内容は次の通りである。

支給制限の対象となる保険給付	支給制限の内容
休業（補償）等給付	事案1件につき、**10日分相当額**を減額
傷病（補償）等年金	事案1件につき、**年金額の10/365**相当額を減額

（同上）

❸ 一時差止め（法47条の3）　重要度A ★★★

政府は、**保険給付**を受ける権利を有する者が、**正当な理由がなくて**、第12条の7［保険給付に関する届出等］の規定による**届出をせず**、若しくは**書類その他の物件の提出をしない**とき、又は前2条［**労働者及び受給者の報告、出頭等及び受診命令**］**の規定による命令に従わないとき**は、**保険給付の支払**を**一時差し止める**ことができる。

概要

保険給付の支払を一時差し止めることができるのは次の場合である。

(1)　保険給付に関する**届出をしない**とき
(2)　書類その他の物件の**提出をしない**とき
(3)　労働者及び受給者の**報告**、**出頭等**及び**受診命令**に**従わない**とき

・一時差止めと支給停止

「保険給付の支払を一時差し止める」とは、金銭給付の支払を受給権者に対して一時的にしないことであり、差止め事由がなくなれば留保した金銭給付の支払を行うことになる（なお、「保険給付の支給を停止する」場合は、支給停止解除

事由に該当し支給を再開することとなっても、支給停止期間中の分については支払われない。)。

問題チェック H24-4D

政府は、保険給付を受ける権利を有する者が、正当な理由なく、行政の出頭命令に従わないときは、保険給付の支給決定を取り消し、支払った金額の全部又は一部の返還を命ずることができる。

解答 ×　　法47条の3

設問の場合には、保険給付の支払を一時差し止めることができるとされている。

費用徴収

① 事業主からの費用徴収（法31条1項） 重要度A ★★★

政府は、次のⅰからⅲのいずれかに該当する事故について保険給付を行ったときは、厚生労働省令で定めるところにより、**業務災害**に関する**保険給付**にあっては**労働基準法**の規定による**災害補償の価額の限度**又は**船員法**の規定による**災害補償**のうち**労働基準法**の規定による**災害補償に相当する災害補償の価額の限度**で、**複数業務要因災害**に関する保険給付にあっては**複数業務要因災害**を**業務災害**とみなした場合に支給されるべき**業務災害**に関する保険給付に相当する同法の規定による**災害補償の価額**（当該**複数業務要因災害**に係る**事業ごとに算定した額**に限る。）**の限度**で、**通勤災害**に関する保険給付にあっては**通勤災害**を**業務災害**とみなした場合に支給されるべき**業務災害**に関する保険給付に相当する同法の規定による**災害補償の価額の限度**で、その**保険給付**に要した費用に相当する金額の**全部又は一部を事業主から徴収**することができる。

ⅰ　**事業主が故意又は重大な過失**により徴収法第４条の２第１項の規定［**保険関係成立届の提出**］による**届出**であってこの保険［**労災保険**］**に係る保険関係の成立**に係るものをしていない期間（政府が当該事業について徴収法第15条第３項［**概算保険料の認定決定**］の規定による**決定をしたときは、その決定後の期間を除く**。）**中に生じた事故**

ⅱ　**事業主**が徴収法第10条第２項第１号の**一般保険料を納付しない期間**（徴収法第27条第２項の**督促状に指定する期限後の期間に限る**。）中に生じた事故

ⅲ　**事業主**が**故意又は重大な過失**により生じさせた**業務災害の原因**である事故

趣旨

事業主からの費用徴収制度は、事業主が労災保険に係る保険関係成立の手続を行わない期間中等に労災事故が発生した場合に、被災労働者に支給した保険給付額の全部又は一部を、事業主から徴収する制度であり、未手続等事業主の注意を喚起し労災保険の適用促進等を図ることを目的としている。

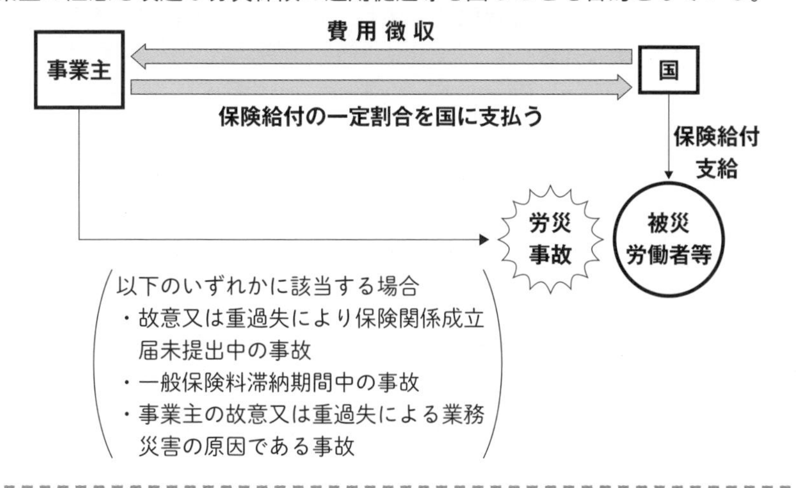

Check Point!

□ 事業主からの費用徴収についてまとめると次の通りである。

事業主が「故意」に保険関係成立の届出をしていない期間中の事故の場合	保険給付〔**療養**（補償）等給付、**介護**（補償）等給付及び**二次健康診断等給付**を除く〕の額の**100%**相当額が支給のつど徴収される。
事業主の「重過失」により保険関係成立の届出をしていない期間中の事故の場合	保険給付〔**療養**（補償）等給付、**介護**（補償）等給付及び**二次健康診断等給付**を除く〕の額の**40%**相当額が支給のつど徴収される。
一般保険料滞納中の事故の場合	保険給付〔**療養**（補償）等給付、**介護**（補償）等給付、**二次健康診断等給付**及び**再発**に係るものを除く〕の額に滞納率（上限40%）を乗じて得た額が支給のつど徴収される。
事業主の故意又は重過失による業務災害の原因である事故の場合	保険給付（**療養補償**給付、**介護補償**給付、**二次健康診断等**給付及び再発に係るものを除く）の額の30%相当額が支給のつど徴収される。

- □ 療養（補償）等給付、介護（補償）等給付、二次健康診断等給付並びに特別支給金の額については事業主からの費用徴収の対象とされない。

（昭和47.9.30基発643号、平成8.3.1基発95号、平成13.3.30基発233号）

- □ 費用徴収の対象となるのは、療養開始日（即死の場合は事故発生日）の翌日から起算して３年以内に支給事由が生じたもの（年金給付については、この期間に支給事由が生じ、かつ、この期間に支給すべき保険給付に限る。）に限られる。

・徴収額

事業主から費用徴収を行う場合の当該徴収金の額は、厚生労働省労働基準局長が保険給付に要した費用、保険給付の種類、一般保険料の納入状況その他の事情を考慮して定める基準に従い、所轄都道府県労働局長が定めるものとされており、具体的には、次の⑴から⑶のように取り扱われる。（則44条）

⑴ **故意又は重過失により保険関係成立の届出をしていない期間中の事故の場合**

① 事業主が**故意に労災保険に係る保険関係成立の届出をしていない期間中**に事故が生じた場合は、保険給付〔**療養（補償）等給付、介護（補償）等給付及び二次健康診断等給付を除く**〕の額の**100％相当額**が支給のつど徴収される。H27-4AB

② 事業主が**重大な過失により労災保険に係る保険関係成立の届出をしていない期間中**に事故が生じた場合は、①の保険給付の額の**40％相当額**が支給のつど徴収される。H27-4C

ただし、①②の徴収は**療養開始日（即死の場合は事故発生日）の翌日から起算して３年以内に支給事由が生じたもの**（年金給付については、この期間に支給事由が生じ、かつ、この期間に支給すべき保険給付に限る）に限られる。

参考（上記⑴①の場合）
行政機関から労災保険に係る保険関係成立届の提出について**指導等を受けたにもかかわらず、10日以内にその提出を行っていない**事業主については、「**故意に**」その提出を行っていないものと認定される。H27-4AB R元-選D

（上記⑴②の場合）
行政機関から労災保険に係る保険関係成立届の提出について**指導等を受けた事実はないが、保険関係の成立の日以降１年を経過してなおその提出を行っていない**事業主については、「**重大な過失により**」その提出を行っていないものと認定される。H27-4C R元-選E
上記⑴②の場合であっても、下記のいずれかの事情が認められるときは、事業主の重大な過失として認定しない。
①事業主が、その雇用する労働者について、労働者に該当しないと誤認したために保険

関係成立届を提出していなかった場合（当該労働者が取締役の地位にある等労働者性の判断が容易でなく、事業主が誤認したことについてやむを得ない事情が認められる場合に限る。） H27-4D

②事業主が、本来独立した事業として取り扱うべき出張所等について、独立した事業には該当しないと誤認したために、当該事業の保険関係について直近上位の事業等他の事業に包括して手続をとっている場合 H27-4E

（令和5.7.20基発0720第１号）

⑵ 一般保険料滞納中の事故の場合

事業主が一般保険料を納付しない期間（督促状に指定する期限後の期間に限る）中に事故が生じた場合は、保険給付〔**療養（補償）等給付、介護（補償）等給付、二次健康診断等給付及び再発に係るものを除く**〕の額に滞納率（滞納額/納付すべき概算保険料額）を乗じて得た額が支給のつど徴収される。

ただし、**滞納率が40%を超えるときは40%**とする。

当該徴収は、**療養開始日（即死の場合は事故発生日）の翌日から起算して３年以内に支給事由が生じたもの**（年金給付については、この期間に支給事由が生じ、かつ、この期間に支給すべき保険給付に限る）に限られる。

上記の規定は、事業主が概算保険料のうち一般保険料を、督促状の指定期限内に納付しない場合（天災事変その他やむを得ない事由により保険料を納付することができなかったと認められる場合を除く）に適用することとされている。

⑶ 事業主の故意又は重過失による事故の場合

事業主が故意又は重大な過失により業務災害の原因である事故を生じさせた場合は、保険給付（**療養補償給付、介護補償給付、二次健康診断等給付及び再発に係るものを除く**）の額の**30%相当額**が支給のつど徴収される。

ただし、当該徴収は、**療養開始日（即死の場合は事故発生日）の翌日から起算して３年以内に支給事由が生じたもの**（年金給付については、この期間に支給事由が生じ、かつ、この期間に支給すべき保険給付に限る）に限られる。

参考 派遣労働者の被った業務災害が派遣元事業主の故意又は重大な過失により生じたものであるときは、当該派遣元事業主に対し法第31条第１項第３号の規定による費用徴収を行う。なお、派遣先事業主に対しては、法第31条第１項第３号の規定は適用されない。

（昭和61.6.30基発383号）

❷ 不正受給者からの費用徴収（法12条の3,1項、2項）重要度A

★★★

Ⅰ　**偽りその他不正の手段**により**保険給付**を受けた者があるときは、**政府**は、その**保険給付に要した費用に相当する金額**の**全部又は一部**をその者から徴収することができる。H27-6ウ R2-2C R6-7オ

Ⅱ　Ⅰの場合において、**事業主**（徴収法第８条第１項［請負事業の一括］又は第２項［下請負事業の分離］の規定により**元請負人が事業主**とされる場合にあっては、当該**元請負人**。以下同じ。）が**虚偽の報告又は証明**をしたためその**保険給付**が行なわれたものであるときは、**政府**は、その**事業主**に対し、**保険給付を受けた者と連帯して**Ⅰの徴収金を納付すべきことを**命ずることができる**。R2-2D R6-7オ

参考 1.「事業主からの費用徴収」及び「不正受給者からの費用徴収」に係る徴収金の徴収については、労働保険料の徴収手続に準ずることとされている。また、政府が事業主又は不正受給者からその費用を徴収する権利は、これを行使することができる時から２年を経過したときに、時効によって消滅する。（法12条の3,3項、法31条４項、徴収法41条１項）

2．派遣労働者が偽りその他不正の手段により保険給付を受けた場合において、法第12条の３第２項の不正受給者からの費用徴収に係る連帯納付命令の規定は、派遣元事業主が不当に保険給付を受けさせることを意図して、事実と異なる報告又は証明を行ったものであるときに、派遣元事業主に対して適用する。なお、派遣先事業主に対しては、法第12条の３第２項の規定は適用されない。（昭和61.6.30基発383号）

第5章 第2節

損害賠償との調整

1 第三者行為災害による損害賠償との調整

① 求償及び控除（法12条の4） 重要度A ★★★

Ⅰ　**政府**は、**保険給付の原因である事故**が**第三者の行為**によって生じた場合において、**保険給付**をしたときは、その**給付の価額の限度**で、**保険給付を受けた者**が**第三者**に対して有する**損害賠償の請求権**を取得する。

Ⅱ　Ⅰの場合において、**保険給付を受けるべき者**が当該**第三者**から**同一の事由**について**損害賠償**を受けたときは、**政府**は、**その価額の限度**で**保険給付をしないことができる**。

趣旨

第三者行為災害に該当する場合には、被災労働者等は第三者に対し損害賠償請求権を取得すると同時に、労災保険の保険給付も受給することにもなり得るが、同一の事由について両者から重複して損害のてん補を受けることとなれば、実際の損害額より多くの支払を受けることになる。更に、被災労働者等にてん補されるべき損害は、政府によってではなく、災害の原因となった加害行為等に基づき損害賠償責任を負う第三者が負担すべきものであると考えられている。

このような理由から、労災保険法では、第三者行為災害に関する労災保険給付と民事損害賠償との支給調整を定めている。

Check Point!

□「第三者」とは、保険者（政府）、加入者（事業主）及び保険給付の受給権者（労働者、遺族等）以外の者をいう。

□ 第三者行為災害の場合は、**2**「民事損害賠償との調整」の場合と異なり、転給により遺族（補償）等年金の受給権者となった者に対しても調整が行われる。

1. 調整の方法

(1) 労災保険給付先行の場合（上記Ⅰ）

先に政府が労災保険給付をしたときは、政府は、保険給付の受給権者が当該第三者に対して有する損害賠償請求権を労災保険給付の価額の限度で取得するものとされている（**求償**）。

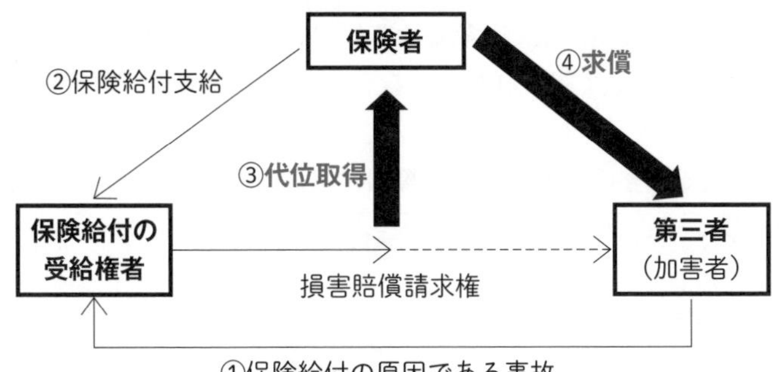

(2) 損害賠償先行の場合（上記Ⅱ）

保険給付が行われる前に受給権者が第三者から損害賠償を受けたときは、政府は、その価額の限度で労災保険給付をしないことができることとされている（**控除**）。

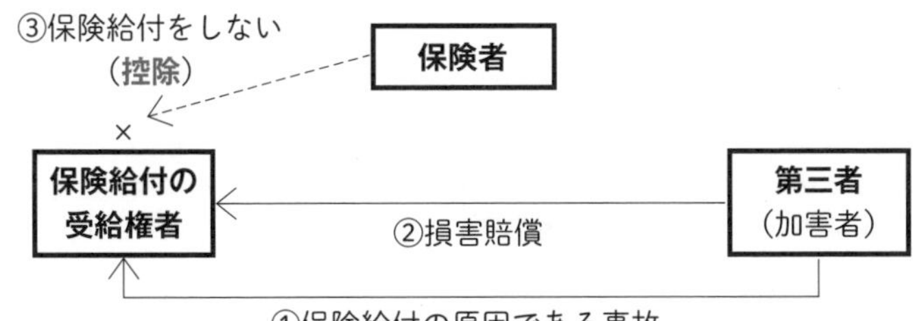

参考 労働者災害補償保険法第12条の４は、事故が第三者の行為によって生じた場合において、受給権者に対し、政府が先に保険給付をしたときは、受給権者の第三者に対する損害賠償請求権は右給付の価額の限度で当然国に移転し（第１項）、第三者が先に損害賠償をしたときは、政府はその価額の限度で保険給付をしないことができると定め（第２項）、受給権者に対する第三者の損害賠償義務と政府の保険給付義務とが**相互補完**の関係にあり、同一の事由による損害の**二重塡補**を認めるものではない趣旨を明らかにしている。

H27-選DE（最三小平成元.4.11高田建設従業員事件）

2. 調整の範囲

政府が取得する損害賠償請求権（**求償権**）の範囲は、受給権者（遺族を含む）が第三者に対して請求し得る損害賠償額（**慰謝料の額、物的損害に対する損害賠償額を除く**）のうち、**保険給付をした価額の限度に限られる**。

また、政府がその価額の限度で保険給付をしないこと（**控除**）ができるのは、同一の事由につき損害賠償を受けた場合、すなわち、保険給付のなされるべき事由と同一の事由に基づく損害賠償額の全部又は一部を受給権者が受けた場合に限られる。したがって、受給権者が第三者より**慰謝料、見舞金、香典等精神的苦痛に対する損害賠償又は贈与と認められる金額を得た場合は、原則として、これに該当しない**。 (昭和32.7.2基発551号)

なお、保険給付の支給調整の対象となる民事損害賠償の損害項目は、**逸失利益**(災害がなければ稼働して得られたであろう賃金分)、**療養費、葬祭費用**並びに**介護損害**である。

■保険給付の支給調整の対象となる民事損害賠償の損害項目

支給調整を行う労災保険給付	民事損害賠償の損害項目
障害(補償)等給付 遺族(補償)等給付 傷病(補償)等年金 休業(補償)等給付	逸失利益
介護(補償)等給付	介護損害
療養(補償)等給付	療養費
葬祭料等(葬祭給付)	葬祭費用

参考 (損害賠償額算定に当たっての過失相殺と労災保険給付の控除との先後関係)
労災保険法に基づく保険給付の原因となった事故が第三者の行為により惹起され、第三者が当該行為によって生じた損害につき賠償責任を負う場合において、当該事故により被害を受けた労働者に過失があるため損害賠償額を定めるにつきこれを一定の割合で斟酌すべきときは、保険給付の原因となった事由と同一の事由による損害の賠償額を算定するには、当該損害の額から過失割合による減額をし、その残額から当該保険給付の価額を控除する方法によるのが相当である。 H29-6C (最三小平成元.4.11高田建設従業員事件)

3. 損害賠償との調整期間

(1) 求償

政府が取得する損害賠償請求権の行使は、受給権者が保険給付の事由と同一の事由につき第三者に対して請求し得る損害賠償の額の範囲内において、**災害発生後5年以内**に支給事由の生じた労災保険給付であって、災害発生後5年以内に保険給付を行ったものにつきその支払の都度行う。

(昭和41.6.17基発610号、昭和52.3.30基発192号、平成25.3.29基発0329第11号、令和2.3.30基発0330第33号)

(2) 控除

控除を行う期間については、**災害発生後7年以内**に支給事由の生じた労災保険給付であって、**災害発生後7年以内**に支払うべきものを限度として行うこととする。 (平成25.3.29基発0329第11号)

4. 示談の扱い

受給権者と第三者との間に**示談**が行われた場合であって、**示談**が次の事項の全部を充たしているときには、政府は、保険給付を行わないこととされている。

(1) その**示談**が**真正に成立**していること。
次のような場合には、真正に成立した示談とは認められない。
① 当該示談が錯誤又は心裡留保に基づく場合
② 当該示談が、詐欺又は**強迫**に基づく場合

(2) その**示談**の内容が、受給権者の第三者に対して有する損害賠償請求権（保険給付と同一の事由に基づくものに限る。）の**全部のてん補**を目的としていること。
（昭和38.6.17基発687号）

参考（第三者行為災害と示談の効果）
補償を受けるべき者が、第三者から損害賠償を受け又は第三者の負担する損害賠償債務を免除したときは、その限度において損害賠償請求権は消滅するのであるから、政府がその後保険給付をしても、その請求権がなお存することを前提とする法定代位権の発生する余地はない。 H29-6E
（最三小昭和38.6.4損害賠償請求事件）

5. 転給者との調整等

転給による遺族（補償）等年金の受給権者に対し年金の給付を行った場合においては、当該転給による受給権者が第三者に対して請求し得る損害賠償の額の範囲内において求償が行われる。また、その者が同一の事由に基づき第三者から損害賠償を受けたときは、その額に相当する額を限度として年金の支給が調整される。
（昭和41.6.17基発610号）

6. 第三者行為災害届

保険給付の原因である事故が第三者の行為によって生じたときは、**保険給付を受けるべき者は**、その事実、第三者の氏名及び住所（第三者の氏名及び住所がわからないときは、その旨）並びに被害の状況を、**遅滞なく**、**所轄労働基準監督署長**に届け出なければならない。 R元-2イ
（則22条）

参考（派遣先事業主に係る第三者行為災害の取扱いについて）
派遣労働者の被った労働災害が派遣先事業主を第三者とする第三者行為災害に該当する場合（次の①又は②に該当する場合）において、政府が保険給付をしたときは、政府はその給付の価額の限度で当該派遣労働者が派遣先事業主に対して有する損害賠償の請求権を取得し、求償することとなる。
①直接の加害行為が存在する場合
②直接の加害行為は存在しないが、派遣労働者の被った労働災害の直接の原因が派遣先事業主の安全衛生法令違反にあると認められる場合
（平成24.9.7基発0907第4号）

問題チェック H15-5D

保険給付の原因である事故が第三者の行為によって生じた場合において保険給付を受けるべき者が当該第三者から同一の事由について損害賠償を受けることができるときは、政府は、その価額の限度で保険給付をしないことができる。

解答 ×　法12条の4,2項

政府が保険給付をしないことができるのは、保険給付を受けるべき者が、当該第三者から損害賠償を「受けたとき」であり、「受けることができるとき」ではない。

2 民事損害賠償との調整

① 概要 重要度B

★★

業務災害、複数業務要因災害又は通勤災害が、事業主の安全配慮義務違反（民法415条）、不法行為（民法709条）、使用者責任（民法715条）、工作物瑕疵（民法717条）等が原因で発生した場合には、事業主に損害賠償を行う義務が発生する。

この場合、被災労働者又はその遺族は、労災保険の保険給付の受給権と事業主からの民事損害賠償請求権を有することになるが、両方の請求権を認めると損害のてん補を二重に受けることになる。また、事業主は、労災保険における保険利益を失うことになる。

このような不合理を避けるため、民事損害賠償と労災保険給付の間で一定の調整が行われる。

Check Point!

□ ❷「民事損害賠償側での調整」の規定により猶予・免責が行われるのは、将来分の一定部分について一括一時金で確実に給付が行われる場合〔前払一時金制度のある年金給付である遺族（補償）等年金又は障害（補償）等年金を受けることができる場合〕に限られるが、❸「労災保険給付側での調整」の規定による控除においては、重複てん補を回避するための調整規定として、保険給付の種類を限定していない。

② 民事損害賠償側での調整（法附則64条1項） 重要度B

★★

労働者又はその遺族が障害補償年金若しくは**遺族補償年金**、**複数事業労働者障害年金**若しくは**複数事業労働者遺族年金又は障害年金**若しくは**遺族年金**（以下「**年金給付**」という。）を受けるべき場合（当該**年**

金給付を受ける権利を有することとなった時に、当該**年金給付**に係る**前払一時金給付**※を請求することができる場合に限る。）であって、**同一の事由**について、当該労働者を使用している事業主又は使用していた事業主から民法その他の法律による**損害賠償**（当該**年金給付**によって塡補される損害を塡補する部分に限る。）を受けることができるときは、当該**損害賠償**については、当分の間、次のⅰ及びⅱに定めるところによるものとする。

※　障害補償年金前払一時金若しくは遺族補償年金前払一時金、**複数事業労働者障害年金前払一時金**若しくは**複数事業労働者遺族年金前払一時金**、障害年金前払一時金若しくは遺族年金前払一時金をいう。

ⅰ　事業主は、当該労働者又はその遺族の**年金給付**を受ける権利が消滅するまでの間、その損害の発生時から当該**年金給付**に係る**前払一時金給付**を受けるべき時までのその損害の発生時における**法定利率**により計算される額を合算した場合における当該合算した額が当該**前払一時金給付**の**最高限度額**に相当する額となるべき額（ⅱの規定により**損害賠償の責めを免れた**ときは、その**免れた額**を控除した額）の限度で、その**損害賠償の履行をしないことができる**。

ⅱ　ⅰの規定により**損害賠償の履行が猶予**されている場合において、**年金給付**又は**前払一時金給付**の支給が行われたときは、事業主は、その損害の発生時から当該支給が行われた時までのその損害の発生時における**法定利率**により計算される額を合算した場合における当該合算した額が**当該年金給付**又は**前払一時金給付**の額となるべき額の限度で、その**損害賠償の責めを免れる**。

Check Point!

□ 民事損害賠償側での調整の対象となる保険給付は、障害（補償）等年金及び遺族（補償）等年金である。

1. 履行猶予・免責

前払一時金給付を請求することができる障害（補償）等年金又は遺族（補償）等年金の受給権者が、同一の事由について、事業主からこれらの年金給付に相当する民事損害賠償を受けることができるときは、まず、その事業主は、これらの者の年金受給権が消滅するまでの間、前払一時金給付の最高限度額の法定利率（損害発生時によるもの）による現価の限度で、**損害賠償の履行が猶予され**、そして、年金受給権者に労災保険から年金給付又は前払一時金給付が支給される都度、その支給額の法定利率（損害発生時によるもの）による現価の限度で**損害賠償の責任が免除される**（**免責**）。

⑴　**履行猶予額**

損害賠償の履行猶予額は次のように算定する。

履行猶予額　＝　［前払一時金給付の最高限度額］　－　［損害発生時から前払一時金を受けるべき時までの期間につきその損害発生時における法定利率により計算される額］

⑵　**免責額**

損害賠償の免責額は次のように算定する。

免責額　＝　［年金給付又は前払一時金給付の支給額］　－　［損害発生時から年金又は前払一時金を受けた時までの期間につきその損害発生時における法定利率により計算される額］

2.　調整の範囲

慰謝料、物的損害等が調整の対象とされないのは、第三者行為災害の場合と同様である。当該調整対象となる損害賠償額は、年金給付によって塡補される部分に限るので、労災保険の年金給付の塡補対象となる部分を超えて行われた損害賠償部分（上積分）は当該調整の対象とならない。また、既支給の年金給付によって既に塡補された部分も当該調整の対象とならない。（昭和56.10.30基発696号）

参考（労災保険給付と損害賠償との調整）

政府が保険給付をしたことによって、受給権者の使用者に対する損害賠償請求権が失われるのは、右保険給付が損害の塡補の性質をも有する以上、**政府が現実に保険金を給付して損害を塡補したときに限られ**、いまだ現実の給付がない以上、たとえ将来にわたり継続して給付されることが確定していても、受給権者は使用者に対し損害賠償の請求をするにあたり、このような将来の給付額を損害賠償債権額から控除することを要しないと解するのが、相当である。（最三小昭和52.10.25三共自動車事件）

（損益相殺的調整の対象となる損害）

労災保険法に基づく保険給付は、その制度の趣旨目的に従い、特定の損害について必要額を塡補するために支給されるものであり、遺族補償年金は、労働者の死亡による遺族の**被扶養利益の喪失**を塡補することを目的とするものであって、その塡補の対象とする損害は、被害者の死亡による逸失利益等の消極損害と同性質であり、かつ、相互補完性があるものと解される。他方、損害の元本に対する遅延損害金に係る債権は、飽くまでも債務者の履行遅滞を理由とする損害賠償債権であるから、遅延損害金を債務者に支払わせることとしている目的は、遺族補償年金の目的とは明らかに異なるものであって、遺族補償年金

第5章 第2節

による塡補の対象となる損害が、遅延損害金と同性質であるということも、相互補完性があるということもできない。R6-選E
したがって、被害者が不法行為によって死亡した場合において、その損害賠償請求権を取得した相続人が遺族補償年金の支給を受け、又は支給を受けることが確定したときは、損害賠償額を算定するに当たり、上記の遺族補償年金につき、その塡補の対象となる**被扶養利益の喪失**による損害と同性質であり、かつ、相互補完性を有する逸失利益等の消極損害の元本との間で、損益相殺的な調整を行うべきものと解するのが相当である。（中略）被害者が不法行為によって死亡した場合において、その損害賠償請求権を取得した相続人が遺族補償年金の支給を受け、又は支給を受けることが確定したときは、制度の予定するところと異なってその支給が著しく遅滞するなどの特段の事情のない限り、その塡補の対象となる損害は不法行為の時に塡補されたものと法的に評価して損益相殺的な調整をすることが公平の見地からみて相当であるというべきである。H29-6B R6-選E

（最大判平成27.3.4フォーカスシステムズ労災遺族年金事件）

3. 前払一時金給付を請求することができる場合

先順位の受給権者が前払一時金を受けた後に失権することにより遺族（補償）等年金の受給権者となった者のように前払一時金給付を請求できない者については、「受給権を取得したときに前払一時金給付を請求することができる場合」に該当しないため、当該調整規定は適用されない。

一方、損害賠償を請求し、その損害賠償額を算定する時点で時効等により前払一時金給付の権利行使の制限期間を徒過しているために前払一時金給付を請求できないだけであるときは、「受給権を取得したときに前払一時金給付を請求することができる場合」に該当するので、当該調整規定が適用される。

❸ 労災保険給付側での調整（法附則64条2項）

重要度 B ★★

労働者又はその**遺族**が、当該労働者を使用している**事業主**又は使用していた**事業主**から**損害賠償**を受けることができる場合であって、**保険給付を受けるべきとき**に、**同一の事由**について、**損害賠償**（**当該保険給付によって塡補される損害を塡補する部分に限る。**）を受けたときは、**政府**は、**労働政策審議会の議**を経て**厚生労働大臣**が定める基準により、その**価額の限度**で、**保険給付をしないことができる**。ただし、前項に規定する**年金給付**［**民事損害賠償側での調整の規定により前払一時金給付を請求することができる場合の年金給付**］を受けるべき場合において、次に掲げる保険給付については、この限りでない。

i　**年金給付**〔労働者又はその遺族に対して、各月に支給されるべき額の合計額が厚生労働省令で定める算定方法に従い当該**年金給**

付に係る**前払一時金給付の最高限度額**（当該**前払一時金給付**の支給を受けたことがある者にあっては、当該支給を受けた額を控除した額とする。）に相当する額に達するまでの間についての年金給付に限る。〕

ii　**障害補償年金差額一時金**及び第16条の６第１項第２号の場合［遺族補償年金の受給権者が**全員失権した場合**］に支給される**遺族補償一時金**、**複数事業労働者障害年金差額一時金**及び第20条の６第３項において読み替えて準用する第16条の６第１項第２号の場合［複数事業労働者遺族年金の受給権者が全員失権した場合］に支給される**複数事業労働者遺族一時金**並びに**障害年金差額一時金**及び第22条の４第３項において読み替えて準用する第16条の６第１項第２号の場合［遺族年金の受給権者が**全員失権した場合**］に支給される**遺族一時金**

iii　**前払一時金給付**

Check Point!

□ 原則として、前払一時金給付の最高限度額に達するまでの年金給付、障害（補償）等年金差額一時金、失権差額一時金及び前払一時金給付は、労災保険給付側での調整の対象とならない。

1．調整対象

労働者又はその遺族が事業主から保険給付の事由と同一の事由について損害賠償を受けたときは、政府は、厚生労働大臣が定める基準により、その価額の限度で、保険給付をしないことができる。

ただし、当該労働者等が前払一時金給付を請求することができる年金給付を受けるべき場合においては、**前払一時金給付の最高限度額**に達するまでの年金給付〔障害（補償）等年金差額一時金、遺族（補償）等年金の受給権者が全員失権した場合に支給される遺族（補償）等一時金又は前払一時金給付として支給される部分を含む。〕については損害賠償を受けても支給調整（控除）されない。

（則附則53項）

2．労災保険給付の支給調整基準

事業主から損害賠償が行われた場合の労災保険給付の支給調整基準について、

主なものをあげると以下の通りである。

(1) 労災保険の給付に**上積みして支給される**企業内労災補償、示談金、和解金、見舞金等については、原則として**調整対象としない**。

(2) **転給により受給権を取得した者**については、**支給調整は行わない**。

(3) 調整対象となる損害賠償額には、受給権者本人以外の遺族が受けた損害賠償額は含まれない。 （昭和56.6.12発基60号、昭和56.10.30基発696号）

3. 支給調整期間

支給調整は、次の期間を限度として行われる。

(1) 障害（補償）等年金及び遺族（補償）等年金は、前払一時金の最高限度額に相当する額の年金が支給される期間が満了する月から起算して９年が経過するまでの期間

(2) 傷病（補償）等年金は、年金の支給事由が発生した月の翌月から起算して９年が経過するまでの期間

(3) 休業（補償）等給付は、災害発生日から起算して９年が経過するまでの期間

(4) **就労可能年齢**※を超えるに至ったときは、その超えるに至ったときまでの期間

※ 「就労可能年齢」は、被災した際の年齢別に定められている。

（平成5.3.26発基29号）

4. 調整の範囲

保険給付の支給調整の対象となる民事損害賠償の損害項目は、逸失利益（災害がなければ稼働して得られたであろう賃金分）、療養費、葬祭費用並びに介護損害である（**1** **1**「**求償及び控除**」2.「**調整の範囲**」と同様）。

参考（「同一の事由」の意義）
政府が被災労働者に対し労災保険法に基づく保険給付をしたときは、当該労働者の使用者に対する損害賠償請求権は、その保険給付と同一の事由については損害の填補がされたものとしてその給付の価額の限度において減縮するが、同一の事由の関係にあることを肯定できるのは、財産的損害のうちの消極損害（いわゆる逸失利益）のみであり、保険給付が消極損害の額を上回るとしても、当該超過分を、財産的損害のうちの積極損害（入院雑費、付添看護費を含む。）及び精神的損害（慰謝料）を填補するものとして、これらとの関係で控除することは許されない。 H29-6A （最二小昭和62.7.10青木鉛鉄事件）

第6章
社会復帰促進等事業

社会復帰促進等事業の概要

❶ 社会復帰促進等事業の種類（法29条1項、3項）重要度B

★★

Ⅰ　**政府**は、労働者災害補償保険の適用事業に係る**労働者及びその遺族**について、**社会復帰促進等事業**として、次の事業を行うことができる。H29-3ア　R元-7A

ⅰ　**療養に関する施設**及び**リハビリテーションに関する施設**の**設置及び運営**その他**業務災害、複数業務要因災害及び通勤災害**を被った労働者（以下「**被災労働者**」という。）の**円滑な社会復帰を促進**するために必要な事業

ⅱ　**被災労働者**の**療養生活の援護**、被災労働者の受ける**介護の援護**、その**遺族の就学の援護**、被災労働者及びその遺族が必要とする**資金の貸付けによる援護**その他**被災労働者及びその遺族の援護**を図るために必要な事業 R元-7BCD

ⅲ　**業務災害の防止**に関する活動に対する**援助**、**健康診断に関する施設の設置及び運営**その他労働者の**安全及び衛生の確保**、**保険給付の適切な実施の確保**並びに**賃金の支払の確保**を図るために必要な事業 R元-7E　R5-選DE

Ⅱ　**政府**は、Ⅰの**社会復帰促進等事業**のうち、**独立行政法人労働者健康安全機構法**に掲げるものを**独立行政法人労働者健康安全機構**に行わせるものとする。

概要

社会復帰促進等事業の種類は次の通りである。

社会復帰促進等事業
- 社会復帰促進事業（労災病院の設置・運営等）
- 被災労働者等援護事業（特別支給金の支給等）
- 安全衛生確保等事業（未払賃金の立替払事業等）

Check Point!

- □ 特別支給金、労災就学援護費、労災就労保育援護費、休業補償特別援護金の支給の事務は所轄労働基準監督署長が行う。 (昭和57.5.26基発361号)
- □ 社会復帰促進等事業は、政府が統括して行うが、その一部については、独立行政法人労働者健康安全機構が行っている。

参考 1.社会復帰促進等事業

(1)上記Ⅰⅰに掲げる事業として、義肢等補装具費の支給、外科後処置、労災はり・きゅう施術特別援護措置、アフターケア、アフターケア通院費の支給、振動障害者社会復帰援護金の支給及び頭頸部外傷症候群等に対する職能回復援護を行うものとする。 (則24条)

(2)上記Ⅰⅱに掲げる事業として、労災就学援護費、労災就労保育援護費、休業補償特別援護金及び長期家族介護者援護金の支給を行うものとする。 (則32条)

(3)上記Ⅰⅲに掲げる事業として、働き方改革推進支援助成金及び受動喫煙防止対策助成金を支給するものとする。 (則38条)

2.独立行政法人労働者健康安全機構は、次のような業務等を行っている。

(1)**労災病院等**の療養施設の設置・運営

(2)労働者の健康に関する業務を行う者に対して研修、情報の提供、相談その他の援助を行うための施設の設置・運営

(3)事業場における災害の予防に係る事項並びに労働者の健康の保持増進に係る事項及び職業性疾病の病因、診断、予防その他の職業性疾病に係る事項に関する総合的な調査及び研究を行うこと ((4)に掲げるものを除く。) H29-3イ

(4)化学物質で労働者の健康障害を生ずるおそれのあるものの有害性の調査を行うこと

(5)(3)(4)に掲げる業務に係る成果を普及すること

(6)**未払賃金の立替払**

(7)納骨堂の設置・運営 (独立行政法人労働者健康安全機構法12条1項)

1. 社会復帰促進事業

被災労働者の円滑な社会復帰を促進するために必要な事業として、例えば以下のような事業が行われている。

(1) 労災病院等の設置・運営

社会復帰促進事業として、労災病院※等の設置・運営が行われている。

※ 「労災病院」とは、労働災害による一般診療の他、外科後処置、義肢補装具の支給、リハビリテーション等の指導も行う施設であり、**独立行政法人労働者健康安全機構**が設置・運営する。

(2) 外科後処置等

社会復帰促進事業として、義肢装着のための再手術等の外科後処置※及びこれに係る旅費の支給が行われている。

※ 「外科後処置」とは、傷病が治ゆした後において行う義肢装着のための再手術、顔面醜状の整形手術、理学療法等をいい、労災病院等において行われている。

第6章

⑶　アフターケア

業務災害、複数業務要因災害又は通勤災害により、せき髄損傷、頭頸部外傷症候群、慢性肝炎、振動障害等の傷病にり患した者については、その症状が固定した後においても後遺症状に動揺をきたす場合や後遺障害に付随する疾病を発症する場合があることから、20傷病について、必要に応じ予防その他の保健上の措置として診察、保健指導、検査などを実施するものである。

H29-3ウ

⑷　義肢等補装具費の支給

社会復帰促進事業として、義肢や義眼等の購入又は修理に要した費用の支給及びこれらの装着等に係る旅費の支給が行われている。

2. 被災労働者等援護事業

被災労働者及びその遺族の援護を図るために必要な事業として、例えば以下のような事業が行われている。

⑴　特別支給金の支給

2 で詳細を述べる。

⑵　労災就学援護費

被災労働者やその子弟又はその遺族の学費の援助をする制度であり、在学者の区分に応じ、在学者１人につき一定額を支給するものである。なお、労災就学援護費は、他の育英制度による奨学金と異なり、返還を要しない。また、他の奨学金制度の奨学金を受けても減額されない。

（令和2.8.21基発0821第１号）

①　支給対象者

労災就学援護費の支給を受ける者は、在学している年金受給権者〔障害（補償）等年金の場合は障害等級３級以上の年金受給権者〕、又は、被災労働者の子であって在学している者と同一生計にある年金受給権者である。

なお、労災就学援護費は**業務災害による年金の受給権者に限らず、複数業務要因災害又は通勤災害による年金の受給権者に対しても支給される**。

（同上）

②　欠格事由

労災就学援護費に係る在学者等が次のいずれかに該当した場合には、その該当月の翌月以降原則として、労災就学援護費の支給は行われない。

ⓐ　**婚姻をしたとき**

ⓑ　直系血族又は直系姻族以外の者の養子となったとき

ⓒ　離縁によって死亡した労働者との親族関係が終了したとき

（令和2.8.21基発0821第１号）

参考（労災就学援護費の支給対象者等）

１．支給対象者

労災就学援護費は、次のいずれかに該当する者に対して、支給するものとする。ただし、遺族（補償）等年金、障害（補償）等年金又は傷病（補償）等年金に係る年金給付基礎日額が16,000円を超える場合には、この限りでない。

⑴遺族（補償）等年金を受ける権利を有する者のうち、学校教育法に規定する学校（幼稚園を除く。）若しくは同法に規定する専修学校（一定のものに限る。）に在学している者又は公共職業能力開発施設において職業能力開発促進法施行規則に規定する普通課程の普通職業訓練若しくは専門課程若しくは応用課程の高度職業訓練（職業能力開発総合大学校において行われるものを含む。）を受ける者若しくは公共職業能力開発施設に準ずる施設において実施する教育、訓練、研修、講習その他これらに類するもの（以下「教育訓練等」という。）として厚生労働省労働基準局長が定めるものを受ける者（以下「在学者等」という。）であって、学資又は職業訓練若しくは教育訓練等に要する費用（以下「学資等」という。）の支給を必要とする状態にあるもの R4-2B

⑵遺族（補償）等年金を受ける権利を有する者のうち、労働者の死亡の当時その収入によって生計を維持していた当該労働者の子（当該労働者の死亡の当時胎児であった子を含む。）で現に在学者等であるものと生計を同じくしている者であって、当該在学者等に係る学資等の支給を必要とする状態にあるもの

⑶別表第１の障害等級第１級、第２級若しくは第３級の障害（補償）等年金を受ける権利を有する者のうち、在学者等であって、学資等の支給を必要とする状態にあるもの

⑷障害（補償）等年金を受ける権利を有する者のうち、在学者等である子と生計を同じくしている者であって、当該在学者等に係る学資等の支給を必要とする状態にあるもの R4-2B

⑸傷病（補償）等年金を受ける権利を有する者のうち、在学者等である子と生計を同じくしている者であり、かつ傷病の程度が重篤な者であって、当該在学者等に係る学資等の支給を必要とする状態にあるもの R4-2A

２．支給額

労災就学援護費の額は、次の通りとする。

対象者	支給額（月額）
⑴　小学校、義務教育学校の前期課程又は特別支援学校の小学部に在学する者	15,000円/人 R4-2CD
⑵　中学校、義務教育学校の後期課程、中等教育学校の前期課程又は特別支援学校の中学部に在学する者	21,000円/人（通信制課程に在学する者は18,000円/人） R4-2C
⑶　高等学校、中等教育学校の後期課程、特別支援学校の高等部、高等専門学校（第1学年から第3学年までに限る。）若しくは専修学校の高等課程若しくは一般課程に在学する者　等	20,000円/人（通信による教育を行う課程に在学する者は17,000円/人）
⑷　大学、高等専門学校の第４学年、第５学年若しくは専攻科若しくは専修学校の専門課程に在学する者　等	39,000円/人（通信による教育を行う課程に在学する者は30,000円/人） R4-2E

（則33条１項、２項、令和5.3.31基発0331第47号）

（労災就学援護費不支給決定の処分性）

労働基準監督署長の行う労災就学援護費の支給又は不支給の決定は、法を根拠とする優越的地位に基づいて一方的に行う公権力の行使であり、被災労働者又はその遺族の権利に直接影響を及ぼす法的効果を有するものであるから、抗告訴訟の対象となる行政処分に当た

第6章

るものと解するのが相当である。H29-7B

（最一小平成15.9.4中央労基署長（労災就学援護費）事件）

(3) 労災就労保育援護費

被災労働者やその子弟又はその遺族の保育費の援助をする制度であり、支給要件、欠格事由、手続等は、労災就学援護費の場合とほぼ同様である。なお、その支給額は、要保育児１人につき、月額9,000円である。

（令和2.8.21基発0821第１号）

(4) 休業補償特別援護金

事業場廃止等により労働基準法の規定による待期期間中の休業補償を受けることができない労働者に対して、休業補償給付の３日分を支給する制度である。

（平成25.5.31基発0531第3号）

3. 安全衛生確保等事業

安全衛生確保等事業として、事業主に対する労働災害の防止に関する啓蒙指導（講習会、パンフ配布等）、労働災害防止協会に対する補助金の支給や、労働者の未払賃金につき一定範囲内において国が事業主に代わって立替払を行う**未払賃金の立替払事業**が行われている。

未払賃金の立替払事業は、労災保険の適用事業の労働者を対象として行われるので、労災保険の暫定任意適用事業で労災保険に加入手続を取っていない事業の労働者は対象外である（詳細は『よくわかる社労士 合格テキスト６　労働に関する一般常識（賃金の支払の確保等に関する法律）』で学習する。）。

2 特別支給金

① 種類等 重要度A

★★★

Ⅰ　特別支給金とは、保険給付に上乗せして支給される金銭給付であり、次の２つに大別される。

　ｉ　定率又は定額の特別支給金

　ⅱ　特別給与を算定基礎とする特別支給金

Ⅱ　特別支給金と保険給付の関係をまとめると以下のようになる。

<table>
<tr><td>特別給与を算定基礎とする特別支給金</td><td></td><td>傷病
特別年金</td><td>障害
特別年金</td><td>障害
特別一時金</td><td>遺族
特別年金</td><td>遺族
特別一時金</td></tr>
<tr><td>定率又は定額の特別支給金</td><td>休業
特別支給金
（定率支給）</td><td>傷病
特別支給金
（定額支給）</td><td colspan="2">障害特別支給金
（定額支給）</td><td colspan="2">遺族特別支給金
（定額支給）</td></tr>
<tr><td>保険給付</td><td>休業
（補償）等
給付</td><td>傷病
（補償）等
年金</td><td>障害
（補償）等
年金</td><td>障害
（補償）等
一時金</td><td>遺族
（補償）等
年金</td><td>遺族
（補償）等
一時金</td></tr>
</table>

Check Point!

- □ 特別給与を算定基礎とする特別支給金は、原則として、特別加入者には支給されない。H28-7D
- □ 療養（補償）等給付、介護（補償）等給付、葬祭料等（葬祭給付）及び二次健康診断等給付に附帯する特別支給金はない。

② 定率又は定額の特別支給金 重要度A

1 休業特別支給金（支給金則3条1項）

★★★

休業特別支給金は、労働者（法の規定による**傷病補償年金**、**複数事業労働者傷病年金**又は**傷病年金**の受給権者を除く。）が**業務上の事由**、

複数事業労働者の２以上の事業の業務を要因とする事由又は通勤による**負傷又は疾病に係る療養**のため**労働することができないため**に**賃金を受けない日**の**第４日目**から当該労働者に対し、その**申請**に基づいて支給するものとし、その額は、**１日**につき**休業給付基礎日額**の**100分の20**に相当する額とする。H28-7B

Check Point!

□ 特別支給金のうち、その支給額が給付基礎日額を用いて算定されるのは、休業特別支給金のみである。

1. 支給額

(1) 原則

休業特別支給金の支給額は、休業給付基礎日額の100分の20に相当する額である。したがって、被災労働者は、休業（補償）等給付と合わせて給付基礎日額の80%相当額が補償されることになる。

(2) 部分算定日である場合

部分算定日である場合は、休業給付基礎日額から賃金額を控除した額の20%が支給額となる〔休業（補償）等給付と同様である。〕。

R2-6A（支給金則３条１項）

(3) 刑事施設拘禁等の場合

刑事施設及び少年院等に拘禁又は収容された場合には、原則として、休業特別支給金は支給されない〔休業（補償）等給付と同様である。〕。

（支給金則３条２項）

2. 申請等

(1) 申請

休業特別支給金の支給の対象となる日について休業（補償）等給付を受けることができる者は、当該休業特別支給金の支給の申請を、当該休業（補償）等給付の請求と同時に行わなければならない。（支給金則３条５項）

(2) 特別給与の総額の届出

休業特別支給金の支給の申請の際に、特別給与の総額について、事業主の証明を受けたうえで、これを記載した届書を所轄労働基準監督署長に提出しなければならない。H28-7A R元-6ウ（支給金則12条）

参考 特別給与を算定基礎とする特別支給金の算定に必要な特別給与の総額の届出は休業特別支給金の支給の申請の際に行うこととされている。この届出をしておけば、以後は当該届出をする必要がなく、障害特別年金、障害特別一時金又は傷病特別年金の支給の申請を行う場合及び遺族が遺族特別年金又は遺族特別一時金の支給の申請を行う場合には、申請書記載事項のうち、特別給与の総額については記載する必要がないものとして取り扱われる。
（昭和56.7.4基発415号）

2 傷病特別支給金（支給金則5条の2,1項、同則別表第1の2） ★★

傷病特別支給金は、**業務上の事由、複数事業労働者の２以上の事業の業務を要因とする事由又は通勤**により負傷し、又は疾病にかかった労働者が、当該負傷又は疾病に係る**療養の開始後１年６箇月を経過した日**において次のⅰⅱのいずれにも該当するとき、又は**同日後**次のⅰⅱのいずれにも該当することとなったときに、当該**労働者に対し、その申請に基づいて支給**するものとし、その額は、次表に規定する額とする。

ⅰ　当該**負傷又は疾病が治っていない**こと。

ⅱ　当該**負傷又は疾病による障害の程度**が**傷病等級**に該当すること。

傷病等級	額
第１級	114万円
第２級	107万円
第３級	100万円

R元-6イ

Check Point!

□ 傷病（補償）等年金は、職権で支給決定されるが、傷病特別支給金は、労働者災害補償保険特別支給金支給規則において、労働者の申請により支給決定されることとなっている。

1. 支給額

傷病特別支給金の支給額は、傷病等級に応じて114万円、107万円、100万円である。

2. 申請等

傷病特別支給金の申請については、当分の間、事務処理の便宜を考慮し、傷病（補償）等年金の支給決定を受けた者は、傷病特別支給金の申請を行ったものとして取り扱って差し支えない。 H28-7C R2-7B
（昭和56.6.27基発393号）

第6章

3 障害特別支給金（支給金則4条1項、同則別表第1）

★★

障害特別支給金は、**業務上の事由、複数事業労働者の２以上の事業の業務を要因とする事由又は通勤による**負傷又は疾病が**治った**とき**身体に障害がある労働者**に対し、その**申請**に基づいて支給するものとし、その額は、次表に規定する額とする。

障害等級	額	障害等級	額
第1級	**342万円**	第８級	65万円
第２級	320万円	第９級	50万円
第３級	300万円	第10級	39万円
第４級	264万円	第11級	29万円
第５級	225万円	第12級	20万円
第６級	192万円	第13級	14万円
第７級	159万円	**第14級**	**8万円**

Check Point!

□ 傷病特別支給金を受給した労働者の場合は、障害特別支給金の額が既に受給した傷病特別支給金の額を超えるときに限り、その差額に相当する額が支給される。（支給金則４条３項）

□ 障害特別支給金は一時金なので、変更により新たに他の障害等級に該当するに至ったとしても、その障害等級に応ずる障害特別支給金は支給されない。（昭和55.12.5基発673号）

1.　支給額

⑴　原則

障害特別支給金の支給額は、上記の表の通りである。障害（補償）等給付の場合は、障害等級が第１級から第７級のときは年金が支給されるが、障害特別支給金の場合、障害等級が第１級から第７級のときも一時金として支給される。

⑵　併合繰上げが行われた場合

併合繰上げが行われた場合に、各々の身体障害の該当する障害等級に応ずる障害特別支給金の額の合算額が、併合繰上げされた障害等級に応ずる障害特別支給金の額に満たないときは、当該合算額とする。

【例】 第９級（50万円）と第13級（14万円）の障害を同時に残した場合は、併合繰上げにより第８級（65万円）となるが、支給額は50万円+14万円=64万円となる。
（支給金則４条１項）

(3) **加重障害・再発治ゆの場合**

加重障害や再発治ゆの場合は、**差額支給**となる（加重後又は再発治ゆ後の障害等級に応ずる額から従前の障害等級に応ずる額を差し引いた額となる）。

R元-6ア

【例】 第11級（29万円）の障害を有していた者が加重により第７級（159万円）に該当した場合には、159万円－29万円=130万円が支給される。（支給金則４条２項）

2. 申請等

同一の事由により障害（補償）等給付の支給を受けることができる者は、障害特別支給金の支給の申請を、当該障害（補償）等給付の請求と同時に行わなければならない。
（支給金則４条７項）

4 遺族特別支給金（支給金則5条1項、2項、3項）

★★

Ⅰ **遺族特別支給金**は、**業務上の事由、複数事業労働者の２以上の事業の業務を要因とする事由又は通勤**により労働者が死亡した場合に、当該**労働者の遺族**に対し、その**申請**に基づいて支給する。

Ⅱ **遺族特別支給金**の支給を受けることができる遺族は、労働者の**配偶者**（婚姻の届出をしていないが、**事実上婚姻関係と同様の事情にあった者を含む**。）、**子、父母、孫、祖父母及び兄弟姉妹**とし、これらの遺族の遺族特別支給金の支給を受けるべき順位は、遺族補償給付、複数事業労働者遺族給付又は遺族給付の例による。

Ⅲ **遺族特別支給金**の額は、**300万円**（当該遺族特別支給金の支給を受ける遺族が**２人以上**ある場合には、**300万円**をその人数で除して得た額）とする。

Check Point!

□ 遺族特別支給金は、転給により遺族（補償）等年金の受給権者となった者や全員失権により遺族（補償）等一時金（いわゆる失権差額一時金）の受給権者となった者には支給されない。

第6章

□ 遺族特別支給金は、若年支給停止者にも支給される（遺族特別年金は支給停止になる。）。

1. 支給額

遺族特別支給金の支給額は、**300万円**（原則）である。

2. 申請等

同一の事由により遺族（補償）等給付の支給を受けることができる者は、遺族特別支給金の支給の申請を、当該遺族（補償）等給付の請求と同時に行わなければならない。

（支給金則5条7項）

問題チェック H8-4C

被災労働者に遺族補償一時金の支給を受けることができる遺族はいるが、当該遺族は被災労働者の死亡の当時その収入によって生計を維持していたものではないため、遺族補償年金の支給を受けることができる遺族がいないときは、遺族特別支給金は支給されない。

解答 ×　　支給金則5条2項

遺族特別支給金は、遺族（補償）等年金又は遺族（補償）等一時金の受給権者に支給されるため、設問の場合、遺族特別支給金は支給される。

③ 特別給与を算定基礎とする特別支給金 重要度B

1 算定基礎年額及び算定基礎日額（支給金則6条1項～3項、5項～7項）

★★

Ⅰ　**特別給与**を算定基礎とする特別支給金の額の算定に用いる算定基礎年額は、**負傷又は発病の日以前１年間**（**雇入後１年に満たない者**については、**雇入後**の期間）に当該労働者に対して支払われた**特別給与**（労働基準法第12条第４項の**３箇月を超える期間ごとに支払われる賃金**をいう。）の総額とする。ただし、当該特別給与の総額を算定基礎年額とすることが適当でないと認められるときは、**厚生労働省労働基準局長が定める基準**に従って算定する額を**算定基礎年額**と

する。R2-7A

Ⅱ　Ⅰの規定にかかわらず、**複数事業労働者**に係る特別支給金の額の算定に用いる**算定基礎年額**は、Ⅰに定めるところにより当該**複数事業労働者を使用する事業ごとに算定した算定基礎年額に相当する額を合算した額**とする。ただし、特別給与の総額を算定基礎年額とすることが適当でないと認められるときは、厚生労働省労働基準局長が定める基準に従って算定する額を算定基礎年額とする。

Ⅲ　**特別給与**の総額又はⅠただし書［**厚生労働省労働基準局長が定める基準による算定**］若しくはⅡに定めるところによって算定された額が、当該労働者に係る**給付基礎日額に365**を乗じて得た額の**100分の20**に相当する額を超える場合には、当該**100分の20**に相当する額を**算定基礎年額**とする。R2-7A

Ⅳ　ⅠからⅢの規定によって算定された額［算定基礎年額として算定された額］が**150万円**を超える場合には、**150万円**を**算定基礎年額**とする。R2-7A

Ⅴ　特別給与を算定基礎とする特別支給金の額の算定に用いる**算定基礎日額**は、ⅠからⅣの**算定基礎年額**を**365**で除して得た額を当該特別支給金に係る法の規定による保険給付の額の算定に用いる給付基礎日額とみなして法第8条の3第1項［年金給付基礎日額のスライド改定］の規定の例により算定して得た額とする。

Ⅵ　算定基礎年額又は算定基礎日額に**1円未満の端数**があるときは、これを**1円に切り上げる**ものとする。

Check Point!

□ 算定基礎年額は次の⑴から⑶のうち最も低い額である。

⑴　負傷又は発病の日以前1年間の特別給与の総額※

⑵　給付基礎日額に365を乗じて得た額の20%相当額

⑶　150万円

※　複数事業労働者に係る特別支給金の額の算定に用いる算定基礎年額については、複数事業労働者を使用する事業ごとに算定した⑴の額を合算した額

□ 算定基礎日額は、次のように算出する。

第6章

算定基礎日額 ＝ 算定基礎年額 ÷ 365（1円未満切上げ）

2 傷病特別年金（支給金則11条1項、同則別表第2）

★★

傷病特別年金は、法の規定による**傷病補償年金、複数事業労働者傷病年金又は傷病年金の受給権者**に対し、その**申請**に基づいて支給するものとし、その額は、当該**傷病補償年金、複数事業労働者傷病年金又は傷病年金**に係る**傷病等級**に応じ、次表に規定する額とする。

傷病等級	年金額
第1級	**算定基礎日額**の313日分
第2級	**算定基礎日額**の277日分
第3級	**算定基礎日額**の245日分

Check Point!

□ 傷病特別年金は、傷病特別支給金と同様に、労働者災害補償保険特別支給金支給規則において労働者の申請により支給決定されることとなっている。

1. 支給額

傷病特別年金の支給額は、傷病等級に応じて算定基礎日額の313日分から245日分である。

2. 申請等

傷病特別年金の支給申請については、当分の間、休業特別支給金の支給の申請の際に特別給与の総額についての届出を行っていない者を除き、事務処理の便宜を考慮し、傷病（補償）等年金の支給決定を受けた者は、所定の申請を行ったものとして取り扱って差し支えないとされている。 R2-7B （昭和56.7.4基発415号）

3 障害特別年金（支給金則7条1項、同則別表第2）

障害特別年金は、法の規定による**障害補償年金、複数事業労働者障害年金**又は**障害年金**の**受給権者**に対し、その**申請**に基づいて支給するものとし、その額は、当該**障害補償年金、複数事業労働者障害年金**又は**障害年金**に係る障害等級に応じ、次表に規定する額とする。

障害等級	年金額
第１級	**算定基礎日額**の313日分
第２級	**算定基礎日額**の277日分
第３級	**算定基礎日額**の245日分
第４級	**算定基礎日額**の213日分
第５級	**算定基礎日額**の184日分
第６級	**算定基礎日額**の156日分
第７級	**算定基礎日額**の131日分

Check Point!

☐ 障害（補償）等年金前払一時金が支給されたために障害（補償）等年金が支給停止になった場合でも障害特別年金は支給される。 H28-7E

1. 支給額

(1) 原則

障害特別年金の支給額は、障害等級に応じて算定基礎日額の313日分から131日分である。

(2) 加重等の取扱い

加重、変更、再発治ゆの場合の取扱いは障害（補償）等年金と同様である。

（支給金則７条２項、５項）

2. 申請等

障害特別年金の支給の申請は、障害（補償）等年金の請求と同時に行わなければならない。

（支給金則７条７項）

4 障害特別一時金（支給金則8条1項、同則別表第3）　★

障害特別一時金は、法の規定による**障害補償一時金**、**複数事業労働者障害一時金又は障害一時金**の受給権者に対し、その**申請**に基づいて支給するものとし、その額は、当該**障害補償一時金**、**複数事業労働者障害一時金又は障害一時金**に係る**障害等級**に応じ、次表に規定する額とする。

障害等級	額
第８級	**算定基礎日額**の503日分
第９級	**算定基礎日額**の391日分
第10級	**算定基礎日額**の302日分
第11級	**算定基礎日額**の223日分
第12級	**算定基礎日額**の156日分
第13級	**算定基礎日額**の101日分
第14級	**算定基礎日額**の56日分

1．支給額

⑴ 原則

障害特別一時金の支給額は、障害等級に応じて算定基礎日額の503日分から56日分である。

⑵ 併合繰上げが行われた場合

併合繰上げが行われた場合に、各々の身体障害の該当する障害等級に応ずる障害特別一時金の額の合算額が、併合繰上げされた障害等級に応ずる障害特別一時金の額に満たないときは、当該合算額とする。

【例】 第９級（391日分）と第13級（101日分）の障害を同時に残した場合は、併合繰上げにより第８級（503日分）となるが、支給額は391日分+101日分=492日分となる。　（支給金則８条１項）

⑶ 加重等の場合

加重障害や再発治ゆの場合は、差額支給となる。　（支給金則８条２項）

2．申請等

障害特別一時金の支給の申請は、障害（補償）等一時金の請求と同時に行わなければならない。　（同上）

5 障害特別年金差額一時金（支給金則附則6項）

★

障害特別年金差額一時金は、当分の間、この省令の規定による特別支給金として、法の規定による**障害補償年金差額一時金、複数事業労働者障害年金差額一時金又は障害年金差額一時金**の受給権者に対し、その**申請**に基づいて支給するものとし、その額は、次表に規定する額から当該労働者の**障害**に関し支給された**障害特別年金の額の合計額**を差し引いた額とする。

障害等級	額
第１級	**算定基礎日額**の1,340日分
第２級	**算定基礎日額**の1,190日分
第３級	**算定基礎日額**の1,050日分
第４級	**算定基礎日額**の920日分
第５級	**算定基礎日額**の790日分
第６級	**算定基礎日額**の670日分
第７級	**算定基礎日額**の560日分

1. 支給額

障害特別年金差額一時金の支給額は、障害等級に応じた限度額から既に受給した障害特別年金の額の合計額を控除した額である。

2. 申請等

障害特別年金差額一時金の支給の申請は、障害（補償）等年金差額一時金の請求と同時に行わなければならない。（支給金則附則９項）

6 遺族特別年金（支給金則9条1項、同則別表第2）

★★

遺族特別年金は、法の規定による**遺族補償年金、複数事業労働者遺族年金又は遺族年金**の受給権者に対し、その**申請**に基づいて支給するものとし、その額は、次のⅰからⅳに掲げる法の規定による**遺族補償年金、複数事業労働者遺族年金又は遺族年金の受給権者**及びその者と**生計を同じくしている**法の規定による**遺族補償年金、複数事業労働者遺族年金又は遺族年金を受けることができる遺族（55歳以上60歳未**

満で厚生労働省令で定める**障害の状態にない夫、父母、祖父母及び兄弟姉妹を除く**。）の人数の区分に応じ、ⅰからⅳに掲げる額とする。

ⅰ　**1人　算定基礎日額の153日分**。ただし、**55歳以上の妻**又は労災則第15条に規定する**障害の状態にある妻**にあっては、**算定基礎日額の175日分**とする。

ⅱ　**2人　算定基礎日額の201日分**

ⅲ　**3人　算定基礎日額の223日分**

ⅳ　**4人以上　算定基礎日額の245日分**

Check Point!

□ 遺族（補償）等年金前払一時金が支給されたために遺族（補償）等年金が支給停止になった場合でも遺族特別年金は支給される。

（支給金則13条2項）

□ 遺族（補償）等年金のいわゆる若年支給停止期間中は、遺族特別年金の支給も停止される。（同上）

□ 所在不明の場合には、遺族特別年金も支給停止の対象となる。（同上）

1. 支給額

遺族特別年金の支給額は、遺族（補償）等年金の支給額の算定の対象となる遺族の数に応じて算定基礎日額の245日分から153日分である。

2. 申請等

遺族特別年金の支給の申請は、遺族（補償）等年金の請求と同時に行わなければならない。

（支給金則9条7項）

7 遺族特別一時金（支給金則10条1項、同則別表第3）

遺族特別一時金は、法の規定による**遺族補償一時金、複数事業労働者遺族一時金又は遺族一時金**の受給権者に対し、その**申請**に基づいて支給するものとし、その額は、次のⅰ又はⅱに規定する額（当該**遺族特別一時金**の支給を受ける**遺族**が**2人以上**ある場合には、**その額をその人数で除して得た額**）とする。

i　労働者の死亡の当時遺族補償年金、複数事業労働者遺族年金又は遺族年金を受けることができる遺族がないときの遺族補償一時金、複数事業労働者遺族一時金又は遺族一時金の受給権者の場合は、**算定基礎日額の1,000日分**

ii　**遺族補償年金、複数事業労働者遺族年金又は遺族年金**を受ける権利を有する者の**権利が消滅**した場合において、他に当該遺族補償年金、複数事業労働者遺族年金又は遺族年金を受けることができる遺族がなく、かつ、当該労働者の死亡に関し支給された**遺族補償年金及び遺族補償年金前払一時金の額の合計額、複数事業労働者遺族年金及び複数事業労働者遺族年金前払一時金の額の合計額**又は**遺族年金及び遺族年金前払一時金の額の合計額が給付基礎日額の1,000日分に満たないとき**の遺族補償一時金、複数事業労働者遺族一時金又は遺族一時金の受給権者の場合は、**算定基礎日額の1,000日分**から当該労働者の死亡に関し支給された**遺族特別年金の額の合計額を控除した額**

1. 支給額

遺族特別一時金の支給額は、算定基礎日額の1,000日分から既に受給した遺族特別年金の額を控除した額である。

2. 申請等

遺族特別一時金の支給の申請は、遺族（補償）等一時金の請求と同時に行わなければならない。（支給金則10条４項）

④ 特別支給金の通則事項 重要度 A

1. 申請手続

特別支給金は全て、**所轄労働基準監督署長**に「**申請**」することによって支給決定される。

2. 申請期限

特別支給金の申請期限は次の通りである。H27-6エ

第6章

特別支給金	起算日	申請期限
休業特別支給金	休業特別支給金の支給の対象となる日の翌日	**2年**以内 R2-7D
傷病特別支給金	療養開始後1年6箇月経過日又は同日後支給要件に該当することとなった日の翌日	**5年**以内
障害特別支給金	傷病が治ゆした日の翌日	
遺族特別支給金	労働者死亡日の翌日	
傷病特別年金 及び差額支給金	傷病（補償）等年金の受給権者となった日の翌日	
障害特別年金	障害（補償）等年金の受給権者となった日の翌日	
障害特別一時金	障害（補償）等一時金の受給権者となった日の翌日	
障害特別年金差額一時金	障害（補償）等年金差額一時金の受給権者となった日の翌日	
遺族特別年金	遺族（補償）等年金の受給権者となった日の翌日	
遺族特別一時金	遺族（補償）等一時金の受給権者となった日の翌日	

3. スライド

特別支給金に係るスライド改定は次の通りである。

⑴　休業特別支給金については、その算定基礎が休業（補償）等給付と同じ休業給付基礎日額であるので、休業（補償）等給付と同様のスライド改定が行われることになる。（支給金則3条1項）

⑵　傷病特別支給金、障害特別支給金及び遺族特別支給金は、定額制であるのでスライド制の適用はない。

⑶　特別給与を算定基礎とする特別支給金は、その算定基礎となる算定基礎日額が、年金給付基礎日額と同様のスライドの適用を受ける（年金たる保険給付と同様のスライド改定となる。）。（支給金則6条6項）

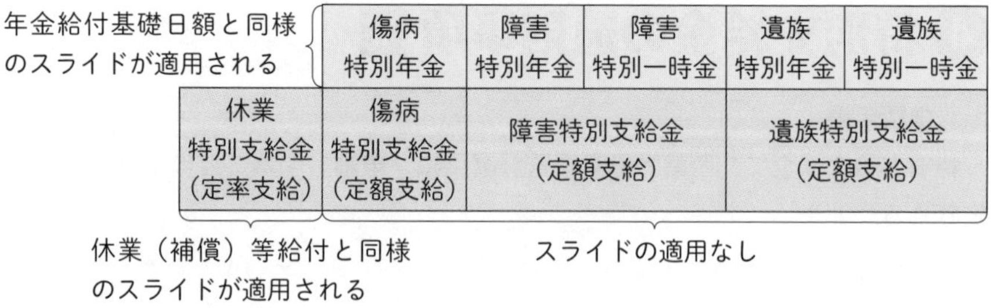

年金給付基礎日額と同様のスライドが適用される：傷病特別年金／障害特別年金／障害特別一時金／遺族特別年金／遺族特別一時金

休業（補償）等給付と同様のスライドが適用される：休業特別支給金（定率支給）

スライドの適用なし：傷病特別支給金（定額支給）／障害特別支給金（定額支給）／遺族特別支給金（定額支給）

4. 特別支給金と保険給付の相違点

	保険給付	特別支給金
事業主からの費用徴収	費用徴収の対象となる	費用徴収の対象とならない
不正受給者からの費用徴収	費用徴収の対象となる	費用徴収の対象とならない
第三者行為災害による損害賠償との調整 H29-6D R2-7C	行われる	行われない
事業主から損害賠償を受けることができる場合の調整	行われる	行われない
社会保険との併給調整 R2-7E	行われる	行われない
譲渡・差押えの禁止 R元-6オ	譲渡・差押え等は禁止されている	譲渡・差押え等は禁止されていない
法38条1項の不服申立て	対象となる	対象とならない

参考（損害賠償からの労災特別支給金の控除）
政府が被災労働者に支給する特別支給金は、社会復帰促進等事業の一環として、被災労働者の療養生活の援護等によりその福祉の増進を図るために行われるものであり、被災労働者の損害を填補する性質を有するということはできず、したがって、被災労働者の受領した特別支給金を、使用者又は第三者が被災労働者に対し損害賠償すべき損害額から控除することはできない。 H29-6D （最二小平成8.2.23コック食品事件）

5. 特別支給金と保険給付の主な類似点

(1) **支給制限**及び**一時差止め**の対象となる。 （支給金則20条）

(2) 年金たる特別支給金の**端数処理**、**支払時期**等は年金たる保険給付と同様の取扱いである。 （支給金則13条他）

(3) 支払の調整（**内払・充当**）の対象となる。 （支給金則14条、14条の2）

(4) **未支給の特別支給金**を申請することができる（未支給の保険給付の請求と同時に申請しなければならない。）。 （支給金則15条）

(5) **公課の禁止**、**退職後の権利**が運用上認められている。

(6) 船舶事故等の場合には**死亡の推定**の対象となる。 （支給金則5条9項）

第6章

第7章 特別加入

1 特別加入の対象者

❶ 種類

❷ 中小事業主等

❸ 一人親方等

❹ 海外派遣者

2 特別加入の効果

❶ 中小事業主等

❷ 一人親方等

❸ 海外派遣者

特別加入の対象者

① 種類　重要度A

★★★

労災保険に特別加入できる者は、以下の3つに大別される。

i　中小事業主等（第1種特別加入者）

ii　一人親方等（第2種特別加入者）

iii　海外派遣者（第3種特別加入者）

趣旨

労災保険は、本来、労働基準法の適用労働者の負傷、疾病、障害または死亡等に対して保険給付を行う制度であるが、当該労働者以外の者で、その業務の実態、災害の発生状況などからみて、特に労働者に準じて保護することが適当であると認められる一定の者に対して特別に任意加入を認めている。このような仕組みを特別加入制度という。

Check Point!

□ 特別加入者についてまとめると次の通りとなる。

	中小事業主等	一人親方等	海外派遣者
特別加入に関して労働保険事務組合に委託することが要件となる	○	×	×
通勤災害が適用除外されることがある	×	○	×
特別加入保険料の滞納期間中に生じた事故について支給制限される	○	○	○
事業主の故意・重過失により生じた業務災害の原因である事故について支給制限される	○	×	×

□ 特別加入者に共通する特徴は次の通りとなる。

・療養給付の一部負担金は徴収されない。

・特別給与を算定の基礎とする特別支給金は、原則として、支給されない。H28-7D
・休業（補償）等給付について、「賃金を受けないこと」の要件はない。
・二次健康診断等給付は支給されない。
・給付基礎日額にはスライド制は適用されるが、最低・最高限度額は適用されない。
・特別加入者たる地位が消滅した場合であっても、既に発生した特別加入者の保険給付を受ける権利はそのことによって変更されない。

・複数事業労働者である特別加入者

次の者についても、複数事業労働者である特別加入者として労災保険の保護の対象とする。

(1) 労働者であってかつ他の事業場において特別加入をしている者
(2) 複数の事業場において特別加入をしている者　（令和2.8.21基発0821第１号）

❷ 中小事業主等（法33条1号、2号、則46条の16） 重要度A ★★★

次のｉⅱに掲げる者の**業務災害、複数業務要因災害**及び**通勤災害**に関しては、この章［特別加入］に定めるところによる。

ｉ　**常時300人**（**金融業**若しくは**保険業**、**不動産業**又は**小売業**を主たる事業とする事業主については**50人**、**卸売業**又は**サービス業**を主たる事業とする事業主については**100人**）以下の労働者を使用する事業（❹「**海外派遣者**」において「**特定事業**」という。）の事業主で徴収法第33条第３項の**労働保険事務組合**に同条第１項の**労働保険事務の処理を委託**するものである者（事業主が**法人その他の団体**であるときは、**代表者**）H30-選AB

ⅱ　ｉの**事業主が行う事業に従事する者**（**労働者**である者を除く。）

Check Point!

□ 労災保険に係る労働保険事務の処理を労働保険事務組合に委託することが特別加入の要件とされているのは、中小事業主等の特別加入の場合のみである。

1. 加入対象者

加入対象者は、「中小事業主」及び「中小事業主が行う事業に従事する者のうち労働者以外のもの」（中小事業主等）である。

(1) 中小事業主

中小事業主とは、次表に定める数以下の労働者を常時使用する事業の事業主（事業主が法人その他の団体であるときは、その代表者）をいう。

事業の種類	常時使用労働者数	
金融業、保険業、不動産業、小売業	50人以下	R4-3ABCE
卸売業、サービス業	100人以下	R4-3D
上記以外の事業	300人以下	

(2) 中小事業主が行う事業に従事する者

中小事業主の家族従事者や中小事業主が法人その他の団体である場合における代表者以外の役員などを指す。

参考（数次の請負による建設の事業の下請事業主）
徴収法第8条［請負事業の一括］の規定により労災保険の保険関係が一括され、元請負人のみが事業主となる場合であっても、下請負人である中小事業主は労災保険に特別加入することができる。
（平成11.12.3基発695号）

2. 特別加入の要件

中小事業主等が特別加入するためには、その者の行う事業が中小事業に該当していることの他に以下の要件を満たしていなければならない。

(1) その事業について**労災保険に係る保険関係が成立**していること。

(2) 労災保険に係る労働保険事務の処理を**労働保険事務組合に委託**していること。

(3) 中小事業主及びその者が行う事業に従事する者を**包括して加入**すること。
ただし、次のような**就業の実態がない中小事業主**については、その者が行う事業に従事する者のみを加入させることができる。

① 病気療養中、高齢その他の事情のため、実際に就業しない事業主

R3-3A

② 事業主の立場において行う事業主本来の業務のみに従事する事業主

（平成15.5.20基発0520002号）

参考（暫定任意適用事業の場合）
中小事業主の特別加入は、その使用する労働者に関して成立する保険関係を基礎とし、かつ、労働者以外でその事業に従事する者との包括加入を前提として認められるから、暫定任意適用事業にあっては、労働者について任意加入の申込みをしないままに中小事業主のみ特別加入することはできない。なお、任意加入の申請と特別加入の申請とは同時に行うことができる。
（平成3.4.12基発259号）

（労働保険事務組合に委託する時期）
中小事業主が特別加入するためには、労働保険事務組合に労働保険事務の処理を委託しなければならないが、この委託の時期は、必ずしも特別加入の申請前である必要はなく、これと同時であってもよい。（昭和40.11.1基発1454号）

（複数の事業を行っていた事業主の特別加入）
労働者災害補償保険法第33条第１号所定の事業主の特別加入の制度は、労働者に関し成立している労災保険に係る労働保険の保険関係（以下「保険関係」という。）を前提として、右保険関係上、事業主を労働者とみなすことにより、当該事業主に対する同法の適用を可能とする制度である（労働者災害補償保険法第34条）。原審の適法に確定した事実関係等によれば、Ｄは、土木工事及び重機の賃貸を業として行っていた者であるが、その使用する労働者をＤが建設事業の下請として請け負った土木工事にのみ従事させており、重機の賃貸については、労働者を使用することなく、請負に係る土木工事と無関係に行っていたというのである。そうであれば、同法第34条に基づきＤの加入申請が承認されたことによって、その請負に係る土木工事が関係する建設事業につき保険関係が成立したにとどまり、労働者を使用することなく行っていた重機の賃貸業務については、労働者に関し保険関係が成立していないものといわざるを得ないのであるから、Ｄは、重機の賃貸業務に起因する死亡等に関し、同法に基づく保険給付を受けることができる者となる余地はない。 H29-7C （最一小平成9.1.23姫路労働基準監督署長事件）

3. 特別加入の申請等

(1) 申請

中小事業主等の特別加入の申請は、労働保険事務組合に労働保険事務の処理を委託した日について労働保険事務組合の証明を受けた上で、一定の事項を記載した申請書を**所轄労働基準監督署長を経由して所轄都道府県労働局長**に提出することによって行わなければならない。（則46条の19,1項、２項）

参考 特別加入者の従事する業務が特定業務（粉じん作業を行う業務、身体に振動を与える業務、鉛業務、有機溶剤業務、特別有機溶剤業務）である場合は、申請書にその者の業務歴を記載しなければならない。（則46条の19,3項）

(2) 承認通知

所轄都道府県労働局長は、特別加入の申請を受けた場合において、当該申請につき承認することとしたときは、**遅滞なく、文書で**、その旨を当該事業主に通知しなければならない。当該申請につき承認しないこととしたときも、同様とする。（則46条の19,5項）

参考 承認の場合は、特別加入申請日の翌日から起算して30日の範囲内において加入申請者が加入を希望する日が承認決定日となる。（平成11.2.18基発77号、平成26年厚労告386号）

問題チェック H24-5D

専従職員（労働組合が雇用する労働者をいう。）を置かず常勤役員（代表者を除く。）を置く労働組合の非常勤役員は、労働者とみなされず、かつ、労災保険の特別加入の対象とならない。

解答 ×　法33条２号、平成11.2.18基発77号

第７章

専従職員（労働者）を置かない労働組合の代表者以外の常勤役員は、原則として、労働者として労災保険の適用を受け、非常勤役員は、原則として、常勤役員に係る保険関係を基礎として、中小事業主等としての特別加入の対象となる。

問題チェック R4-選CDE改題

次の文中の［　　］の部分を選択肢の中の最も適切な語句で埋め、完全な文章とせよ。

最高裁判所は、中小事業主が労災保険に特別加入する際に成立する保険関係について、次のように判示している。

労災保険法（以下「法」という。）が定める中小事業主の特別加入の制度は、労働者に関し成立している労災保険の保険関係（以下「保険関係」という。）を前提として、当該保険関係上、中小事業主又はその代表者を［　C　］とみなすことにより、当該中小事業主又はその代表者に対する法の適用を可能とする制度である。そして、法第3条第1項、労働保険徴収法第3条によれば、保険関係は、労働者を使用する事業について成立するものであり、その成否は当該事業ごとに判断すべきものであるところ、同法第4条の2第1項において、保険関係が成立した事業の事業主による政府への届出事項の中に「事業の行われる場所」が含まれており、また、労働保険徴収法施行規則第16条第1項に基づき労災保険率の適用区分である同施行規則別表第1所定の事業の種類の細目を定める労災保険率適用事業細目表において、同じ建設事業に附帯して行われる事業の中でも当該建設事業の現場内において行われる事業とそうでない事業とで適用される労災保険率の区別がされているものがあることなどに鑑みると、保険関係の成立する事業は、主として場所的な独立性を基準とし、当該一定の場所において一定の組織の下に相関連して行われる作業の一体を単位として区分されるものと解される。そうすると、土木、建築その他の工作物の建設、改造、保存、修理、変更、破壊若しくは解体又はその準備の事業（以下「建設の事業」という。）を行う事業主については、個々の建設等の現場における建築工事等の業務活動と本店等の事務所を拠点とする営業、経営管理その他の業務活動とがそれぞれ別個の事業であって、それぞれその業務の中に［　D　］を前提に、各別に保険関係が成立するものと解される。

したがって、建設の事業を行う事業主が、その使用する労働者を個々の建設等の現場における事業にのみ従事させ、本店等の事務所を拠点とする営業等の事業に従事させていないときは、営業等の事業につき保険関係の成立する余地はないから、営業等の事業について、当該事業主が特別加入の承認を受けることはできず、［　E　］に起因する事業主又はその代表者の死亡等に関し、その遺族等が法に基づく保険給付を受けることはできないものというべきである。

選択肢

① 営業等の事業に係る業務　② 建設及び営業等以外の事業に係る業務
③ 建設及び営業等の事業に係る業務　④ 建設の事業に係る業務
⑤ 事業主が自ら行うものがあること　⑥ 事業主が自ら行うものがないこと
⑦ 使用者　⑧ 特別加入者　⑨ 一人親方　⑩ 労働者
⑪ 労働者を使用するものがあること　⑫ 労働者を使用するものがないこと

解答　最二小平成24.2.24広島中央労基署長事件

C：⑩ 労働者

D：⑪ 労働者を使用するものがあること

E：① 営業等の事業に係る業務

③ 一人親方等（法33条3号、4号、5号）重要度A ★★★

次のⅰ～ⅲに掲げる者の**業務災害、複数業務要因災害**及び**通勤災害**に関しては、この章［特別加入］に定めるところによる。

ⅰ　厚生労働省令で定める種類の事業を**労働者を使用しないで行うことを常態とする者**

ⅱ　ⅰの者が行う事業に従事する者（**労働者である者を除く**。）

ⅲ　厚生労働省令で定める種類の作業に従事する者（**労働者である者を除く**。）

Check Point!

□ 一人親方等は、同種の事業又は作業については、２つ以上の団体の構成員となっている場合でも、重ねて特別加入することはできない（異種の事業又は作業について重ねて特別加入することはできる。）。

（平成13.3.30基発233号）

1．加入対象者

加入対象者は、「一人親方」、「一人親方が行う事業に従事する者」及び「特定作業従事者」（一人親方等）である。

(1)　一人親方

一人親方とは、次の種類の**事業**を**労働者を使用しないで行うことを常態とする者**をいう。

①　**自動車を使用して行う旅客若しくは貨物の運送の事業又は原動機付自転車若しくは自転車を使用して行う貨物の運送の事業**…個人タクシー業者、フードデリバリー等の自転車配達員等

②　**土木、建築その他の工作物の建設、改造、保存、原状回復、修理、変更、破壊若しくは解体又はその準備の事業**…大工、左官、とび職人等

③　**漁船による水産動植物の採捕の事業**（⑦に掲げる事業を除く。）

④　**林業の事業** H30-選D

⑤　**医薬品の配置販売の事業**

⑥　再生利用の目的となる**廃棄物等の収集、運搬、選別、解体等**の事業

⑦　船員法に規定する**船員が行う事業**

⑧　柔道整復師法に規定する**柔道整復師が行う事業**

⑨　高年齢者雇用安定法に規定する創業支援等措置に基づき、委託契約その他の契約に基づいて高年齢者が新たに開始する事業又は社会貢献事業に係る委託契約その他の契約に基づいて高年齢者が行う事業であって、厚生労働省労働基準局長が定めるもの（**高年齢者雇用安定法に規定する創業支援等措置に基づく事業**）

⑩　あん摩マッサージ指圧師、はり師、きゅう師等に関する法律に基づく**あん摩マッサージ指圧師、はり師又はきゅう師が行う事業**

⑪　歯科技工士法に規定する**歯科技工士が行う事業**

⑫　特定受託事業者に係る取引の適正化等に関する法律に規定する特定受託事業者が業務委託事業者から業務委託を受けて行う事業（以下「特定受託事業」という。）又は特定受託事業者が業務委託事業者以外の者から委託を受けて行う特定受託事業と同種の事業であって、(1)①から⑪までに掲げる事業及び(3)特定作業従事者に掲げる作業を除いたもの（**特定フリーランス事業**）改正

（則46条の17、令和6.4.26基発0426第2号）

(2)　一人親方が行う事業に従事する者

一人親方の家族従事者等であって労働者でない者である。

(3)　特定作業従事者

特定作業従事者とは、具体的には、次の種類の**作業**に従事する者（労働者である者を除く。）をいう。

① 特定農作業及び指定農業機械作業 R2-3C
② 職場適応訓練作業等 R2-3A
③ 家内労働者及びその**補助者**の特定作業 H27-選B R2-3B
④ 労働組合等の常勤役員の特定作業 R2-3E
⑤ **介護作業**及び**家事支援作業** H27-選A R2-3D R3-3E
⑥ **放送番組（広告放送を含む。）、映画、寄席、劇場等**における**音楽、演芸**その他の**芸能の提供の作業又はその演出若しくは企画の作業**であって、厚生労働省労働基準局長が定めるもの（**芸能従事者に係る作業**）
⑦ **アニメーションの制作の作業**であって、厚生労働省労働基準局長が定めるもの（**アニメーション制作従事者に係る作業**）
⑧ 情報処理システム（ネットワークシステム、データベースシステム及びエンベデッドシステムを含む。）の設計、開発（プロジェクト管理を含む。）、管理、監査、セキュリティ管理若しくは情報処理システムに係る業務の一体的な企画又はソフトウェア若しくはウェブページの設計、開発（プロジェクト管理を含む。）、管理、監査、セキュリティ管理、デザイン若しくはソフトウェア若しくはウェブページに係る業務の一体的な企画その他の情報処理に係る作業であって、厚生労働省労働基準局長が定めるもの（**ITフリーランスに係る作業**） （則46条の18）

参考 家事支援作業は、平成30年4月1日より⑶特定作業従事者⑤に追加された。なお、家事支援作業従事者が特別加入した場合、当該者は⑶特定作業従事者⑤に該当するものとして、介護作業及び家事支援作業のいずれの作業にも従事する者として取り扱われる。また、平成30年4月1日前の規定に基づき、介護作業従事者として特別加入している者は、平成30年4月1日以後の⑶特定作業従事者⑤に規定される特別加入者として承認を受けているものとみなし、当該者は、介護作業及び家事支援作業のいずれの作業にも従事するものとして取り扱う。（実際に行う作業が「介護作業」又は「家事支援作業」のどちらかだけであっても、特別加入する際の整理上は、「介護作業従事者及び家事支援作業従事者」として加入することとなり、そのいずれの作業にも従事し得るものとして取り扱われる）

R3-3E （平成30.2.8基発0208第1号）

2. 特別加入の要件

一人親方及びその事業に従事する者又は特定作業従事者が特別加入するためには、その者の行う事業又は作業が特定の事業又は特定の作業に該当していることの他に以下の要件を満たしていなければならない。

⑴ 加入しようとする一人親方等が、**団体の構成員**となっていること（一人親方等の特別加入については、一人親方その他自営業者の団体を任意適用事業及び事業主とみなし、一人親方等を労働者とみなして任意適用事業の保険関係と同様の仕組みで保険関係を成立させる。）。

第7章

(2)　**同種の事業又は同種の作業について重ねて特別加入するものではない**こと。　(平成13.3.30基発233号)

3.　特別加入の申請等

(1)　**申請**

一人親方等の特別加入の申請は、一人親方等の団体が、一定の事項を記載した申請書を当該団体の主たる事務所の所在地を管轄する**労働基準監督署長を経由して**当該事務所の所在地を管轄する**都道府県労働局長**に提出することによって行わなければならない。　(則46条の23,1項)

参考　特別加入者の従事する業務又は作業が特定業務（粉じん作業を行う業務、身体に振動を与える業務、鉛業務、有機溶剤業務、特別有機溶剤業務）である場合は、申請書にその者の業務歴を記載しなければならない。　(則46条の23,4項)

(2)　**承認通知**

所轄都道府県労働局長は、特別加入の申請を受けた場合において、当該申請につき承認することとしたときは、**遅滞なく、文書で**、その旨を当該団体に通知しなければならない。当該申請につき承認しないこととしたときも、同様とする。　(同上)

参考　承認の場合は、特別加入申請日の翌日から起算して30日の範囲内において加入申請者が加入を希望する日が承認決定日となる。　(平成13.3.30基発233号、平成26年厚労告386号)

問題チェック　H24-5C

専従職員（労働組合が雇用する労働者をいう。）又は労働者とみなされる常勤役員がいないいわゆる一人専従役員たる労働組合の代表者は、労働者とみなされず、かつ、労災保険の特別加入の対象とならない。

解答　×　法33条5号、平成11.2.18基発77号

設問の一人専従役員たる労働組合の代表者は、労働組合の活動に不可欠な作業に従事する場合には、一人親方等として特別加入の対象となる。

④ 海外派遣者（法33条6号、7号）　重要度 A　★★★

次のⅰⅱに掲げる者の**業務災害、複数業務要因災害**及び**通勤災害**に関しては、この章［特別加入］に定めるところによる。

ⅰ　労働者災害補償保険法の施行地外の地域のうち開発途上にある

地域に対する**技術協力**の実施の事業（**事業の期間が予定される事業を除く**。）を行う団体が、当該団体の業務の実施のため、当該開発途上にある地域（**業務災害**、**複数業務要因災害**及び**通勤災害**に関する保護制度の状況その他の事情を考慮して厚生労働省令で定める国の地域を除く。）において行われる事業に従事させるために**派遣する者**

ii　労働者災害補償保険法の施行地内において事業（**事業の期間が予定される事業を除く**。）を行う事業主が、労働者災害補償保険法の施行地外の地域（**業務災害**、**複数業務要因災害**及び**通勤災害**に関する保護制度の状況その他の事情を考慮して厚生労働省令で定める国の地域を除く。）において行われる事業に従事させるために**派遣する者**（当該事業が**特定事業**に該当しないときは、当該事業に使用される**労働者として派遣する者**に限る。）

Check Point!

□ 有期事業から派遣される者は特別加入することができない。

□ 海外派遣者として特別加入できるのは、新たに派遣される者に限らない。したがって、既に海外の事業に派遣されている者を特別加入させることも可能である。ただし、現地採用者は、海外派遣者特別加入制度の趣旨及びその加入の要件からみて、特別加入の資格がない。 R3-3D

（昭和52.3.30基発192号）

□ 派遣元の事業との雇用関係は転勤、在籍出向、移籍出向等種々の形態で処理されることになろうが、それがどのように処理されようとも、派遣元の事業主の命令で海外の事業に従事し、その事業との間に現実の労働関係をもつ限りは、特別加入の資格に影響を及ぼすものではない。 R6-6B

（同上）

□ 海外派遣者が特別加入（特別加入から脱退）する場合においては中小事業主等の特別加入制度の場合と異なり、包括して加入（脱退）する必要はない。

（同上）

第7章

1．加入対象者

加入対象者は、次の(1)又は(2)に該当する者である。

(1)　独立行政法人国際協力機構等の開発途上地域に対する技術協力の実施の事業（**有期事業を除く**。）を行う団体から派遣されて、開発途上地域で行われている事業に従事する者

(2)　日本国内で行われる事業（**有期事業を除く**。）から派遣されて海外支店、工場、現場、現地法人、海外の提携先企業等の海外で行われる事業に従事する者（**特定事業**に該当しないときは労働者として派遣される者に限る。）

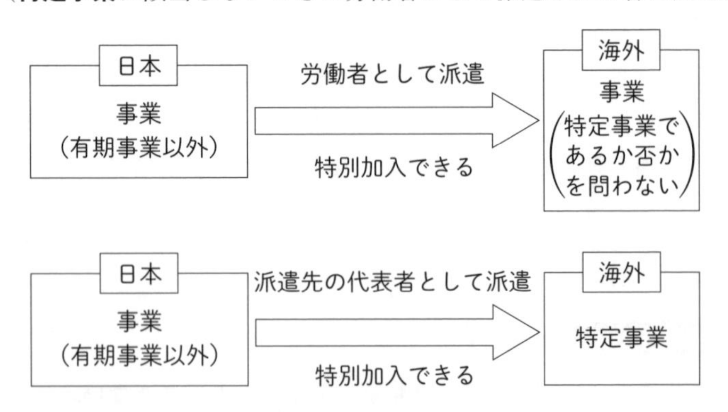

①　**特定事業**とは、中小事業主等の特別加入の対象となる中小事業主の要件に該当するものである（❷「**中小事業主等**」参照）。

②　**特定事業**に該当していれば**派遣先事業の代表者**として派遣する場合でも特別加入することができる。　（昭和52.3.30基発192号、平成11.12.3基発695号）

③　労働の提供の場が単に海外にあるにすぎず、国内の事業場に所属してその国内の事業場の使用者の指揮に従って勤務する場合は海外出張者となる。 R6-6E　（昭和52.3.30基発192号）

④　海外の事業場に所属してその海外の事業場の使用者の指揮命令を受ける場合は海外派遣者となる。 R6-6E　（同上）

⑤　単に留学を目的として海外に派遣される者は特別加入することができない。　（同上）

問題チェック H24-5E

海外派遣者について、派遣先の海外の事業が厚生労働省令で定める数以下の労働者を使用する事業に該当する場合であっても、その事業の代表者は、労災保険の特別加入の対象とならない。

解答 ×　　法33条７号、平成11.12.3基発695号

派遣先の海外の事業が厚生労働省令で定める数以下の労働者を使用する事業（特定事業）に該当する場合には、その事業の代表者として派遣された者についても特別加入の対象となる。

---

2. 特別加入の要件

海外派遣者の特別加入の要件は次の通りである。

(1) 日本国内で行われる事業又は団体について**労災保険に係る保険関係が成立**していること。

(2) **日本国内で行われる事業が有期事業でない**こと。

3. 特別加入の申請等

(1) 申請

海外派遣者の特別加入の申請は、一定の事項を記載した申請書を**所轄労働基準監督署長を経由して所轄都道府県労働局長**に提出することによって行わなければならない。（則46条の25の２）

(2) 承認通知

所轄都道府県労働局長は、特別加入の申請を受けた場合において、当該申請につき承認することとしたときは、**遅滞なく、文書で**、その旨を当該団体又は事業主に通知しなければならない。当該申請につき承認しないこととしたときも、同様とする。（則46条の25の2,2項）

参考 承認の場合は、特別加入申請日の翌日から起算して30日の範囲内において加入申請者が加入を希望する日が承認決定日となる。（平成13.3.30基発233号、平成26年厚労告386号）

特別加入の効果

① 中小事業主等 重要度A

1 保険給付等の取扱い（法34条1項1号、2号、3号）

★★★

中小事業主が、その者が行う**事業に従事する者**を**包括**して当該事業について成立する保険関係に基づきこの保険による**業務災害**、**複数業務要因災害及び通勤災害**に関する保険給付を受けることができる者とすることにつき申請をし、**政府の承認**があったときは、**二次健康診断等給付を除く保険給付**及び社会復帰促進等事業の規定の適用については、次に定めるところによる。

i　**中小事業主等**は、当該事業に使用される**労働者**とみなす。

ii　**中小事業主等**が**業務上負傷**し、若しくは**疾病**にかかったとき、その**負傷**若しくは**疾病**についての療養のため当該事業に**従事することができない**とき、その**負傷**若しくは**疾病**が治った場合において身体に**障害**が存するとき、又は業務上死亡したときは、労働基準法第75条から第77条まで［療養補償、休業補償及び障害補償］、第79条［遺族補償］及び第80条［葬祭料］に規定する**災害補償の事由**が生じたものとみなす。

iii　中小事業主等の特別加入者の給付基礎日額は、当該事業に使用される労働者の賃金の額その他の事情を考慮して厚生労働大臣が定める額とする。

概要

中小事業主等が特別加入をすると、その者は申請に係る**事業に使用される労働者とみなされ**、業務災害、複数業務要因災害及び通勤災害に対して保険給付や特別支給金の支給を受けることができるが、労働者とは部分的に異なる扱いがある。

Check Point!

□ 特別加入者の給付基礎日額は、スライド制の適用を受けるが、年齢階層別の最低・最高限度額の適用は受けない。　（則46条の20,2項、3項）

1. 業務災害、複数業務要因災害及び通勤災害の認定

中小事業主等の特別加入者に係る業務災害、複数業務要因災害及び通勤災害の認定は、**厚生労働省労働基準局長が定める基準**によって行うこととされている。

特別加入者に係る業務災害、複数業務要因災害及び通勤災害の認定については、労働者の場合と異なり、業務又は作業の範囲を確定することが通常困難であることから、特別加入に係る申請書に記載された業務又は作業の内容を基礎とし、厚生労働省労働基準局長が定める基準によって行うこととされている。

なお、中小事業主等の業務災害の範囲は一般的には労働者と同じであるが、株主総会や役員会に出席するといった**事業主本来の業務による災害は除外**される。

（則46条の26、平成14.3.29基発0329008号）

2. 保険給付

休業（補償）等給付については、**所得喪失の有無にかかわらず**、療養のため「業務遂行性が認められる範囲の業務又は作業について」**全部労働不能**であることが支給事由となる。すなわち、入院中又は自宅就床加療中若しくは通院加療中であって、必要な業務を全く遂行することができない状態であることが必要である。逆に「賃金喪失」は必要な要件ではない。　（平成13.3.30基発233号）

3. 特別支給金

特別給与を算定基礎とする特別支給金は、原則として、支給されない。 H28-7D

特別加入者には不支給	傷病特別年金	障害特別年金	障害特別一時金	遺族特別年金	遺族特別一時金
休業特別支給金（定率支給）	傷病特別支給金（定額支給）	障害特別支給金（定額支給）		遺族特別支給金（定額支給）	

（支給金則19条）

参考 複数事業労働者（労働者であってかつ他の事業場において特別加入をしているものに限る。）については、労働者として支給を受ける特別給与に対応する部分について、特別給与を算定基礎とする特別支給金が支給される。

4. 給付基礎日額

(1) 複数事業労働者以外の中小事業主等の特別加入者の場合

中小事業主等の特別加入者の給付基礎日額は、**3,500円**、**4,000円**、**5,000円**、**6,000円**、**7,000円**、**8,000円**、**9,000円**、**10,000円**、**12,000円**、**14,000円**、**16,000円**、**18,000円**、**20,000円**、**22,000円**、**24,000円及び25,000円**の**16階級**の額の中から、特別加入者の希望する額を考慮して所轄都道府県労働局長（厚生労働大臣の権限が委任されている）が定める。　（法34条1項3号、則1条1項、則46条の20,1項）

参考 所轄都道府県労働局長は、給付基礎日額を定めるにあたり、特に必要があると認めるときは、中小事業主等の特別加入の申請をした事業主から、当該事業主等の所得を証明することができる書類、当該事業に使用される労働者の賃金の額を証明することができる書類その他必要な書類を所轄労働基準監督署長を経由して提出させるものとする。H30-選C

（則46条の20,9項）

(2) 複数事業労働者である中小事業主等の特別加入者の場合

複数事業労働者である中小事業主等の特別加入者に係る給付基礎日額は、①と②を合算した額となる。

①　労働者として使用される事業に係る給付基礎日額	第3章❶❹IIの規定により算定した額
②　特別加入者に係る給付基礎日額	上記(1)の給付基礎日額（複数の事業場において特別加入をしている者である場合は、各事業における上記(1)の給付基礎日額に相当する額の合算額）

なお、「**労働者であってかつ他の事業場において特別加入をしている者**」に該当する者の給付基礎日額の算定においては、**合算前**の「労働者として使用される事業に係る給付基礎日額」に**自動変更対象額**、**スライド制**及び**年齢階層別の最低・最高限度額**を適用する。

また、「**複数の事業場において特別加入をしている者**」に該当する者の給付基礎日額の算定においては、それぞれの特別加入に係る給付基礎日額を**合算した額**について**スライド制のみ**を適用する。

（則46条の20,3項、5項、7項、令和2.8.21基発0821第2号）

2 支給制限（法34条1項4号、支給金則16条4号）

★★★

中小事業主等の事故が徴収法第10条第２項第２号の**第１種特別加入保険料が滞納されている期間**（**督促状に指定する期限後**の期間に限る。）**中に生じたもの**であるときは、**政府**は、当該事故に係る**保険給付**及び**特別支給金**の**全部又は一部を行わないことができる**。これらの者の**業務災害の原因である事故**が**中小事業主の故意又は重大な過失によって生じたもの**であるときも、**同様**とする。

概要

次の事故については、法第31条第１項の「費用徴収」ではなく保険給付及び特別支給金の「**支給制限**」が行われる。

(1) 特別加入保険料滞納期間（督促状の指定期限後の期間に限る）中の事故

(2) 中小事業主の故意又は重大な過失によって生じた事故 R3-3C

Check Point!

□ 支給制限の対象となる特別加入保険料滞納期間中の事故は、督促状の指定期限後のものに限られる。（昭和40.12.6基発1591号、昭和47.9.30基発643号）

参考 （特別加入保険料滞納期間中、かつ、事業主としての故意・重過失により生じた事故）
中小事業主等の事故が「特別加入保険料の滞納期間中」に生じたために法第34条第１項第４号前段の特別加入者に対する支給制限の規定が適用され、かつ、当該事故が「事業主としての（事業主という立場でみた場合の）中小事業主等の故意又は重大な過失」によって生じたものでもあるために、法第34条第１項第４号後段の特別加入者に対する支給制限の規定も適用される場合は、「特別加入保険料の滞納（法第34条第１項第４号前段）」に係る支給制限率と「事業主としての中小事業主等の故意又は重大な過失（法第34条第１項第４号後段）」に係る支給制限率とを比較し、いずれか高い方の支給制限率で支給制限が行われる。（平成3.4.12基発259号）

（特別加入保険料滞納期間中、かつ、労働者としての故意・重過失により生じた事故）
中小事業主等の事故が「特別加入保険料の滞納期間中」に生じたために法第34条第１項第４号前段の特別加入者に対する支給制限の規定が適用され、かつ、当該事故が「労働者としての（労働者という立場でみた場合の）中小事業主等の故意又は重大な過失」によって生じたものでもあるために法第12条の２の２の労働者に対する支給制限の規定も適用される場合は、まず、「労働者としての中小事業主等の故意又は重大な過失（法第12条の２の２）」に係る支給制限が行われ、その支給制限を行った後の残余の部分についてさらに「特別加入保険料の滞納（法第34条第１項第４号前段）」に係る支給制限が行われる。（同上）

（事業主としての故意・重過失、かつ、労働者としての故意・重過失により生じた事故）
中小事業主等の事故が「事業主としての（事業主という立場でみた場合の）中小事業主等

の故意又は重大な過失」によって生じたために法第34条第１項第４号後段の特別加入者に対する支給制限の規定が適用され、かつ、「労働者としての（労働者という立場でみた場合の）中小事業主等の故意又は重大な過失」によって生じたものでもあるために法第12条の２の２の労働者に対する支給制限の規定も適用される場合は、「事業主としての中小事業主等の故意又は重大な過失（法第34条第１項第４号後段）」に係る支給制限のみが行われる。

（平成3.4.12基発259号）

3 脱退等（法34条2項、3項、4項）

★★★

Ⅰ　中小事業主は、特別加入の承認があった後においても、**政府の承認**を受けて、中小事業主及びその者が行う事業に従事する者を**包括して**保険給付を受けることができる者としないこととすることができる。

Ⅱ　政府は、中小事業主が労働者災害補償保険法若しくは徴収法又はこれらの法律に基づく厚生労働省令の規定に違反したときは、特別加入の**承認**を取り消すことができる。

Ⅲ　中小事業主等の保険給付を受ける権利は、Ⅰの規定による承認又はⅡの規定による特別加入の承認の取消しによって変更されない。これらの者が中小事業主等でなくなったことによっても、同様とする。

Check Point!

□ 特別加入した中小事業主は、政府の承認を受けて脱退することができるが、この場合も労働者以外の者で当該事業に従事する者を包括して脱退しなければならない。（平成11.12.3基発695号）

1.　法令違反

事業主が労災保険法等の法令に違反した場合は、**特別加入の承認を取り消す**ことができる。

2.　地位消滅後の権利

特別加入者たる地位が消滅した場合であっても、既に発生した特別加入者の保険給付を受ける権利はそのことによって変更されない。例えば、特別加入期間中に生じた事故によるものであれば、特別加入者たる地位が消滅した後に初めて受給権が発生した保険給付であっても受給することができる。

② 一人親方等 重要度A

1 保険給付等の取扱い（法35条1項1号～6号）

★★★

一人親方の団体又は**特定作業従事者の団体**が、当該**団体の構成員**である**一人親方**及び当該一人親方が行う**事業に従事する者**又は当該団体の構成員である**特定作業従事者**の**業務災害、複数業務要因災害及び通勤災害**（これらの者のうち、**住居と就業の場所との間の往復の状況等を考慮**して厚生労働省令で定める者にあっては、**業務災害及び複数業務要因災害**に限る。）に関してこの保険の適用を受けることにつき申請をし、**政府の承認**があったときは、二次健康診断等給付を除く保険給付（当該厚生労働省令で定める者にあっては、**業務災害及び複数業務要因災害**に関する保険給付）、社会復帰促進等事業及び徴収法第２章から第６章まで［徴収法の総則と罰則以外の章］の規定の適用については、次に定めるところによる。H27-選C

i　当該**団体**は、第３条第１項の**適用事業及びその事業主**とみなす。

ii　当該**承認があった日**は、ｉの**適用事業が開始された日**とみなす。

iii　当該団体に係る一人親方等は、ｉの適用事業に使用される**労働者**とみなす。

iv　当該**団体の解散**は、**事業の廃止**とみなす。

v　一人親方等が業務上若しくは作業により負傷し、若しくは疾病にかかったとき、その負傷若しくは疾病についての療養のため当該事業又は作業に従事することができないとき、その負傷若しくは疾病が治った場合において身体に障害が存するとき、又は業務上若しくは作業により死亡したときは、労働基準法第75条から第77条まで［療養補償、休業補償及び障害補償］、第79条［遺族補償］及び第80条［葬祭料］に規定する**災害補償の事由**が生じたものとみなす。

vi　一人親方等の特別加入者の給付基礎日額は、当該事業と同種若しくは類似の事業又は当該作業と同種若しくは類似の作業を行う事業に使用される労働者の賃金の額その他の事情を考慮して厚生労働大臣が定める額とする。

第7章

概要

一人親方等の特別加入の場合は、特別加入の承認を受けた団体は適用事業及び事業主とみなされ、一人親方等は**その団体に使用される労働者とみなされ**、業務災害、複数業務要因災害及び通勤災害に対して保険給付や特別支給金の支給を受けることができるが、労働者とは部分的に異なる扱いがある。

1.　業務災害、複数業務要因災害及び通勤災害の認定

一人親方等の特別加入者に係る業務災害、複数業務要因災害及び通勤災害の認定についても、**厚生労働省労働基準局長が定める基準**によって行うこととされている。（則46条の26）

なお、作業に直接附帯しない行為については業務外とされる。例えば、建設業の一人親方が自宅の補修を行う場合や、個人タクシー営業者が家族を一定場所まで送る行為、銀行等に融資を受けるために赴く行為などには業務遂行性は認められない。（平成14.3.29基発0329008号）

2.　保険給付

⑴　休業（補償）等給付については、中小事業主等と同様である（「**全部労働不能」が要件**であり、「**賃金喪失**」は**要件ではない**）。

⑵　次に掲げる者は、住居と就業の場所との間の往復等の移動の実態が不明確なので、通勤災害に関する規定が適用されない。

① 自動車を使用して行う旅客若しくは貨物の運送の事業又は原動機付自転車若しくは自転車を使用して行う貨物の運送の事業に従事する一人親方等　H30-選E　R3-3B

② 漁船による水産動植物の採捕の事業（船員法に規定する船員が行う事業を除く）に従事する一人親方等

③ 特定農作業及び指定農業機械作業従事者

④ 家内労働者及びその補助者　（則46条の22の２）

3.　特別支給金

中小事業主等と同様、特別給与を算定基礎とする特別支給金は、原則として、支給されない。　H28-7D（支給金則19条）

4.　給付基礎日額

中小事業主等と同様であるが、家内労働者及びその補助者の場合は、暫定的に

2,000円、2,500円又は3,000円の日額も認められている。

(則46条の24、(5)則附則2条3項、(5)徴収則附則3条3項)

問題チェック H8-6D改題

自動車を使用して行う旅客又は貨物の運送の事業を営む中小事業主等の特別加入者については、業務災害及び複数業務要因災害に関して保険給付の支給を受けることができるが、通勤災害に関して保険給付の支給を受けることはできない。

解答 ×　法35条1項カッコ書、則46条の22の2

「自動車を使用して行う旅客又は貨物の運送の事業に従事する一人親方等（個人タクシー業者等)」については、通勤災害について労災保険の保険給付の対象としないこととされているが、設問のように「中小事業主等の特別加入者（第1種特別加入者)」については、通勤災害に関して保険給付の支給を受けることができる。

2 支給制限（法35条1項7号、支給金則17条7号）

★★★

一人親方等の事故が、徴収法第10条第2項第3号の**第2種特別加入保険料が滞納されている期間**（**督促状に指定する期限後**の期間に限る。）**中に生じたもの**であるときは、**政府**は、当該事故に係る**保険給付**及び**特別支給金**の**全部又は一部を行わないことができる**。

概要

次の事故については、法第31条第1項の「費用徴収」ではなく保険給付及び特別支給金の「支給制限」が行われる。

・特別加入保険料滞納期間（督促状の指定期限後の期間に限る）中の事故

Check Point!

□ 一人親方等の場合は、団体を擬制的な事業主と見立てて特別加入しているため、「事業主の故意又は重大な過失によって生じた事故」についての支給制限の問題は生じない。(平成3.4.12基発259号)

第7章

問題チェック H8-6C

いわゆる一人親方等の団体が、当該団体に係る一人親方等の一部の者から保険料相当額の交付を受けていないために、政府に対して保険料を一部滞納しているときであっても、保険料相当額を当該団体に交付している一人親方等については、一部滞納期間中の事故に係る保険給付の支給が制限されることはない。

解答 ×　平成13.3.30基発233号

団体が構成員から保険料相当額をいかなる方法で徴収するか、また徴収状況がどうであるかなどは団体の内部問題であり、労災保険法の関知するところではない。

Advice

団体が一人親方等の一部の者から保険料相当額の交付を受けないために政府に対して保険料を滞納し、その期間中に保険料相当額を団体に交付している一人親方等に事故が生じた場合は、政府は保険給付の全部又は一部を行わないことができる。

3 脱退等（法35条3項、4項、5項）

★★

Ⅰ　**一人親方等の団体**は、特別加入の承認があった後においても、**政府の承認**を受けて、当該団体についての**保険関係を消滅**させることができる。

Ⅱ　政府は、**一人親方等の団体**が労働者災害補償保険法若しくは徴収法又はこれらの法律に基づく厚生労働省令の規定に**違反**したときは、当該団体についての**保険関係を消滅させることができる**。

Ⅲ　一人親方等の**保険給付を受ける権利**は、一人親方又は特定作業従事者が**一人親方等の団体**から**脱退することによって変更されない**。一人親方等が一人親方等でなくなったことによっても、同様とする。

Check Point!

□ 一人親方等の団体が労災保険法等の法令に違反した場合は、保険関係を消滅させることができる。

・地位消滅後の権利

特別加入者たる地位が消滅した場合であっても、既に発生した特別加入者の保険給付を受ける権利はそのことによって変更されない。

③海外派遣者 重要度A

1 保険給付等の取扱い（法36条1項1号、2号）

★★★

派遣元の団体又は事業主が、**海外派遣者**を、当該団体又は当該事業主が**労働者災害補償保険法の施行地内**において行う事業（**事業の期間が予定される事業**を**除く**。）についての保険関係に基づきこの保険による**業務災害、複数業務要因災害及び通勤災害**に関する保険給付を受けることができる者とすることにつき申請をし、**政府の承認**があったときは、二次健康診断等給付を除く保険給付及び社会復帰促進等事業の規定の適用については、次に定めるところによる。R6-6A

i　**海外派遣者**は、当該事業に使用される**労働者**とみなす。

ii　**海外派遣者**が業務上負傷し、若しくは疾病にかかったとき、その負傷若しくは疾病についての療養のため**開発途上にある地域**又は**労働者災害補償保険法の施行地外の地域**において行われる事業に従事することができないとき、その負傷若しくは疾病が治った場合において身体に障害が存するとき、又は業務上死亡したときは、労働基準法第75条から第77条まで［療養補償、休業補償及び障害補償］、第79条［遺族補償］及び第80条［葬祭料］に規定する**災害補償の事由**が生じたものとみなす。

iii　海外派遣者である特別加入者の給付基礎日額については、中小事業主等の特別加入者の場合に準じる。

概要

海外派遣者が特別加入をすると、その者は**派遣元（国内）の団体又は事業主に使用される労働者とみなされ**、海外での業務災害、複数業務要因災害及び通勤災害に対して保険給付や特別支給金の支給を受けることができるが、通常の労働者とは部分的に異なる扱いがある。

Check Point!

□ 海外派遣の特別加入者が、同一の事由について派遣先の事業の所在する国の労災保険から保険給付が受けられる場合にも、我が国の労災保険給付との間の調整は行う必要がない。R6-6C　（昭和52.3.30基発192号）

1. 業務災害、複数業務要因災害及び通勤災害の認定

業務災害、複数業務要因災害及び通勤災害とも国内の労働者に準じて取り扱われる（赴任途上及び帰任途上の災害についても保険給付は行われる）。R6-6D

2. 保険給付

休業（補償）等給付については、特別加入者であるので中小事業主等、一人親方等と同様賃金喪失の有無にかかわらず受給することができる。

3. 特別支給金

特別給与を算定基礎とする特別支給金は、原則として、支給されない。

H28-7D（支給金則19条）

4. 給付基礎日額

中小事業主等の場合と同様である。（則46条の25の３）

2 支給制限（法36条1項3号、支給金則18条４号）

★★★

海外派遣者の事故が、徴収法第10条第２項第３号の２の**第３種特別加入保険料が滞納されている期間**（**督促状に指定する期限後**の期間に限る。）**中に生じたもの**であるときは、政府は、当該事故に係る**保険給付**及び**特別支給金**の**全部又は一部を行わないことができる**。

概要

次の事故については、法第31条第１項の「費用徴収」ではなく保険給付及び特別支給金の「支給制限」が行われる。

・特別加入保険料滞納期間（督促状の指定期限後の期間に限る）中の事故

3 脱退等（法36条2項）

★★

Ⅰ　海外派遣者の特別加入の**承認**を受けた団体又は事業主は、当該承認があった後においても、**政府の承認**を受けて、海外派遣者を保険給付を受けることができる者としないこととすることができる。

Ⅱ　政府は、海外派遣者の特別加入の承認を受けた団体又は事業主が労働者災害補償保険法若しくは徴収法又はこれらの法律に基づく厚生労働省令の規定に**違反したとき**は、海外派遣者の特別加入の承認を取り消すことができる。

Ⅲ　海外派遣者の**保険給付を受ける権利**は、Ⅰの規定による承認又はⅡの規定による**承認の取消しによって変更されない**。これらの者が海外派遣者でなくなったことによっても、同様とする。

Check Point!

□ 承認を受けた団体又は事業主は、特別加入させた海外派遣者を事業単位で、包括して、政府の承認を受けて脱退させることも、変更届により個別に脱退させることもできる。（則46条の25の２）

1．法令違反

派遣元の事業主等が労災保険法等の法令に違反した場合は、**特別加入の承認を取り消す**ことができる。

2．地位消滅後の権利

特別加入者たる地位が消滅した場合であっても、既に発生した特別加入者の保険給付を受ける権利はそのことによって変更されない。

第8章

不服申立て及び雑則等

1 不服申立て

❶ 労審法による不服申立て

❷ 行政不服審査法による不服申立て

2 雑則等

❶ 費用の負担

❷ 時効

❸ 戸籍事項の無料証明

❹ 書類の保存義務

❺ 使用者等の報告・出頭等

❻ 労働者及び受給者の報告・出頭等

❼ 受診命令

❽ 立入検査

❾ 診療担当者に対する命令

❿ 関係行政機関等に対する協力の求め

⓫ 派遣労働者に係る保険給付の請求

⓬ 罰則

不服申立て

❶ 労審法による不服申立て 重要度A

1 審査請求及び再審査請求（法38条）

★★★

Ⅰ　**保険給付**に関する**決定**に不服のある者は、**労働者災害補償保険審査官**に対して**審査請求**をし、その決定に**不服**のある者は、**労働保険審査会**に対して**再審査請求**をすることができる。H29-選AB　R5-6A

Ⅱ　Ⅰの**審査請求**をしている者は、**審査請求**をした日から**3箇月**を経過しても**審査請求**についての**決定**がないときは、**労働者災害補償保険審査官**が**審査請求**を**棄却**したものとみなすことができる。

H29-選C　R5-6B

Ⅲ　Ⅰの**審査請求**及び**再審査請求**は、**時効の完成猶予及び更新**に関しては、これを**裁判上の請求**とみなす。

概要

行政庁の処分又は不作為について不服がある場合には、一般法である行政不服審査法に基づいて審査請求を行うことができる。しかし、労災保険の「保険給付に関する決定」に対する不服申立ては、比較的大量に行われること、また、その処理にあたって専門的知識が必要とされることから労災保険法に特例的な規定が設けられており、特別法である労働保険審査官及び労働保険審査会法（労審法）に基づき不服申立てを行うことになっている。

Check Point!

□ 保険給付に関する不服申立てについてまとめると次の通りとなる。

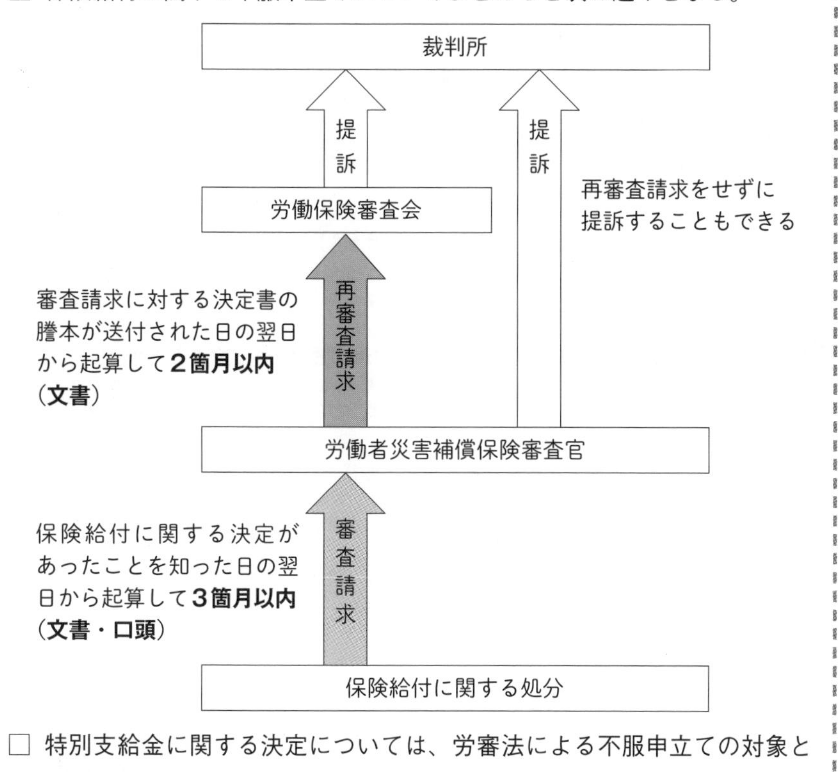

□ 特別支給金に関する決定については、労審法による不服申立ての対象とはならない。

1. 審査請求

(1) 労働者災害補償保険審査官

審査請求は、保険給付に関する決定を行った行政庁の所在地を管轄する**都道府県労働局に置かれた労働者災害補償保険審査官**に対して行う。

労働者災害補償保険審査官は、**厚生労働大臣**が**任命**する。

（労審法3条、7条1項）

(2) 審査請求期間

審査請求は、正当な理由によりこの期間内に審査請求をすることができなかったことを疎明した場合を除き、保険給付に関する決定があったことを知った日の翌日から起算して**3月**を経過したときは、することができない。

（労審法8条1項）

(3)　審査請求の方式

審査請求は、政令で定めるところにより、**文書又は口頭**ですることができる。
（労審法９条）

(4)　代理人による審査請求

審査請求は、代理人によってすることができる。（労審法９条の2,1項）

(5)　審査請求の取下げ

①　審査請求人は、決定があるまでは、いつでも、審査請求を取り下げることができる。

②　審査請求の取下げは、**文書**でしなければならない。

（労審法17条の2,1項、２項）

参考（保険給付に関する決定）
保険給付に関する決定とは、直接、受給権者の権利に法律的効果を及ぼす処分でなければならない。したがって、決定の前提にすぎない単なる要件事実の認定（例えば、業務上外、給付基礎日額、傷病の治ゆ日等の認定）は、ここにいう決定ではない。R5-6D

（保険給付に関する決定に不服のある者）
審査請求をすることができる者（審査請求人適格を有する者）は、「保険給付に関する決定に不服のある者」、すなわち、保険給付に関し労働基準監督署長の違法又は不当な処分により直接自己の権利又は利益を侵害されたとする者である。原処分を受けた者がこれに該当するが、直接に自己の権利利益を侵害されたことを主張できる者であれば、処分を直接受けない第三者、例えば、原処分を受けた者〔遺族（補償）等給付の不支給決定処分を受けた者を除く。〕が審査請求前に死亡した場合の相続人及び行方不明となっている遺族（補償）等給付受給権者の財産管理人もこれに該当する。R5-6E

2.　再審査請求

(1)　労働保険審査会

再審査請求は、**厚生労働大臣**の所轄の下に設置されている**労働保険審査会**に対して行う。

労働保険審査会は委員９人をもって組織し、委員のうちから、**労働保険審査会**が指名する者**３人**をもって構成する**合議体**で、再審査請求の事件又は審査の事務を取り扱う。

労働保険審査会の委員は、人格が高潔であって、労働問題に関する識見を有し、かつ、法律又は労働保険に関する学識経験を有する者のうちから、**両議院の同意**を得て、**厚生労働大臣**が**任命**する。

（労審法25条１項、26条１項、27条１項、33条１項）

(2)　再審査請求期間

再審査請求は、正当な理由によりこの期間内に再審査請求をすることができなかったことを疎明した場合を除き、審査請求に対する決定書の謄本が送付された日の翌日から起算して**２月**を経過したときは、することができな

い。（労審法38条１項、２項）

⑶　**再審査請求の方式**

再審査請求は、政令で定めるところにより、**文書**でしなければならない。

（労審法39条）

⑷　**代理人による再審査請求**

再審査請求は、代理人によってすることができる。（労審法50条）

⑸　**再審査請求の取下げ**

①　再審査請求人は、裁決があるまでは、いつでも、再審査請求を取り下げることができる。

②　再審査請求の取下げは、**文書**でしなければならない。

（労審法49条１項、２項）

2 訴訟との関係（法40条）

★★★

第38条第１項［**保険給付に関する決定**］に規定する処分の**取消しの訴え**は、当該処分についての**審査請求**に対する**労働者災害補償保険審査官**の**決定**を経た後でなければ、**提起**することができない。R5-6C

❷ 行政不服審査法による不服申立て（行審法2条、4条、12条1項、18条1項、2項、19条1項）

重要度 A

★★★

Ⅰ　第38条第１項［**保険給付に関する決定**］**以外**の処分に不服のある者は、行政不服審査法により、**厚生労働大臣**に対して**審査請求**をすることができる。

Ⅱ　Ⅰの**審査請求**は、**処分があったことを知った日**の**翌日**から起算して**3月**を経過したときは、することができない。ただし、正当な理由があるときは、この限りでない。

Ⅲ　Ⅰの**審査請求**は、**処分があった日**の**翌日**から起算して**1年**を経過したときは、することができない。ただし、正当な理由があるときは、この限りでない。

Ⅳ　Ⅰの**審査請求**は、政令で定めるところにより、**審査請求書**を提出してしなければならない。

V　**審査請求**は、**代理人**によってすることができる。

Check Point!

□ 行政不服審査法による不服申立てについてまとめると次の通りとなる。

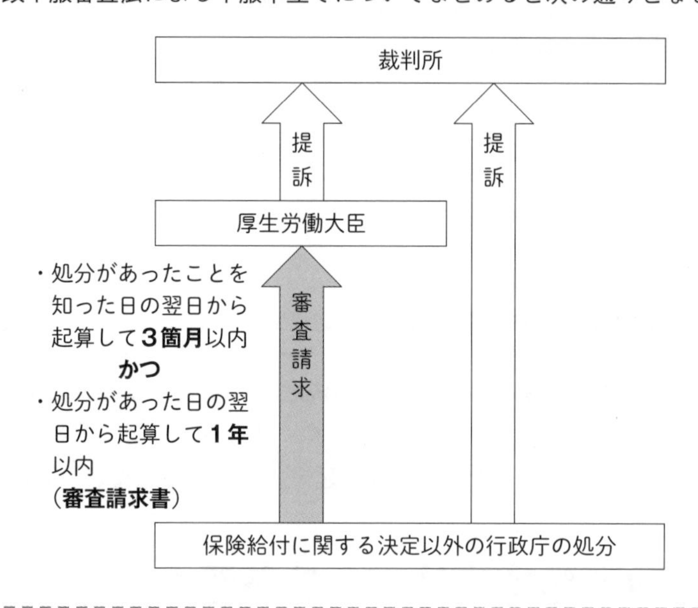

1.　審査請求の対象となる事項

厚生労働大臣に対して審査請求を行うのは、**例えば**、次の事項についてである。

(1)　不正受給者（連帯債務を負う事業主を含む。）からの費用徴収の決定

(2)　特別加入の申請に対する不承認

(3)　特別加入者の脱退（一人親方等の団体について成立している保険関係の消滅を含む。）の申請に対する不承認

(4)　特別加入の承認の取消し

2.　訴訟との関係

上記Ｉの審査請求をせずに、直ちに処分の取消しの訴えを提起することもできる。

雑則等

① 費用の負担 重要度A

1 保険料（法30条）

★★★

労働者災害補償保険事業に要する費用にあてるため政府が徴収する**保険料**については、徴収法の定めるところによる。

Check Point!

□ 労災保険の保険料は事業主が全額負担している。

2 国庫補助（法32条）

★★★

国庫は、**予算の範囲内**において、労働者災害補償保険事業に要する**費用の一部を補助することができる**。

② 時効（法42条、法附則58条3項、法附則59条4項、法附則60条5項） 重要度A

★★★

Ⅰ　**療養補償給付、休業補償給付、葬祭料、介護補償給付、複数事業労働者療養給付、複数事業労働者休業給付、複数事業労働者葬祭給付、複数事業労働者介護給付、療養給付、休業給付、葬祭給付、介護給付**及び**二次健康診断等給付**を受ける権利は、これらを行使することができる時から**2年**を経過したとき、**障害補償給付、遺族補償給付、複数事業労働者障害給付、複数事業労働者遺族給付、障害給付**及び**遺族給付**を受ける権利は、これらを行使することができる時から**5年**を経過したときは、時効によって消滅する。H29-選DE

第8章

Ⅱ　**障害補償年金差額一時金**の支給を受ける権利は、これを行使することができる時から**5年**を経過したときは、時効によって消滅する。
Ⅲ　**障害補償年金前払一時金**の支給を受ける権利は、これを行使することができる時から**2年**を経過したときは、時効によって消滅する。
Ⅳ　**遺族補償年金前払一時金**の支給を受ける権利は、これを行使することができる時から**2年**を経過したときは、時効によって消滅する。
Ⅴ　第8条の2第1項第2号［休業給付基礎日額のスライド］の規定による**四半期ごとの平均給与額**又は第8条の3第1項第2号［年金給付基礎日額のスライド］の規定による**年度の平均給与額**が**修正**されたことにより、第8条の2第1項第2号［**休業給付基礎日額のスライド**］、第8条の3第1項第2号［**年金給付基礎日額のスライド**］又は第16条の6第2項［**失権差額一時金の逆スライド**］に規定する**厚生労働大臣が定める率**を厚生労働大臣が、第8条第2項［**給付基礎日額の特例**］に規定する政府が算定する額を政府がそれぞれ**変更**した場合において、当該**変更**に伴いその額が**再び算定**された保険給付があるときは、当該保険給付に係る第11条の規定による**未支給の保険給付**の支給を受ける権利については、会計法第31条第1項の規定を適用しない。

【複数業務要因災害及び通勤災害に係るその他の保険給付の時効（法附則60条の2,2項、法附則60条の3,3項、法附則60条の4,4項、法附則61条3項、法附則62条3項、法附則63条3項）】

複数事業労働者障害年金差額一時金、複数事業労働者障害年金前払一時金、複数事業労働者遺族年金前払一時金、障害年金差額一時金、障害年金前払一時金、遺族年金前払一時金についてもそれぞれ障害補償年金差額一時金、障害補償年金前払一時金、遺族補償年金前払一時金の時効に関する規定が準用されている。

概要

保険給付の時効についてまとめると次の通りとなる。H27-6オ

保険給付		時効期間	起算日
療養(補償)等給付	療養の給付※1		
	療養の費用の支給	2年	療養に要する費用を支払った日の翌日
休業(補償)等給付			**労働不能の日**ごとにその翌日
葬祭料等(葬祭給付)			**死亡した日**の翌日
介護(補償)等給付			介護を受けた月の**翌月の初日**
障害(補償)等年金前払一時金			傷病が治った日の翌日
遺族(補償)等年金前払一時金			死亡した日の翌日
二次健康診断等給付※2			労働者が一次健康診断の結果を了知し得る日の翌日
障害(補償)等給付		5年	傷病が治った日の翌日
障害(補償)等年金差額一時金			障害(補償)等年金の受給権者が死亡した日の翌日
遺族(補償)等給付			**死亡した日**の翌日
傷病(補償)等年金※3			

※1　**療養の給付**は、現物給付であるため**時効の問題は発生しない**。

※2　二次健康診断等給付の請求は、一次健康診断を受けた日から3箇月以内に行わなければならないことから、二次健康診断等給付を受ける権利について時効が問題となるのは、**特定保健指導**を受ける場合である。

※3　**傷病（補償）等年金**は、労働基準監督署長が職権により支給決定するため、**時効の問題は発生しない**。

Check Point!

□ 葬祭料の時効の起算日は、「葬祭を行った日の翌日」ではなく「死亡日の翌日」である。

参考（支分権の消滅時効）

労災保険法に規定する保険給付の時効は、支給決定を請求する権利（基本権の確定を受ける権利）の時効である。支給決定が行われた保険給付の支払を受ける権利（支分権）の消滅時効は、公法上の金銭債権として会計法第30条の規定により、これを行使することができる時から5年とされている。

（民法の期間計算の準用）

労働者災害補償保険法又は同法に基づく政令及び厚生労働省令に規定する期間の計算につ

第8章

いては、民法の期間の計算に関する規定を準用する。 H30-4エ　（法43条）

（会計法第31条第１項）
金銭の給付を目的とする国の権利の時効による消滅については、別段の規定がないときは、時効の援用を要せず、また、その利益を放棄することができないものとする。国に対する権利で、金銭の給付を目的とするものについても、また同様とする。
（会計法31条１項）

問題チェック H15-4E改題

傷病補償年金、複数事業労働者傷病年金又は傷病年金は、政府の職権によって支給が決定されるものであるから、これを受ける権利に関して労災保険法では時効について定めていないが、支給が決定された年金の支払期ごとに生ずる請求権については、会計法上の時効の規定が適用される。

解答 ○　法42条、昭和52.3.30基発192号

支払期月ごとに生ずる支払請求権については、会計法第30条の規定により、これを行使することができる時から５年で時効消滅する。

参考 民法の改正により、時効の起算点について、客観的起算点（権利を行使することができる時）と主観的起算点（権利を行使することができることを知った時）とが分けられることに伴い、労働者災害補償保険法における時効の起算点が客観的起算点である旨が明示された（令和２年４月１日施行）。

③ 戸籍事項の無料証明（法45条） 重要度B ★★

市町村長（特別区の区長を含むものとし、地方自治法第252条の19第１項の指定都市においては、区長又は総合区長とする。）は、**行政庁**又は**保険給付**を**受けようとする者**に対して、当該**市**（**特別区を含む。**）**町村**の**条例**で定めるところにより、**保険給付**を**受けようとする者**又は**遺族の戸籍**に関し、**無料で証明**を行うことができる。 H30-3A

参考 無料で証明を求めることができる事項は、戸籍又は除かれた戸籍に記載された特定の事項であって、この証明は、本籍地の市町村が労働者の戸籍記載事項について、戸籍法施行規則第14条により作成するものであるから、戸籍謄本、抄本等を含まないことはもちろん、戸籍記載事項の証明でも本法に関し必要な事項に限られる。　（昭和22.9.13発基17号）

④ 書類の保存義務（則51条） 重要度 B

★★

労災保険に係る**保険関係**が成立し、若しくは成立していた事業の**事業主**又は**労働保険事務組合**若しくは**労働保険事務組合**であった**団体**は、**労災保険**に関する**書類**（徴収法又は徴収法施行規則による書類を**除く**。）を、その**完結の日**から**３年間保存**しなければならない。 R元-1E

⑤ 使用者等の報告・出頭等（法46条、則51条の2） 重要度 B

★★

所轄都道府県労働局長又は所轄労働基準監督署長は、厚生労働省令で定めるところにより、労働者を使用する者、**労働保険事務組合**、第35条第１項に規定する団体［**一人親方等の団体**］、労働者派遣法第44条第１項に規定する**派遣先の事業主**（以下「**派遣先の事業主**」という。）又は船員職業安定法第６条第11項に規定する**船員派遣**（以下「**船員派遣**」という。）**の役務の提供を受ける者**に対して、労働者災害補償保険法の施行に関し**必要な報告、文書の提出又は出頭を命ずることができる**。 H30-3C

参考（罰則）

法第46条の規定（出頭命令を除く。）に違反した場合は、６月以下の懲役又は30万円以下の罰金に処せられる。 （法51条）

（法令の要旨等の周知）

(1)**事業主**は、労災保険に関する法令のうち、労働者に関係のある規定の要旨、労災保険に係る保険関係成立の**年月日及び労働保険番号**を、電磁的方法（電子情報処理組織を使用する方法その他の情報通信の技術を利用する方法をいう。）により提供し、又は常時事業場の見易い場所に掲示し、若しくは備え付ける等の方法によって、**労働者に周知**させなければならない。

(2)**事業主**は、その事業についての労災保険に係る保険関係が消滅したときは、その**年月日**を**労働者に周知**させなければならない。 R元-1B （則49条）

⑥ 労働者及び受給者の報告・出頭等（法47条） 重要度B

★★

行政庁は、厚生労働省令で定めるところにより、保険関係が成立している事業に使用される**労働者**（**特別加入者**を含む。）若しくは**保険給付**を受け、若しくは受けようとする者に対して、労働者災害補償保険法の施行に関し**必要な報告、届出、文書その他の物件の提出**（以下「報告等」という。）若しくは**出頭を命じ**、又は**保険給付の原因である事故を発生させた第三者**（派遣先の事業主及び船員派遣の役務の提供を受ける者を除く。）に対して、**報告等**を命ずることができる。H30-3B

趣旨

上記の規定は、通勤災害の多くは第三者行為災害であるため、保険給付の原因である事故を発生させた第三者に対しても、行政庁が必要な報告、届出、文書その他の物件の提出を命ずることができることとしたものである。なお、この場合の第三者については、他の関係者と異なり行政庁への出頭を命ずることはできないものである。（昭和48.11.22基発644号）

参考 法第47条の規定（出頭命令及び第三者に対する報告等の命令を除く。）に違反した場合は、**6月以下の懲役又は20万円以下**の罰金に処せられる。（法53条1号）

⑦ 受診命令（法47条の2） 重要度B

★★

行政庁は、**保険給付**に関して必要があると認めるときは、**保険給付**を受け、又は受けようとする者（**遺族補償年金、複数事業労働者遺族年金**又は**遺族年金**の額の算定の基礎となる者を含む。）に対し、その指定する**医師の診断を受けるべきことを命ずることができる**。R元-1D

❽ 立入検査（法48条） 重要度B

★★

Ⅰ **行政庁**は、労働者災害補償保険法の施行に必要な限度において、当該職員に、**適用事業の事業場**、**労働保険事務組合**若しくは第35条第1項に規定する**団体**［一人親方等の団体］の事務所、労働者派遣法第44条第1項に規定する派遣先の事業の事業場又は船員派遣の役務の提供を受ける者の事業場に**立ち入り**、**関係者**に**質問**させ、又は**帳簿書類**その他の**物件**を**検査**させることができる。H30-3D

Ⅱ Ⅰの規定により**立入検査**をする**職員**は、その**身分**を示す**証明書**を**携帯**し、**関係者**に**提示**しなければならない。H30-3D

Ⅲ Ⅰの規定による**立入検査**の**権限**は、**犯罪捜査**のために認められたものと解釈してはならない。

❾ 診療担当者に対する命令（法49条1項） 重要度B

★★

行政庁は、**保険給付**に関して必要があると認めるときは、厚生労働省令で定めるところによって、**保険給付**を受け、又は受けようとする者（**遺族補償年金**、**複数事業労働者遺族年金**又は**遺族年金**の額の算定の基礎となる者を含む。）の診療を担当した**医師**その他の者に対して、その行った診療に関する事項について、**報告若しくは診療録、帳簿書類その他の物件の提示を命じ、又は当該職員に、これらの物件を検査させることができる**。H30-3E

参考（罰則）
法第49条第1項の規定に違反した場合は、**6月以下の懲役又は20万円以下**の罰金に処せられる。
（法53条3号）

⑩ 関係行政機関等に対する協力の求め（法49条の3）重要度B

★★

Ⅰ　**厚生労働大臣**は、労働者災害補償保険法の施行に関し、**関係行政機関**又は**公私の団体**に対し、**資料の提供**その他**必要な協力**を求めることができる。

Ⅱ　Ⅰの規定による**協力**を求められた**関係行政機関**又は**公私の団体**は、**できるだけ**その**求めに応じなければならない**。

⑪ 派遣労働者に係る保険給付の請求（昭和61.6.30基発383号）重要度B

★★

Ⅰ　派遣労働者の保険給付の請求に当たっては、当該派遣労働者に係る労働者派遣契約の内容等を把握するため、当該派遣労働者に係る「**派遣元管理台帳**」の写しを保険給付請求書に添付することとされている。R元-4D

Ⅱ　派遣労働者の保険給付の請求に当たっては、保険給付請求書の事業主の証明は**派遣元**事業主が行うこととされている。R元-4E

⑫ 罰則 重要度B

1 事業主等に関する罰則（法51条）

★★

事業主、派遣先の事業主又は船員派遣の役務の提供を受ける者が次のⅰⅱのいずれかに該当するときは、**6月以下の懲役又は30万円以下の罰金**に処する。**労働保険事務組合**又は第35条第1項に規定する団体［**一人親方等の団体**］がこれらのⅰⅱのいずれかに該当する場合におけるその違反行為をした当該**労働保険事務組合又は当該団体の代表者又は代理人、使用人その他の従業者**も、同様とする。

ⅰ　第46条［使用者等の報告・出頭等］の規定による命令に違反して**報告をせず**、若しくは**虚偽の報告**をし、又は**文書の提出をせず**、

若しくは**虚偽の記載をした文書を提出した**場合 R2-4アイウ

ii　第48条第1項［立入検査］の規定による**当該職員の質問に対して答弁をせず**、若しくは**虚偽の陳述をし**、又は**検査を拒み、妨げ**、若しくは**忌避した**場合 R2-4エオ

参考（事業主等以外の者に関する罰則）

事業主、労働保険事務組合、第35条第1項に規定する団体［一人親方等の団体］、派遣先の事業主及び船員派遣の役務の提供を受ける者以外の者（第三者を除く。）が次の⑴から⑶のいずれかに該当するときは、**6月以下の懲役又は20万円以下の罰金**に処する。

⑴第47条［労働者及び受給者の報告・出頭等］の規定による命令に違反して報告若しくは届出をせず、若しくは虚偽の報告若しくは届出をし、又は文書その他の物件の提出をせず、若しくは虚偽の記載をした文書を提出した場合

⑵第48条第1項［立入検査］の規定による当該職員の質問に対し答弁をせず、若しくは虚偽の陳述をし、又は検査を拒み、妨げ、若しくは忌避した場合

⑶第49条第1項［診療担当者に対する命令］の規定による命令に違反して報告をせず、虚偽の報告をし、若しくは診療録、帳簿書類その他の物件の提示をせず、又は同条の規定による検査を拒み、妨げ、若しくは忌避した場合（法53条）

2 両罰規定（法54条1項）

★★

法人（法人でない労働保険事務組合及び第35条第1項に規定する団体［一人親方等の団体］を含む。以下同じ。）の**代表者**又は**法人若しくは人**の**代理人**、使用人その他の**従業者**が、その**法人又は人の業務**に関して、第51条［事業主等に関する罰則］又は第53条［事業主等以外の者に関する罰則］の違反行為をしたときは、**行為者**を罰するほか、その**法人又は人**に対しても、各本条の**罰金刑を科する**。

参考（法人又は人の業務に関して）

法人又は人の本来の業務に関してという意味であり、本来の業務に関するものでなければ、その法人又は人は処罰されることなく、行為者のみが処罰される。

資料 編

本書本編の記載内容に関連する発展資料を集めました。本試験で出題された箇所も含まれていますが、かなり細かい論点であるため、まずは本書本編のマスターを優先しましょう。その後さらに知識を深めたい場合に、本資料をご利用ください。

第1章　総則

1 特定水面

「特定水面」とは、陸奥湾、富山湾、若狭湾、東京湾、伊勢湾、大阪湾、有明海及び八代海、大村湾、鹿児島湾の水面をいう。（昭和50年労告35号別表第２）

2 危険又は有害な作業

「危険又は有害な作業」とは、具体的には次の作業である。

① 毒劇薬、毒劇物又はこれらに準ずる毒劇性料品の取扱い
② 危険又は有害なガスの取扱い
③ 重量物の取扱い等の重激な作業
④ 病原体によって汚染されるおそれが著しい作業
⑤ 機械の使用によって、身体に著しい振動を与える作業
⑥ 危険又は有害なガス、蒸気又は粉じんの発散を伴う作業
⑦ 獣毛等のじんあい又は粉末を著しく飛散する場所における作業
⑧ 強烈な騒音を発する場所における作業
⑨ 著しく暑熱な場所における作業
⑩ 著しく寒冷な場所における作業
⑪ 異常気圧下における作業

（昭和50年労告35号別表第１）

第2章　業務災害、複数業務要因災害及び通勤災害

1 作業中断中

作業時間中水を飲むため立入禁止区域に入ろうとしてドック内に転落した労働者の死亡、作業時間中用便に行く途中の事故、風にとばされた帽子を拾おうとして自動車にはねられたトラック助手の死亡、定期貨物便の運転手が運送途上食事のため停車し道路横断の途中で生じた死亡事故などが業務災害と認められている。

（昭和23.9.28基収2997号他）

2 作業に伴う必要行為又は合理的行為中

電気修理工が他事業の顔見知りの労働者の作業を手伝って死亡した場合、トラックの車体検査のため検査場に行き同所のストーブ煙突取り外し作業を手伝って転落死した場合、無免許で自己の担当業務外のタイヤショベル運転中の砂利採取現場の雑役夫の災害などは業務外としている。

一方、自動車修理工が修理を完了させた車を無免許で試運転をしたための転落死、自動車運転手助手が積荷のために切断された電線を修理する際の感電死、仕事を終えた後同僚の食糧運搬を応援し途中で崖下に転落した飯場労働者の死亡、擦れちがいトラック運転手の運転未熟を見かねた運転手の代行運転中の転落事故、作業上必要な私物眼鏡を工場の門まで受け取りに行く途中の事故などが業務災害と認められている。

H27-3A　H29-1B　（昭和23.6.24基収2008号他）

3 作業に伴う準備行為又は後始末行為中

日雇労働者が作業を終えて現場から事務所へ帰る途中の転落溺死事故、タイムカード記入後の工場構内の市道における災害、折返し列車の待ち時間中に起こった乗客掛の災害、事業場施設内における退勤行為中の災害などが業務災害と認められている。

R4-4アイオ　R6-2D　（昭和28.11.14基収5088号他）

4 休憩時間中

拾った不発雷管を休憩中もてあそんで起こした負傷事故については業務外と認定している。H28-2B

一方、休憩時間中水汲みにいって転落した日雇労働者の死亡、道路の傍らで休憩していた道路清掃日雇労働者の自動車事故、休憩中喫煙しようとしたところガソリンのついている作業衣に引火し火傷した場合、建設労働者の昼食中の岩石落下による死亡などが業務災害と認められている。

H28-2A R4-4ウエ （昭和27.12.1基災収3907号他）

5 レクリエーション行事出席中

① 運動競技に伴う災害の業務上外の認定については、他の災害と同様に、運動競技が労働者の業務行為又はそれに伴う行為※として行われ、かつ、労働者の被った災害が運動競技に起因するものである場合に業務上と認められるものであり、運動競技に伴い発生した災害であっても、それが恣意的な行為や業務を逸脱した行為等に起因する場合には業務上とは認められない。H27-3B

※ 「業務行為又はそれに伴う行為」とは、運動競技会において競技を行う等それ自体が労働契約の内容をなす業務行為はもとより、業務行為に付随して行われる準備行為等及びその他出張に通常伴う行為等労働契約の本旨に則ったと認められる行為を含むものであること。

（平成12.5.18基発366号）

② 対外的な運動競技会に出場する場合は、その出場に関して必要な旅行費用等の負担が事業主により行われ（競技団体等が全部又は一部を負担する場合を含む。）るものでなければ（労働者が負担している場合には）、業務上とは認定されない。 （同上）

③ 事業主が予め定めた練習計画とは別に、労働者が自らの意思で行う運動は、労働契約に基づく運動競技の練習には該当しないものであり、当該練習中に負傷した場合であっても、業務上として取り扱われない。H29-1A （同上）

④ 全職員について参加が命じられ、これに参加すると出勤扱いとされるような会社主催の行事に参加する場合等は業務と認められる。また、事業主の命を受けて得意先を接待し、あるいは、得意先との打合せに出席するような場合も、業務となる。 （平成28.12.28基発1228第1号）

⑤ 休日に会社の運動施設を利用しに行く場合はもとより会社主催ではあるが参加するか否かが労働者の任意とされているような行事に参加するような場合には、業務とならない。ただし、そのような会社のレクリエーション行事であっても、厚生課員が仕事としてその行事の運営にあたる場合には当然業務となる。また、事業主の命によって労働者が拘束されないような同僚との懇親会、同僚の送別会への参加等も、業務とはならない。さらに、労働者が労働組合大会に出席するような場合は、労働組合に雇用されていると認められる専従役職員については就業との関連性が認められるのは当然であるが、一般の組合員については就業との関連性は認められない。 （同上）

⑥ 慰安旅行等については、業務災害と認定される場合はかなり少なく、世話役や幹事の事故死について業務災害とした労働保険審査会の裁決がある程度である。なお、事業主主催の慰安旅行中の船の沈没による溺死を業務外と認定したものがある。 （昭和22.12.19基発516号他）

6 療養中

業務中に左脛骨を骨折した労働者が通院中に雪の積もった道で転倒して同じ場所を再骨折した場合、業務中に右腓骨を骨折した労働者が用便後に転倒して同じ場所を再骨折した場合、業務中の事故で入院中の脊髄損傷患者が機能回復訓練中に自動車に衝突されて負傷した場合などを業務上としているが、業務中に右大腿骨を骨折した労働者が追加の通院加療中入浴に行く途中で弟の社宅に立ち寄って転倒し前回骨折部のやや上部を骨折した場合、業務中に大腿骨を骨折した労働者がゆ合後の療養中に友人のモーターバイクに乗り転倒して同部位を再骨折した場合などは業務外としている。

R3-1A〜E （昭和34.5.11基収2212号他）

7 天災地変による災害

具体的には、台風で遭難した漁船員、火山の近くで勤務していた労働者の噴火による死亡、山頂付近で作業をしていた労働者の落雷による死亡、突風のため建設中の建物が倒壊したために負傷した場合、暴風雨下の宿舎流失による死亡などが業務災害と認められている。 （昭和24.9.5基発985号他）

8 他人の故意に基づく暴行による負傷

他人の故意に基づく暴行による負傷については、従来、個別の事案ごとに業務（通勤）と災害との間に相当因果関係が認められるか否かを判断し、その業務（通勤）起因性の有無が判断されてきたが、近時の判例の動向や認定事例の蓄積等を踏まえ、第２章 1 ② 13.の通り取り扱うこととされた。 （平成21.7.23基発0723第12号）

9 上肢作業に基づく疾病の業務上外の認定基準について

1．認定要件

次のいずれの要件も満たし、医学上療養が必要であると認められる上肢障害は、労働基準法施行規則別表第１の２第３号４又は５に該当する疾病として取り扱うこと。

⑴　上肢等に負担のかかる作業を主とする業務に相当期間従事した後に発症したものであること。

⑵　発症前に過重な業務に就労したこと。

⑶　過重な業務への就労と発症までの経過が、医学上妥当なものと認められること。

2．認定要件運用基準

①　1. ⑴の「上肢等に負担のかかる作業」とは、次のいずれかに該当する上肢等を過度に使用する必要のある作業をいう。

R3-7D

⑴　上肢の反復動作の多い作業

⑵　上肢を上げた状態で行う作業

⑶　頸部、肩の動きが少なく、姿勢が拘束される作業

⑷　上肢等の特定の部位に負担のかかる状態で行う作業

②　1. ⑴の「相当期間」とは、１週間とか10日間という極めて短期的なものではなく、原則として６か月程度以上をいう。 R3-7A

3．認定に当たっての基本的な考え方について

上肢作業に伴う上肢等の運動器の障害は、加齢や日常生活とも密接に関連しており、その発症には、業務以外の個体要因（例えば年齢、素因、体力等）や日常生活要因（例えば家事労働、育児、スポーツ等）が関与している。また、上肢等に負担のかかる作業と同様な動作は、日常生活の中にも多数存在している。したがって、これらの要因をも検討した上で、上肢作業者が、業務により上肢を過度に使用した結果発症したと考えられる場合には、業務に起因することが明らかな疾病として取り扱うものである。 R3-7B

4．類似疾病との鑑別について

上肢障害には、加齢による骨・関節系の退行性変性や関節リウマチ等の類似疾病が関与することが多いことから、これが疑われる場合には、専門医からの意見聴取や鑑別診断等を実施すること。 R3-7C

5．その他

一般に上肢障害は、業務から離れ、ある

いは業務から離れないまでも適切な作業の指導・改善等を行い就業すれば、症状は軽快する。また、適切な療養を行うことによっておおむね３か月程度で症状が軽快すると考えられ、手術が施行された場合でも一般的におおむね６か月程度の療養が行われれば治ゆするものと考えられるので留意すること。 R3-7E （平成9.2.3基発65号）

10 住居と就業の場所との間の往復に先行し、又は後続する住居間の移動の対象となる労働者

1．**転任**※に伴い、当該**転任**の直前の住居と就業の場所との間を日々往復することが当該往復の距離等を考慮して困難となったため住居を移転した労働者であって、次のいずれかに掲げる**やむを得ない事情**により、当該**転任**の直前の住居に居住している配偶者（婚姻の届出をしていないが、事実上婚姻関係と同様の事情にある者を含む。以下同じ。）と別居することとなったもの R2-選B

※ 「転任」とは、企業の命を受け、就業する場所が変わることをいう。また、就業していた場所、つまり事業場自体の場所が移転した場合も該当することとする。

⑴ 配偶者が、**要介護状態**（負傷、疾病又は身体上若しくは精神上の障害により、**2週間以上**の期間にわたり常時介護を必要とする状態をいう。以下同じ。）にある労働者又は配偶者の父母又は同居の親族を**介護**すること。 R2-選CD

⑵ 配偶者が、学校等（学校教育法に規定する学校、専修学校若しくは各種学校をいう。）に在学し、児童福祉法に規定する保育所（2．⑵において「保育所」という。）若しくは就学前の子どもに関する教育、保育等の総合的な提供の推進に関する法律に規定する幼保連携型認定こども園（2．⑵において「幼保連携型認定こども園」という。）に通い、又は職業訓練〔職業能力開発促進法に規定する公共職業能力開発施設の行う職業訓練（職業能力開発総合大学校において行われるものを含む。）をいう。〕を受けている同居の子（18歳に達する日以後の最初の３月31日までの間にある子に限る。）を養育すること。 R2-選E

⑶ 配偶者が、引き続き就業すること。

⑷ 配偶者が、労働者又は配偶者の所有に係る住宅を管理するため、引き続き当該住宅に居住すること。

⑸ その他配偶者が労働者と同居できないと認められる⑴から⑷までに類する事情

2．転任に伴い、当該転任の直前の住居と就業の場所との間を日々往復することが当該往復の距離等を考慮して困難となったため住居を移転した労働者であって、次のいずれかに掲げる**やむを得ない事情**により、当該転任の直前の住居に居住している子と別居することとなったもの（配偶者がないものに限る。）

⑴ 当該子が要介護状態にあり、引き続き当該転任の直前まで日常生活を営んでいた地域において介護を受けなければならないこと。

⑵ 当該子（18歳に達する日以後の最初の３月31日までの間にある子に限る。）が学校等に在学し、保育所若しくは幼保連携型認定こども園に通い、又は職業訓練を受けていること。

⑶ その他当該子が労働者と同居できないと認められる⑴又は⑵に類する事情

3．転任に伴い、当該転任の直前の住居と就業の場所との間を日々往復することが当該往復の距離等を考慮して困難となったため住居を移転した労働者であって、次のいずれかに掲げる**やむを得ない事情**により、当該転任の直前の住居に居住し

ている当該労働者の父母又は親族（要介護状態にあり、かつ、当該労働者が介護していた父母又は親族に限る。）と別居することとなったもの（配偶者及び子がないものに限る。）

⑴　当該父母又は親族が、引き続き当該転任の直前まで日常生活を営んでいた地域において介護を受けなければならないこと。

⑵　当該父母又は親族が労働者と同居できないと認められる⑴に類する事情

4．その他1.から3.に類する労働者

（則7条、平成28.12.28基発1228第1号）

第3章　給付基礎日額

1 最低限度額及び最高限度額の算定方法等

1．法第8条の2第2項第1号の厚生労働大臣が定める額（以下「最低限度額」という。）は、厚生労働省において作成する賃金構造基本統計（以下「賃金構造基本統計」という。）の**常用労働者**※について、則第9条の3に規定する年齢階層（以下「年齢階層」という。）ごとに求めた次の⑴⑵に掲げる額の合算額を、賃金構造基本統計を作成するための調査の行われた月の属する年度における被災労働者｛年金たる保険給付〔遺族（補償）等年金を除く。〕を受けるべき労働者及び遺族（補償）等年金を支給すべき事由に係る労働者をいう。以下同じ。｝の数で除して得た額（その額に1円未満の端数があるときは、これを1円に切り上げる。）とする。

※　賃金構造基本統計調査規則第4条第1項に規定する事業所（国又は地方公共団体の事業所以外の事業所に限る。）に雇用される**常用労働者**をいう。

⑴　当該年齢階層に属する**常用労働者**であって男性である者（以下「男性労働者」という。）を、その受けている賃金構造基本統計の調査の結果による1月当たりのきまって支給する現金給与額（以下「賃金月額」という。）の高低に従い、**20**の階層に区分し、その区分された階層のうち**最も低い**賃金月額に係る階層に属する男性労働者の受けている賃金月額のうち**最も高い**ものを**30**で除して得た額に、被災労働者であって男性である者の数を乗じて得た額

⑵　⑴中「男性である者」とあるのは「女性である者」と、「男性労働者」とあるのは「女性労働者」として、⑴の規定の例により算定して得た額

2．1.の規定により算定して得た額が、自動変更対象額に満たない場合は、自動変更対象額を当該年齢階層に係る最低限度額とする。

3．1.の規定は、法第8条の2第2項第2号（法第8条の3第2項において準用する場合を含む。）の厚生労働大臣が定める額（最高限度額）について準用する。この場合において、1.中「「最低限度額」」とあるのは「「最高限度額」」と、「最も低い賃金月額に係る」とあるのは「最も高い賃金月額に係る階層の直近下位の」と読み替えるものとする。

4．3.において準用する1.の規定により算定して得た額が、常用労働者を、その受けている賃金月額の高低に従い、4の階層に区分し、その区分された階層のうち最も高い賃金月額に係る階層の直近下位の階層に属する常用労働者の受けている賃金月額のうち最も高いものを30で除して得た額（その額に1円未満の端数があるときは、これを1円に切り上げる。）に満たない場合は、当該30で除して得た額を当該年齢階層に係る最高限度額とする。

（則9条の4,1項～4項）

第4章　保険給付

1 障害等級

（障害等級認定に当たっての基本的事項－障害補償の意義）

労働基準法における障害補償並びに労災保険法における障害補償給付、複数事業労働者障害給付及び障害給付（以下「障害補償」という。）は、労働者が業務上の事由、複数事業労働者の２以上の事業の業務を要因とする事由又は通勤により負傷し、疾病にかかり、治ったとき身体に障害が存する場合に、その障害の程度に応じて行うこととされており、障害補償の対象となる障害の程度は、労働基準法施行規則別表第２身体障害等級表及び労災保険法施行規則別表第１障害等級表に定められている。

ところで、障害補償は、障害による**労働能力**の喪失に対する損失てん補を目的とするものである。したがって、負傷又は疾病（以下「傷病」という。）が治ったときに残存する、当該傷病と相当因果関係を有し、かつ、将来においても回復が困難と見込まれる精神的又は身体的なき損状態であって、その存在が医学的に認められ、**労働能力**の喪失を伴うものを障害補償の対象としている。（平成23.2.1基発0201第２号）

2 二次健康診断の検査項目

(1) 空腹時の血中脂質検査〔空腹時の低比重リポ蛋白コレステロール（LDLコレステロール）、高比重リポ蛋白コレステロール（HDLコレステロール）及び血清トリグリセライドの量の検査〕
(2) 空腹時の血中グルコースの量の検査
(3) ヘモグロビンA1c検査（一次健康診断において当該検査を行った場合を除く。）
(4) 負荷心電図検査又は胸部超音波検査
(5) 頸部超音波検査
(6) 微量アルブミン尿検査〔一次健康診断における尿中の蛋白の有無の検査において疑陽性（±）又は弱陽性（+）の所見があると診断された場合に限る。〕

（則18条の16,2項）

第5章　給付通則等

1 未支給の保険給付の請求権者がない場合等

未支給給付に関する規定は、その限りで相続に関する民法の規定を排除するものであるが、未支給給付の請求権者がない場合には、死亡した受給権者の相続人がその未支給給付の請求権者となる。また、未支給給付の請求権者が、その未支給給付を受けないうちに死亡した場合には、その死亡した未支給給付の請求権者の相続人が請求権者となる。（昭和41.1.31基発73号）

■未支給の保険給付の請求権者に該当する者がいない場合等の請求権者

未支給の保険給付を請求できる者がいないとき	死亡した保険給付の受給権者の相続人
未支給の保険給付の請求権者がその支給を受けないうちに死亡したとき	未支給の保険給付の請求権者の相続人

2 自動車損害賠償責任保険と労災保険との支払事務の調整について

交通事故の場合で保険給付を行ったときは、政府はその価額の限度で被災労働者が保険会社に対して有する損害賠償額の支払請求権を取得することになる。なお、労災保険の給付と自賠責保険の支払の関係については、自賠責保険の支払を労災保険の給付に先行させるように取り扱うこととされている。（昭和41.12.16基発1305号）

第6章　社会復帰促進等事業

1 アフターケア

（アフターケア対象傷病範囲）

①せき髄損傷　②頭頸部外傷症候群等（頭頸部外傷症候群、頸肩腕障害、腰痛）③尿路系障害　④慢性肝炎　⑤白内障等の眼疾患　⑥振動障害　⑦大腿骨頸部骨折及び股関節脱臼・脱臼骨折　⑧人工関節・人工骨頭置換　⑨慢性化膿性骨髄炎　⑩虚血性心疾患等　⑪尿路系腫瘍　⑫脳の器質性障害　⑬外傷による末梢神経損傷　⑭熱傷　⑮**サリン中毒**　⑯**精神障害**　⑰循環器障害　⑱呼吸機能障害　⑲消化器障害　⑳炭鉱災害による一酸化炭素中毒

H29-3エ

（社会復帰促進等事業としてのアフターケア実施要領・抜粋）

1．実施医療機関等

⑴　アフターケアは、労災病院、医療リハビリテーションセンター、総合せき損センター、労働者災害補償保険法施行規則第11条の規定により指定された病院若しくは診療所又は薬局（以下「実施医療機関等」という。）において行うものとする。

⑵　アフターケアを受けようとする者は、その都度、実施医療機関等に以下2.に定める「**アフターケア手帳**」（以下「手帳」という。）を**提出**するものとし、**アフターケアの実施に関する記録の記入を受ける**ものとする。

H29-3オ

2．アフターケア手帳

⑴　**新規交付** H29-3オ

①　手帳の交付を受けようとする者は、「アフターケア手帳交付申請書」を、事業場の所在地を管轄する労働基準監督署長の所在地を管轄する都道府県労働局長（以下「所轄局長」という。）に提出しなければならない。

②　所轄局長は、上記①の申請に基づき、対象者と認められる者に対して、手帳を交付するものとする。

⑵　**有効期間**

手帳の有効期間は、傷病別実施要綱に定めるところによる。

⑶　**再交付**

①　手帳を紛失若しくは汚損し又は手帳のアフターケア記録欄に余白がなくなったときは、「アフターケア手帳更新・再交付申請書」により、所轄局長あてに手帳の再交付を申請するものとする。

②　所轄局長は、上記①の申請については、申請の理由を確認し、手帳を再交付するものとする。

なお、再交付された手帳の有効期間は、紛失若しくは汚損し又は余白がなくなった手帳の有効期間が満了する日までとする。

3．アフターケア委託費の請求

実施医療機関等は、アフターケアに要した費用（以下「アフターケア委託費」という。）を請求するときは、算定した毎月分の費用の額を「アフターケア委託費請求書」又は「アフターケア委託費請求書（薬局用）」に記載の上、当該実施医療機関等の所在地を管轄する都道府県労働局長に提出するものとする。（令和6.3.25基発0325第3号）

2 傷病特別年金・暫定措置

暫定措置として、原則として、傷病（補償）等年金の額と傷病特別年金の額との合計額が年金給付基礎日額の292日分（365日分の80%）に相当する額に満たないときは、その差額相当額が差額支給金（傷病差額特別支給金）として支給される。

（(52)支給金則附則6条）

第7章　特別加入

1 特定農作業従事者

特別加入できる特定農作業従事者は、次の(1)の規模の農業（畜産及び養蚕を含む）の事業場において(2)の危険有害な農作業を行う者である。

(1) **農業（畜産及び養蚕を含む）の事業場の規模**

年間農業生産物総販売額300万円以上又は経営耕地面積2ヘクタール以上の規模の事業場において作業する者であること。

(2) **危険有害な農作業の範囲**

土地の耕作若しくは開墾、植物の栽培若しくは採取又は家畜（家きん及びみつばちを含む）若しくは蚕の飼育の作業であって、次の災害発生の危険性の高い作業に従事すること。

① 動力により駆動される機械を使用する作業

② 高さが2メートル以上の箇所における作業 R2-3C

③ 労働安全衛生法施行令別表に掲げる酸素欠乏危険場所における作業

④ 農薬の散布の作業

⑤ 牛、馬又は豚に接触し、又は接触するおそれのある作業

（則46条の18,1号イ、平成11.2.18基発77号）

2 特別加入者たる地位の消滅時期

1．中小事業主等の特別加入者たる地位は、次のときに消滅する。

(1) 脱退の承認申請に対する政府の承認があったときは、当該承認があった日（脱退申請の日から起算して30日の範囲内において脱退申請者が脱退を希望する日）の翌日

(2) 事業の廃止又は終了があったとき（事業自体は存続していても労働者を全く使用しなくなったときを含む。）は、その廃止又は終了の日の翌日（=保険関係消滅日）

(3) 当該事業が任意適用事業である場合に保険関係の消滅の申請をし、その申請に対する厚生労働大臣の認可があったときは、当該認可があった日の翌日（=保険関係消滅日）

(4) 特別加入者が中小事業主等に該当しなくなったときは、そのとき（特別加入している中小事業主が当該事業の事業主でなくなったとき、労働保険事務組合への労働保険事務の事務処理の委託を解除したとき、事業の労働者数が増加し中小事業主に該当しなくなったときなどは、そのとき）

(5) 法令違反の場合において、政府が特別加入の承認を取り消したときは、そのとき

2．一人親方等の特別加入者たる地位は、次のときに消滅する。

(1) 脱退の承認申請に対する政府の承認があったときは、当該承認があった日（脱退申請の日から起算して30日の範囲内において脱退申請者が脱退を希望する日）の翌日

(2) 特別加入している**団体が解散したときは**、その**解散の日の翌日**（=保険関係消滅日）

(3) 特別加入者が一人親方等に該当しなくなったときは、そのとき（特別加入している一人親方等が、一人親方等でなくなったとき、特別加入している一人親方等が、これらの者の特別加入の承認を受けた団体の構成員でなくなったときなどは、そのとき）

(4) 法令違反の場合において、政府が保険関係を消滅させたときは、そのとき

3．海外派遣者の特別加入者たる地位は、次のときに消滅する。

(1) 脱退の承認申請に対する政府の承認

があったときは、当該承認があった日（脱退申請の日から起算して30日の範囲内において脱退申請者が脱退を希望する日）の翌日

(2) 派遣元事業の廃止があったときは、その廃止の日の翌日（=保険関係消滅日）

(3) 派遣元事業が任意適用事業である場合に保険関係の消滅の申請をし、その申請に対する厚生労働大臣の認可があったときは、当該認可があった日の翌日（=保険関係消滅日）

(4) 特別加入者が海外派遣者に該当しなくなったときは、そのとき（特別加入者が出向期間の終了により帰国したときなどは、そのとき）

(5) 法令違反の場合において、政府が特別加入の承認を取り消したときは、そのとき

（平成11.12.3基発695号、平成11.2.18基発77号、平成26年厚労告386号）

索　引

あ行

か行

さ行

た行

な行

は行

ま行

ら行

条 文 索 引

執　　筆：伊藤浩子（TAC教材開発講師）
編集補助：高橋比沙子（TAC専任講師、上級本科生担当）
　　　　　跡部大輔（TAC教材開発講師）

本書は、令和６年10月２日現在において、公布され、かつ、令和７年度本試験受験案内が発表されるまでに施行されることが確定されているものに基づいて執筆しております。

なお、令和６年10月３日以降に法改正のあるもの、また法改正はなされているが施行規則等で未だ細目について定められていないものについては、下記ホームページにて順次公開いたします。

TAC出版書籍販売サイト「サイバーブックストア」
https://bookstore.tac-school.co.jp

2025年度版　よくわかる社労士　合格テキスト３　労働者災害補償保険法

（平成24年度版　2011年12月１日　初版　第１刷発行）
2024年11月２日　初　版　第１刷発行

編著者　ＴＡＣ株式会社（社会保険労務士講座）
発行者　多田敏男
発行所　ＴＡＣ株式会社　出版事業部（TAC出版）
〒101-8383 東京都千代田区神田三崎町3-2-18
電話　03(5276)9492(営業)
FAX　03(5276)9674
https://shuppan.tac-school.co.jp

印　刷　株式会社ワコー
製　本　東京美術紙工協業組合

ISBN 978-4-300-11373-8
N.D.C. 364

TAC出版 書籍のご案内

TAC出版では、資格の学校TAC各講座の定評ある執筆陣による資格試験の参考書をはじめ
資格取得者の開業法や仕事術、実務書、ビジネス書、一般書などを発行しています！

TAC出版の書籍

＊一部書籍は、早稲田経営出版のブランドにて刊行しております。

資格・検定試験の受験対策書籍

- 日商簿記検定
- 建設業経理士
- 全経簿記上級
- 税　理　士
- 公認会計士
- 社会保険労務士
- 中小企業診断士
- 証券アナリスト
- ファイナンシャルプランナー(FP)
- 証券外務員
- 貸金業務取扱主任者
- 不動産鑑定士
- 宅地建物取引士
- 賃貸不動産経営管理士
- マンション管理士
- 管理業務主任者
- 司法書士
- 行政書士
- 司法試験
- 弁理士
- 公務員試験(大卒程度・高卒者)
- 情報処理試験
- 介護福祉士
- ケアマネジャー
- 電験三種　ほか

実務書・ビジネス書

- 会計実務、税法、税務、経理
- 総務、労務、人事
- ビジネススキル、マナー、就職、自己啓発
- 資格取得者の開業法、仕事術、営業術

一般書・エンタメ書

- ファッション
- エッセイ、レシピ
- スポーツ
- 旅行ガイド（おとな旅プレミアム/旅コン）

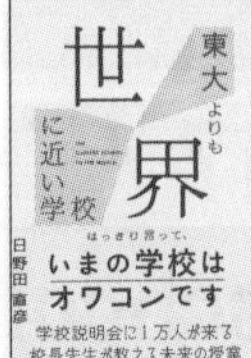

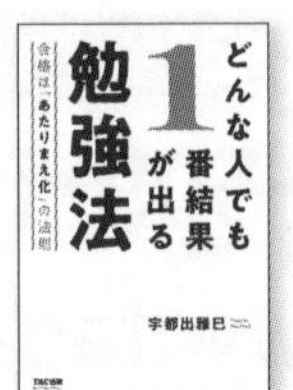

書籍の正誤に関するご確認とお問合せについて

書籍の記載内容に誤りではないかと思われる箇所がございましたら、以下の手順にてご確認とお問合せをしてくださいますよう、お願い申し上げます。
なお、正誤のお問合せ以外の**書籍内容に関する解説および受験指導などは、一切行っておりません。**
そのようなお問合せにつきましては、お答えいたしかねますので、あらかじめご了承ください。

1 「Cyber Book Store」にて正誤表を確認する

TAC出版書籍販売サイト「Cyber Book Store」の
トップページ内「正誤表」コーナーにて、正誤表をご確認ください。

CYBER BOOK STORE TAC出版書籍販売サイト

URL:https://bookstore.tac-school.co.jp/

2 1の正誤表がない、あるいは正誤表に該当箇所の記載がない ⇒ 下記①、②のどちらかの方法で文書にて問合せをする

★ご注意ください★

お電話でのお問合せは、お受けいたしません。
①、②のどちらの方法でも、お問合せの際には、「お名前」とともに、
「対象の書籍名(○級・第○回対策も含む)およびその版数(第○版・○○年度版など)」
「お問合せ該当箇所の頁数と行数」
「誤りと思われる記載」
「正しいとお考えになる記載とその根拠」
を明記してください。
なお、回答までに1週間前後を要する場合もございます。あらかじめご了承ください。

① ウェブページ「Cyber Book Store」内の「お問合せフォーム」より問合せをする

【お問合せフォームアドレス】

https://bookstore.tac-school.co.jp/inquiry/

② メールにより問合せをする

【メール宛先 TAC出版】

syuppan-h@tac-school.co.jp

※土日祝日はお問合せ対応をおこなっておりません。
※正誤のお問合せ対応は、該当書籍の改訂版刊行月末日までといたします。

乱丁・落丁による交換は、該当書籍の改訂版刊行月末日までといたします。なお、書籍の在庫状況等により、お受けできない場合もございます。
また、各種本試験の実施の延期、中止を理由とした本書の返品はお受けいたしません。返金もいたしかねますので、あらかじめご了承くださいますようお願い申し上げます。

TACにおける個人情報の取り扱いについて
■お預かりした個人情報は、TAC(株)で管理させていただき、お問合せへの対応、当社の記録保管にのみ利用いたします。お客様の同意なしに業務委託先以外の第三者に開示、提供することはございません(法令等により開示を求められた場合を除く)。その他、個人情報保護管理者、お預かりした個人情報の開示等及びTAC(株)への個人情報の提供の任意性については、当社ホームページ(https://www.tac-school.co.jp)をご覧いただくか、個人情報に関するお問い合わせ窓口(E-mail:privacy@tac-school.co.jp)までお問合せください。

(2022年7月現在)